Diogenes Taschenbuch 21087

George Orwell

1984

Roman

Aus dem Englischen von
Kurt Wagenseil

Diogenes

Titel der englischen Originalausgabe
›Nineteen Eighty-Four‹

Umschlagzeichnung von Tomi Ungerer

60/83/8/1
ISBN 3 257 21087 6

ERSTER TEIL

I

Es war ein klarer, kalter Tag im April, und die Uhren schlugen gerade dreizehn, als Winston Smith, das Kinn an die Brust gepreßt, um dem rauhen Wind zu entgehen, rasch durch die Glastüren eines der Häuser des Victory-Blocks schlüpfte, wenn auch nicht rasch genug, als daß nicht zugleich mit ihm ein Wirbel griesigen Staubs eingedrungen wäre.

Im Flur roch es nach gekochtem Kohl und feuchten Fußmatten. An der Rückwand war ein grellfarbiges Plakat, das für einen Innenraum eigentlich zu groß war, mit Reißnägeln an der Wand befestigt. Es stellte nur ein riesiges Gesicht von mehr als einem Meter Breite dar: das Gesicht eines Mannes von etwa fünfundvierzig Jahren, mit dickem schwarzem Schnauzbart und ansprechenden, wenn auch derben Zügen. Winston ging die Treppe hinauf. Es hatte keinen Zweck, es mit dem Aufzug zu versuchen. Sogar zu den günstigsten Stunden des Tages funktionierte er nur selten, und zur Zeit war tagsüber der elektrische Strom abgestellt. Das gehörte zu den wirtschaftlichen Maßnahmen der in Vorbereitung befindlichen *Haß-Woche.* Die Wohnung lag sieben Treppen hoch, und der neununddreißigjährige Winston, der über dem rechten Fußknöchel dicke Krampfaderknoten hatte, ging sehr langsam und ruhte sich mehrmals unterwegs aus. Auf jedem Treppenabsatz starrte ihn gegenüber dem Liftschacht das Plakat mit dem riesigen Gesicht an. Es gehörte zu den Bildnissen, die so gemalt sind, daß einen die Augen überallhin verfolgen. *»Der Große Bruder sieht dich an!«* lautete die Schlagzeile darunter.

Drinnen in der Wohnung verlas eine klangvolle Stimme eine Zahlenstatistik über die Roheisenproduktion. Die Stimme kam aus einer länglichen Metallplatte, die einem stumpfen Spiegel ähnelte und rechter Hand in die Wand eingelassen war. Winston drehte an einem Knopf, und die Stimme wurde daraufhin etwas leiser, wenn auch der Wortlaut noch zu verstehen blieb. Der Apparat, ein sogenannter Televisor oder Hörsehschirm, konnte gedämpft werden, doch gab es keine Möglichkeit, ihn völlig abzustellen. Smith trat ans Fenster, eine abgezehrte, gebrechliche Gestalt, deren Magerkeit durch den blauen Trainingsanzug der Parteiuniform noch betont wurde. Sein Haar war sehr hell, sein Gesicht unnatürlich gerötet, seine Haut rauh von der groben Seife, den stumpfen Rasierklingen und der Kälte des gerade überstandenen Winters.

Die Welt draußen sah selbst durch die geschlossenen Fenster kalt aus. Unten auf der Straße wirbelten schwache Windstöße Staub und Papierfetzen in Spiralen hoch, und obwohl die Sonne strahlte und der Himmel leuchtend blau war, schien doch alles farblos, außer den überall angebrachten Plakaten. Das Gesicht mit dem schwarzen Schnurrbart blickte von jeder beherrschenden Ecke herunter. Ein Plakat klebte an der unmittelbar gegenüberliegenden Hausfront. *»Der Große Bruder sieht dich an!«* hieß auch hier die Unterschrift, und die dunklen Augen bohrten sich tief in Winstons Blick. Unten in Straßenhöhe flatterte ein anderes, an einer Ecke eingerissenes Plakat unruhig im Winde und ließ nur das Wort *Engsoz* bald versteckt, bald unverdeckt erscheinen. In der Ferne glitt ein Helikopter zwischen den Dächern herunter, brummte einen Augenblick wie eine Schmeißfliege und strich dann in einem Bogen wieder ab. Es war die Polizeistreife, die den Leuten in die Fenster schaute. Die Streifen waren jedoch nicht schlimm. Zu fürchten war nur die Gedankenpolizei.

Hinter Winstons Rücken schwatzte die leise Stimme aus dem Televisor noch immer von Roheisen und von der weit über das gesteckte Ziel hinausgehenden Erfüllung des neunten Dreijahresplans. Der Televisor war gleichzeitig Empfangs- und Sendegerät. Jedes von Winston verursachte Geräusch, das über ein ganz leises Flüstern hinausging, wurde von ihm registriert. Außerdem konnte Winston, solange er in dem von der Metallplatte beherrschten Sichtfeld blieb, nicht nur gehört, sondern auch gesehen werden. Es bestand natürlich keine Möglichkeit festzustellen, ob man in einem gegebenen Augenblick gerade überwacht wurde. Wie oft und nach welchem System die Gedankenpolizei sich in einen Privatapparat einschaltete, blieb der Mutmaßung überlassen. Es war sogar möglich, daß jeder einzelne ständig überwacht wurde. Auf alle Fälle aber konnte sie sich, wenn sie es wollte, jederzeit in einen Apparat einschalten. Man mußte in der Annahme leben – und man stellte sich tatsächlich instinktiv darauf ein –, daß jedes Geräusch, das man machte, mitgehört und, außer in der Dunkelheit, jede Bewegung beobachtet wurde.

Winston richtete es so ein, daß er dem Televisor den Rücken zuwandte. Das war sicherer, wenn auch, wie er wohl wußte, sogar ein Rücken verräterisch sein kann. Einen Kilometer entfernt ragte das Wahrheitsministerium, seine Arbeitsstätte, wuchtig und weiß über der düsteren Landschaft empor. Das also, dachte er mit einer Art undeutlichen Abscheus, war London, die Hauptstadt des Luftstützpunkts Nr. 1, der am drittstärksten bevölkerten Provinz Ozeaniens. Er versuchte in seinen Kindheitserinnerungen nachzuforschen, ob London immer so ausgesehen hatte. Hatten da immer diese langen Reihen heruntergekommen aussehender Häuser aus dem neunzehnten Jahrhundert gestanden, deren Mauern mit Balken gestützt, deren Fenster mit Pappendeckel verschalt und deren Dächer mit Wellblech gedeckt waren, während ihre schiefen Gartenmauern kreuz und quer in den Boden sackten? Und diese zerbombten Ruinen, wo der Pflasterstaub in der Luft wirbelte und Unkrautgestrüpp auf den Trümmern wucherte, dazu die Stellen, wo Bombeneinschläge eine größere Lücke gerissen hatten und trostlose Siedlungen von Holzbaracken entstanden waren, die wie Hühnerställe aussahen? Aber es führte zu nichts, er konnte sich nicht erinnern; von seiner Kindheit hatte er nichts behalten als eine Reihe greller Bilder ohne Hintergrund, die ihm zumeist unverständlich waren.

Das Wahrheitsministerium – *Miniwahr,* wie es in der Neusprache, der amtlichen Sprache Ozeaniens, hieß – sah verblüffend verschieden von allem anderen aus, was der Gesichtskreis umfaßte. Es war ein riesiger pyramidenartiger, weiß schimmernder Betonbau, der sich terrassenförmig dreihundert Meter hoch in die Luft reckte. Von der Stelle, wo Winston stand, konnte man gerade noch die in schönen Lettern in seine weiße Front gemeißelten drei Wahlsprüche der Partei entziffern:

KRIEG BEDEUTET FRIEDEN
FREIHEIT IST SKLAVEREI
UNWISSENHEIT IST STÄRKE

Das Wahrheitsministerium enthielt, so erzählte man sich, in seinem pyramidenartigen Bau dreitausend Räume und eine entsprechende Zahl unter der Erde. In ganz London gab es nur noch drei andere Bauten von ähnlichem Aussehen und Ausmaß. Sie beherrschten das sie umgebende Stadtbild so vollkommen, daß man vom Dach des Victory-Blocks aus alle vier gleichzeitig sehen konnte. Sie waren der Sitz der vier Ministerien, unter die der gesamte Regierungsapparat aufgeteilt war, des Wahrheitsministeriums, das sich mit dem Nachrichtenwesen, der Freizeitgestaltung, dem Erziehungswesen und den schönen Künsten befaßte, des Friedensministeriums, das die Kriegsangelegenheiten behandelte, des Ministeriums für Liebe, das Gesetz und Ordnung aufrechterhielt, und des Ministeriums für Überfluß, das die Rationierungen bearbeitete. Ihre Namen in der Neusprache lauteten: *Miniwahr, Minipax, Minilieb, Minifluß.*

Das Ministerium für Liebe war das furchterregendste von allen. Es hatte überhaupt keine Fenster. Winston war noch nie im Ministerium für Liebe gewesen und ihm auch nie, sei es nur auf einen halben Kilometer, nahe gekommen. Es war unmöglich, es außer in amtlichem Auftrag zu betreten, und auch dann mußte man erst durch einen Irrgarten von Stacheldrahtverhauen und versteckten Maschinengewehrnestern hindurch. Sogar die zu den Befestigungen im Vorgelände hinaufführenden Straßen waren durch gorillagesichtige Wachen in schwarzen Uniformen gesichert, die mit schweren Gummiknüppeln bewaffnet waren.

Winston drehte sich mit einem Ruck um. Er hatte die ruhige optimistische Miene aufgesetzt, die zur Schau zu tragen ratsam war, wenn man dem Televisor das Gesicht zukehrte. Er ging quer durchs Zimmer in die winzige Küche. Indem er zu dieser Tageszeit aus dem Ministerium weggegangen war, hatte er auf sein Mittagessen in der Kantine verzichtet, andererseits wußte er, daß es in der Küche nichts zu essen gab außer einem Stück Schwarzbrot, das für den nächsten Tag zum Frühstück aufgehoben werden mußte. Er nahm aus dem Regal eine Flasche mit einer farblosen Flüssigkeit, die dem schmucklosen weißen Etikett nach *Victory-Gin* war. Das Getränk strömte einen faden, öligen Geruch aus, wie chinesischer Reisschnaps. Winston goß sich fast eine Teetasse voll davon ein, stellte sich auf den zu erwartenden Schock ein und stürzte es wie eine Dosis Medizin hinunter.

Sofort lief sein Gesicht krebsrot an, und das Wasser trat ihm in die Augen. Das Zeug schmeckte wie Salpetersäure, und man hatte beim Herunterschlucken das Gefühl, eins mit dem Gummiknüppel über den Hinterkopf zu bekommen. Einen Augenblick später hörte jedoch das Brennen in seinem Magen auf, und die Welt begann rosiger auszusehen. Er zog eine Zigarette aus einem zerknitterten Päckchen mit der Aufschrift *Victory-Zigaretten,* doch unvorsichtigerweise hielt er sie senkrecht, worauf der Tabak heraus auf den Fußboden rieselte. Mit der nächsten hatte er mehr Glück. Er ging ins Wohnzimmer zurück und setzte sich an ein links vom Televisor stehendes Tischchen. Dann zog er aus der Tischschublade einen Federhalter, eine Tintenflasche und ein dickes, unbeschriebenes Diarium in Quadratformat mit rotem Rücken und marmorierten Einbanddeckeln hervor.

Aus irgendeinem Grunde war der Televisor in seinem Wohnzimmer an einer ungewöhnlichen Stelle angebracht. Statt wie üblich an der kürzeren Wand, von wo aus er den ganzen Raum beherrscht hätte, war er an der Längswand gegenüber dem Fenster eingelassen. An seiner einen Seite befand sich die kleine Nische, in der Winston jetzt saß und die vermutlich beim Bau der Wohnung für ein Bücherregal bestimmt gewesen war. Wenn er sich so in die Nische setzte und vorsichtig im Hintergrund hielt, konnte Winston, wenigstens visuell, außer Reichweite des Televisors bleiben. Er konnte zwar gehört, aber, solange er in seiner Stellung verharrte, nicht gesehen werden. Die ungewöhnliche Anlage des Zimmers war zum Teil für den Gedanken verantwortlich, zu dessen Verwirklichung er jetzt schritt.

Doch auch das Diarium, das er soeben aus der Schublade hervorgezogen hatte, war mit daran schuld. Es war ein ganz besonders schönes Diarium. Sein milchweißes Papier, schon ein wenig vergilbt, war von einer Qualität, wie sie seit wenigstens vierzig Jahren nicht mehr hergestellt worden war. Er hatte jedoch Grund zu der Annahme, daß das Buch noch weit älter war. Er hatte es in der Auslage eines muffigen kleinen Altwarengeschäfts in einem der Elendsviertel der Stadt (in welchem Viertel, hätte er jetzt nicht mehr sagen können) liegen gesehen und war sofort von dem brennenden Wunsch beseelt worden, es zu besitzen. Von Parteimitgliedern wurde erwartet, daß sie nicht in gewöhnlichen Läden einkauften (»Geschäfte auf dem freien Markt machten«, wie die Formel lautete), aber die Vorschrift wurde nicht streng eingehalten, denn es gab verschiedene Dinge, wie Schuhbänder oder Rasierklingen, die man sich unmöglich auf andere Weise beschaffen konnte. Er hatte einen raschen Blick die Straße hinauf- und hinuntergeworfen, dann war er hineingeschlüpft und hatte das Buch für zwei Dollar fünfzig erstanden. Damals hatte ihm noch kein Zweck dafür vorgeschwebt. Er hatte es schuldbewußt in seiner Mappe heimgetragen. Selbst unbeschrieben war es schon ein gefährlicher Besitz.

Nun war er im Begriff, ein Tagebuch anzulegen. Das war nicht illegal (nichts war illegal, da es ja keine Gesetze mehr gab), aber falls es herauskam, war er so gut wie sicher, daß es mit dem Tode oder zumindest fünfundzwanzig Jahren Zwangsarbeitslager geahndet werden würde. Winston steckte eine Stahlfeder in den

Halter und feuchtete sie mit der Zunge an. Die Feder war ein vorsintflutliches Instrument, das selbst zu Unterschriften nur noch selten verwendet wurde, und er hatte sich heimlich und mit einiger Schwierigkeit eine besorgt, ganz einfach aus dem Gefühl heraus, daß das wundervolle glatte Papier es verdiente, mit einer richtigen Feder beschrieben, statt mit einem Tintenblei bekritzelt zu werden. Tatsächlich war er nicht mehr gewöhnt, mit der Hand zu schreiben. Abgesehen von ganz kurzen Notizen war es üblich, alles in den Sprechschreiber zu diktieren, aber das war natürlich in diesem Fall unmöglich. Er tauchte die Feder in die Tinte und stockte noch eine Sekunde. Ein Schauer war ihm über den Rücken gelaufen. Der erste Federstrich über das Papier war die entscheidende Handlung. In kleinen unbeholfenen Buchstaben schrieb er: *4. April 1984.*

Er lehnte sich zurück. Ein Gefühl völliger Hilflosigkeit hatte sich seiner bemächtigt. Zunächst einmal war er sich durchaus nicht sicher, daß jetzt wirklich das Jahr 1984 war. Es mußte um diese Zeit herum sein, denn er wußte mit einiger Gewißheit, daß er selbst neununddreißig Jahre alt war, und er glaubte, 1944 oder 1945 geboren zu sein. Doch heutzutage war es nie möglich, ein Datum auf ein oder zwei Tage genau zu bestimmen.

Für wen, fragte er sich plötzlich, legte er dieses Tagebuch an? Für die Zukunft, für die Kommenden. Sein Denken kreiste einen Augenblick um das zweifelhafte Datum auf der ersten Seite und prallte dann jäh mit dem Wort *Zwiegedanke* aus der Neusprache zusammen. Zum erstenmal kam ihm die Größe seines Vorhabens zum Bewußtsein. Wie konnte man sich mit der Zukunft verständigen? Das war ihrer Natur nach unmöglich. Entweder ähnelte die Zukunft der Gegenwart, dann würde man ihm nicht Gehör schenken wollen; oder sie war anders geartet, dann war seine Darstellung bedeutungslos.

Eine Zeitlang saß er da und starrte töricht auf das Papier. Der Televisor hatte jetzt schmetternde Militärmusik angestimmt. Es war seltsam, daß er nicht nur die Gabe der Mitteilung verloren, sondern sogar vergessen zu haben schien, was er ursprünglich hatte sagen wollen. Seit Wochen hatte er sich auf diesen Augenblick vorbereitet, und es war ihm nie in den Sinn gekommen, daß dazu noch etwas anderes nötig sein könnte als Mut. Die Niederschrift als solche hatte er für leicht gehalten. Brauchte er doch nichts weiter zu tun, als die endlosen hastigen Selbstgespräche zu Papier zu bringen, die ihm buchstäblich seit Jahren durch den Kopf geschossen waren. In diesem Augenblick jedoch war sogar das Selbstgespräch verstummt. Außerdem hatte das Ekzem an seinen Krampfadern unerträglich zu jucken angefangen. Er wagte nicht, daran zu kratzen, denn dann entzündete es sich immer. Die Sekunden verstrichen. Nichts drang in sein Bewußtsein als die unbeschriebene Weiße des vor ihm liegenden Blattes, das Hautjucken über seinem Knöchel, die schmetternde Musik und eine leise Benebeltheit, die der Gin verursacht hatte.

Plötzlich begann er überstürzt zu schreiben, ohne recht zu wissen, was er zu Papier brachte. Seine kleine kindliche Handschrift bedeckte Zeile um Zeile des Blattes, wobei er bald auf die großen Anfangsbuchstaben und zum Schluß sogar auf die Interpunktion verzichtete:

»4. April 1984. Gestern abend im Kino. Lauter Kriegsfilme. Ein sehr guter, über ein Schiff von Flüchtlingen, das irgendwo im Mittelmeer bombardiert wird. Zuschauer höchst belustigt durch eine Aufnahme von einem großen dicken Mann, den ein Helikopter verfolgt, zuerst sah man ihn sich durchs Wasser wälzen wie ein Nilpferd, dann sah man ihn durch das Zielfernrohr des Hubschraubers, dann war er ganz durchlöchert und das Meer rund um ihn färbte sich rosa, und er versank so plötzlich, als sei das Wasser durch die Löcher eingedrungen. Zuschauer brüllten vor lachen als er unterging. Dann sah man ein Rettungsboot voll kinder mit einem hubschrauber darüber, eine frau mittleren Alters, vielleicht eine jüdin, saß mit einem etwa drei jahre alten knaben im bug. Kleiner Junge brüllte vor angst und verbarg seinen Kopf zwischen den brüsten als wollte er ganz in sie hineinkriechen und die frau legte die arme um ihn und tröstete ihn. obwohl sie selbst

außer sich vor angst war bedeckte sie ihn so gut wie möglich als glaubte sie ihre arme könnten die kugeln von ihm abhalten. dann warf der hubschrauber eine 20-kilo-Bombe zwischen sie schreckliches aufblitzen und das ganze schiff zersplitterte wie streichhölzer. dann gab es eine wundervolle aufnahme von einem kinderarm der hoch, hoch und immer höher hinauffliegt in die luft ein hubschrauber mit einer kamera vorn in der kanzel muß ihm nachgeflogen sein und es gab viel beifall aus den parteilogen aber eine frau unten wo die proles sitzen fing plötzlich an radau zu machen und zu schreien man hätte so was nicht vor kindern zeigen sollen es sei nicht recht vor kindern bis die polizei sie hinauswarf ich glaube nicht daß ihr etwas passierte niemand kümmert sich darum was die proles sagen typische prolesreaktion sie können nie –«

Winston hörte zu schreiben auf, auch weil er einen Schreibkrampf bekam. Er wußte nicht, was ihn veranlaßt hatte, diese Flut von Gestammel aus sich herauszuschleudern. Aber das merkwürdige war, daß ihm dabei eine vollständige Erinnerung so deutlich zum Bewußtsein gekommen war, daß es ihm fast so vorkam, als habe er sie niedergeschrieben. Nun erkannte er, daß dieser andere Vorfall an seinem plötzlichen Entschluß schuld war, nach Hause zu gehen und heute sein Tagebuch zu beginnen.

Dieser Vorfall hatte sich heute morgen im Ministerium zugetragen, wenn man von etwas so Nebelhaftem überhaupt sagen konnte, daß es sich zugetragen hat.

Es war kurz vor elf, und in der Registrierabteilung, in der Winston arbeitete, hatte man die Stühle aus den Gemeinschaftsräumen geholt und sie in der Mitte des Saales dem großen Televisor gegenüber aufgestellt, in Vorbereitung auf die *Zwei-Minuten-Haß-Sendung*. Winston nahm gerade seinen Platz in einer der Mittelreihen ein, als zwei Personen, die er vom Sehen kannte, mit denen er aber noch nie ein Wort gewechselt hatte, unerwartet in den Raum traten. Die eine davon war ein Mädchen, dem er oft auf den Gängen begegnet war. Er kannte ihren Namen nicht, wußte aber, daß sie in der Abteilung für Prosa-Literatur beschäftigt war. Vermutlich – denn er hatte sie manchmal mit ölverschmierten Händen und mit einem Schraubenschlüssel gesehen – hatte sie dort eine technische Funktion an einer der Romanschreibmaschinen. Sie war ein unternehmungslustig aussehendes Mädchen von etwa siebenundzwanzig Jahren, mit üppigem schwarzem Haar, sommersprossigem Gesicht und raschen, muskulösen Bewegungen. Eine schmale, scharlachrote Schärpe, das Abzeichen der *Jugendliga gegen Sexualität*, war mehrmals um die Taille ihres Trainingsanzuges gewunden, gerade eng genug, um die Rundung ihrer Hüften hervorzuheben. Winston hatte sie vom allerersten Augenblick an nicht ausstehen können. Er wußte auch, weshalb. Es war wegen der Atmosphäre von Hockeyplatz, kaltem Baden, Gemeinschaftswanderung und allgemeiner Gesinnungstüchtigkeit, mit der sie sich zu umgeben wußte. Die Frauen, und vor allem die jungen, gaben immer die blind ergebenen Parteianhänger, die gedankenlosen Nachplapperer, die freiwilligen Spitzel ab, mit deren Hilfe man weniger Linientreue aushorchen konnte. Aber dieses Mädchen im besonderen machte ihm den Eindruck, gefährlicher als die meisten zu sein. Einmal, als sie auf dem Gang aneinander vorbeigekommen waren, hatte sie ihn mit einem Seitenblick gestreift, der ihn zu durchbohren schien und der ihn für einen Augenblick mit blankem Entsetzen erfüllt hatte. Ihm war sogar der Gedanke durch den Kopf gegangen, sie könnte eine Agentin der Gedankenpolizei sein, was freilich sehr unwahrscheinlich war. Trotzdem fühlte er weiterhin, sooft sie in seine Nähe kam, eine merkwürdige Unsicherheit, die zu gleichen Teilen mit Angst und mit Feindschaft gemischt war.

Die andere Person war ein Mann namens O'Brien, ein Mitglied der Inneren Partei und Inhaber eines so wichtigen und der Allgemeinheit entrückten Postens, daß Winston nur eine undeutliche Vorstellung davon hatte. Ein kurzes Geflüster durchlief die um die Stühle herumstehende Gruppe, als sie den schwarzen Trainingsanzug eines Mitglieds der Inneren Partei herankommen sah. O'Brien war ein großer, grobschlächtiger Mann mit dickem Nacken und einem derben, humorvollen und brutalen Gesicht. Ungeachtet seines wuchtigen Äußeren lag ein gewisser Charme in seiner Art, sich zu bewegen. Er hatte eine Manier, seine Brille auf der Nase zurechtzurücken, die seltsam entwaffnend und auf eine merkwürdige Weise zivilisiert wirkte. Es war eine Geste, die einen, wenn überhaupt noch jemand in solchen Begriffen gedacht hätte, an einen Edelmann aus dem achtzehnten Jahrhundert hätte erinnern können, der seinem Gegenüber die Schnupftabakdose anbot. Winston hatte O'Brien vielleicht ein dutzendmal in etwa ebenso vielen Jahren gesehen. Er fühlte sich aufrichtig zu ihm hingezogen, und das nicht nur, weil ihn der Gegensatz zwischen O'Briens höflichen Manieren und seinem Preisboxertypus fesselte. Es beruhte vielmehr auf einem heimlich gehegten Glauben – oder vielleicht nur der Hoffnung –, daß O'Briens politische Strenggläubigkeit nicht vollkommen sei. Etwas in seinem Gesicht flößte unwiderstehlich diesen Gedanken ein. Und doch stand in diesem Gesicht eigentlich weniger mangelnde Strenggläubigkeit als einfach Intelligenz geschrieben. Jedenfalls sah er wie ein Mensch aus, mit dem man reden konnte, wenn man es fertigbrachte, dem Televisor ein Schnippchen zu schlagen, und ihn allein zu fassen bekam. Winston hatte nie den geringsten Versuch gemacht, seine Vermutung auf ihre Richtigkeit hin zu prüfen: praktisch gab es auch keine Möglichkeit dazu. O'Brien warf in diesem Augenblick einen Blick auf seine Armbanduhr, sah, daß es fast elf Uhr war, und beschloß offenbar, in der Abteilung Registratur zu bleiben, bis die *Zwei-Minuten-Haß-Sendung* zu Ende war. Er setzte sich auf einen Stuhl in derselben Reihe wie Winston, zwei Plätze von ihm entfernt. Eine kleine aschblonde Frau, die in der Abteilung neben Winston beschäftigt war, saß zwischen ihnen. Das Mädchen mit dem schwarzen Haar saß unmittelbar dahinter.

Im nächsten Augenblick brach ein scheußlicher, knirschender Kreischlaut, als ob eine riesige Maschine völlig ungeölt liefe, aus dem großen Televisor am Ende des Raumes hervor. Es war ein Lärm, bei dem einen eine Gänsehaut überlief und sich die Nakkenhaare sträubten. Die *Haß-Sendung* hatte begonnen.

Wie gewöhnlich war das Gesicht Immanuel Goldsteins, des Volksfeinds, auf dem Sehschirm erschienen. Da und dort im Zuschauerraum wurde gezischt. Die kleine aschblonde Frau stieß aus Furcht und Abscheu gemischtes Quieken hervor. Goldstein war der Renegat, der große Abtrünnige, der früher einmal, vor langer Zeit (wie lange Zeit es eigentlich war, daran erinnerte sich niemand mehr genau), einer der führenden Männer der Partei gewesen war und fast auf einer Stufe mit dem Großen Bruder selbst gestanden hatte, um dann mit konterrevolutionären Machenschaften zu beginnen, zum Tode verurteilt zu werden und auf geheimnisvolle Weise zu verschwinden. Die Programme der *Zwei-Minuten-Haß-Sendung* wechselten von Tag zu Tag, aber es gab keines, in dem nicht Goldstein die Hauptrolle gespielt hätte. Er war der erste Verräter, der früheste Beschmutzer der Reinheit der Partei. Alle später gegen die Partei gerichteten Verbrechen, alle Verrätereien, Sabotageakte, Ketzereien, Abweichungen gingen unmittelbar auf seine Irrlehren zurück. Irgendwo lebte er noch und schmiedete seine Ränke: vielleicht irgendwo jenseits des Meeres, unter dem Schutz seiner ausländischen Geldgeber, vielleicht sogar – wie gelegentlich gemunkelt wurde – in einem Versteck in Ozeanien selbst.

Winstons Zwerchfell zog sich zusammen. Nie konnte er das Gesicht Goldsteins sehen, ohne in einen schmerzlichen Widerstreit der Gefühle zu geraten. Es war ein mageres jüdisches Gesicht mit einem breiten, wirren Kranz weißer Haare und einem Ziegenbärtchen – ein kluges und doch irgendwie eigentümlich verächtliches Gesicht, dessen lange dünne Nase, auf deren Ende eine Brille saß, eine Art seniler Blödheit auszustrahlen schien. Es ähnelte einem Schafsgesicht, und auch die Stimme hatte etwas Schafsmäßiges. Goldstein ließ seinen üblichen giftigen Angriff gegen die Lehren der Partei vom Stapel – einen so übertriebenen und verdrehten Angriff, daß ihn ein Kind hätte durchschauen können, und doch gerade hinreichend glaubhaft, um einen mit dem alarmierenden Gefühl zu erfüllen, daß andere Menschen, die weniger vernünftig waren als man selbst, sich dadurch vielleicht verführen lassen könnten. Er schmähte den Großen Bruder, klagte die Diktatur der Partei an, forderte sofortigen Friedensschluß mit Eurasien, trat für Rede-, Presse-, Versammlungs- und Gedankenfreiheit ein, schrie hysterisch, die Revolution sei verraten worden – und alles das in einer überstürzten, vielsilbigen Ansprache, die eine Art Parodie des üblichen Stils der Parteiredner war und sogar einige Worte der Neusprache enthielt: praktisch mehr Neusprach-Worte, als irgendein Parteimitglied normalerweise im wirklichen Leben angewendet hätte. Und die ganze Zeit marschierten, für den Fall, daß man noch im geringsten Zeifel sein könnte, was sich in Wahrheit hinter Goldsteins widerlicher Phrasendrescherei verbarg, hinter seinem Kopf auf dem Schirm des Televisors die endlosen Kolonnen der eurasischen Armee vorbei – endlose Reihen kräftig aussehender Männer mit ausdruckslosen asiatischen Gesichtern, die an die Oberfläche des Sehschirms heranbrandeten und wieder zerflossen, um von anderen, genau gleichen, abgelöst zu werden. Der sture rhythmische Marschtritt der Soldatenstiefel bildete die Geräuschkulisse, von der Goldsteins blökende Stimme sich abhob.

Ehe die Haßovation dreißig Sekunden gedauert hatte, brachen von den Lippen der Hälfte der im Raum versammelten Menschen unbeherrschte Wutschreie. Das selbstzufriedene Schafsgesicht auf dem Sehschirm und die erschreckende Wucht der dahinter vorbeiziehenden eurasischen Armee waren einfach zuviel: außerdem weckte der Anblick oder auch nur der Gedanke an Goldstein schon automatisch Angst und Zorn. Er war ein dauerhafteres Haßobjekt als Eurasien oder Ostasien, denn wenn Ozeanien mit einer dieser Mächte im Krieg lag, so befand es sich gewöhnlich mit der anderen im Friedenszustand. Das merkwürdige aber war, daß Goldsteins Einfluß, wenn er auch von jedermann gehaßt und verachtet wurde, wenn auch tagtäglich und tausendmal am Tag auf Rednertribünen, durch den Televisor, in Zeitungen, in Büchern seine Theorien verdammt, zerpflückt, lächerlich gemacht, der Allgemeinheit als der jammervolle Unsinn, der sie waren, vor Augen gehalten wurde – daß trotz alledem dieser Einfluß nie abzunehmen schien. Immer wieder warteten neue Opfer darauf, von ihm verführt zu werden. Nie verging ein Tag, an dem nicht nach seinen Weisungen tätige Spione und Saboteure von der Gedankenpolizei entlarvt wurden. Er war der Befehlshaber einer großen Schatten-Armee, eines Untergrund-Verschwörernetzes, das sich den Sturz der Regierung zum Ziel setzte. Der Name der Organisation sei *»Die Brüderschaft«*, so hieß es. Auch flüsterte man von einem schrecklichen Buch, einer Zusammenfassung aller Irrlehren, dessen Verfasser Goldstein war und das heimlich da und dort zirkulierte. Es war ein Buch ohne Titel. Die Leute sprachen davon, wenn überhaupt, einfach als von *»dem Buch«*. Aber man wußte von derlei Dingen nur durch vage Gerüchte. Weder *»Die Brüderschaft«* noch *»das Buch«* wurde, wenn es sich vermeiden ließ, von einem gewöhnlichen Parteimitglied erwähnt.

In der zweiten Minute steigerte sich die Haßovation zur Raserei. Die Menschen sprangen von ihren Sitzen auf und schrien mit vollem Stimmaufwand, um die zum Wahnsinn treibende Blökstimme, die aus dem Televisor kam, zu übertönen. Die kleine aschblonde Frau war im Gesicht rot angelaufen, und ihr Mund öffnete und schloß sich wie bei einem an Land geworfenen Fisch. Sogar O'Briens großes Gesicht war gerötet. Er saß sehr gerade aufgerichtet auf seinem Stuhl, seine mächtige Brust hob und senkte sich, als stemme er sich dem Anprall einer Woge entgegen. Das dunkelhaarige Mädchen hinter Winston hatte angefangen »Schwein! Schwein! Schwein!« hinauszuschreien und ergriff plötzlich ein schweres Wörterbuch der Neusprache und schleuderte es gegen den Sehschirm. Es traf Goldsteins Nase und prallte von ihm ab; die Stimme redete unerbittlich weiter. In einem lichten Augenblick ertappte sich Winston, wie er mit den anderen schrie und trampelte. Das Schreckliche an der *Zwei-Minuten-Haß-Sendung* war nicht, daß man gezwungen war mitzumachen, sondern im Gegenteil, daß es unmöglich war, sich ihrer Wirkung zu entziehen. Eine schreckliche Ekstase der Angst und der Rachsucht, das Verlangen zu töten, zu foltern, Gesichter mit einem Vorschlaghammer zu zertrümmern, schien die ganze Versammlung wie ein elektrischer Strom zu durchfluten, so daß man gegen seinen Willen in einen Grimassen schneidenden, schreienden Verrückten verwandelt wurde. Und doch war der Zorn, den man empfand, eine abstrakte, ziellose Regung, die wie der Schein einer Blendlaterne von einem Gegenstand auf den anderen gerichtet werden konnte. So war für einen Augenblick der Haß Winstons durchaus nicht gegen Goldstein gerichtet, sondern im Gegenteil gegen den Großen Bruder, gegen die Partei und die Gedankenpolizei. Und in solchen Augenblicken schwoll sein Herz über für den einsamen, verachteten Abtrünnigen auf dem Sehschirm, diesen einzigen Verfechter von Wahrheit und Vernunft in einer Welt der Lügen. Und doch fühlte er sich im nächsten Augenblick wieder eins mit den ihn umgebenden Menschen, und alle Behauptungen über Goldstein schienen ihm wahr. In solchen Augenblikken verwandelte sich seine geheime Abneigung gegen den Großen Bruder in Verehrung, und der Große Bruder schien dazustehen als ein unbesiegbarer, furchtloser Beschützer, der sich wie ein Felsen gegen die anbrandenden asiatischen Horden stemmte, während Goldstein ihm trotz seiner Vereinsamung, seiner Hilflosigkeit und der Zweifel, die sich allein schon an sein tatsächliches Vorhandensein knüpften, wie ein unheilvoller Betörer vorkam, der es lediglich durch die Macht seiner Stimme fertigbrachte, die Fundamente der Zivilisation zu zerstören.

In manchen Augenblicken war es sogar möglich, seinen Haß durch einen Willensakt da- oder dorthin zu lenken. So gelang es Winston plötzlich, durch eine heftige Anstrengung, ähnlich der, mit der man in einem Alptraum seinen Kopf vom Kissen losreißt, seinen Haß von dem Gesicht auf dem Sehschirm auf das hinter ihm sitzende dunkelhaarige Mädchen zu übertragen. Lebhafte, berückende Vorstellungen huschten ihm durch den Sinn. Er würde sie mit einem Gummiknüppel zu Tode prügeln, sie nackt an einen Pfahl binden und sie mit Pfeilen durchlöchern, gleich dem heiligen Sebastian. Er würde sie vergewaltigen und ihr im Augenblick der höchsten Lust die Kehle durchschneiden. Deutlicher als zuvor war er sich auch bewußt, *warum* er sie haßte. Er haßte sie, weil sie jung, hübsch und geschlechtslos war, weil er mit ihr ins Bett gehen wollte und daraus nie etwas werden würde, denn um ihre reizende, biegsame Taille, die einen zur Umarmung aufzufordern schien, wand sich nur die verhexte scharlachrote Schärpe, das aufreizende Symbol der Keuschheit.

Die Haßwelle erreichte ihren Höhepunkt. Goldsteins Stimme war tatsächlich zu einem Blöken geworden, und einen Augenblick lang verwandelte sich sein Gesicht in das eines Schafes. Dann blendete das Schafsgesicht in die Gestalt eines eurasischen Soldaten über, der riesig und furchtbar mit ratternder Maschinenpistole auf den Besucher zuzuschreiten und aus der Fläche des Sehschirms herauszuspringen schien, so daß manche der Zuschauer in der ersten Reihe auf ihren Sitzen zurückprallten. Aber im gleichen Augenblick, während jedem Munde ein tiefer Seufzer der Erleichterung entfuhr, zerschmolz die feindliche Gestalt in das Gesicht des Großen Bruders mit seinen dunklen Haaren und seinem Schnurrbart, das Macht und geheimnisvolle Ruhe ausstrahlte und mit seiner riesigen Größe fast den ganzen Sehschirm ausfüllte. Niemand verstand, was der Große Bruder sagte. Es waren nur ein paar Worte der Ermutigung, Worte, wie sie im Kampflärm einer Schlacht ausgestoßen werden, nicht im einzelnen unterscheidbar, die aber einfach dadurch, daß sie ausgesprochen werden, die Zuversicht wiederherstellen. Dann zerrann das Gesicht des Großen Bruders wieder, und statt seiner erschienen in klaren großen Buchstaben die drei Parteiwahlsprüche:

KRIEG BEDEUTET FRIEDEN
FREIHEIT IST SKLAVEREI
UNWISSENHEIT IST STÄRKE

Aber das Gesicht des Großen Bruders schien sich noch einige Sekunden auf dem Sehschirm zu behaupten, so als sei der Eindruck, den es auf der Netzhaut aller Zuschauer hervorgebracht hatte, zu lebhaft, um sogleich zu verlöschen. Die kleine Frau hatte sich über die Lehne des vor ihr stehenden Stuhles nach vorne geworfen. Mit einem bebenden Flüstern, das wie »Mein Retter!« klang, breitete sie die Arme dem Sehschirm entgegen. Dann barg sie ihr Gesicht in den Händen. Offensichtlich sprach sie ein Gebet.

Jetzt stimmten alle Versammelten einen kraftvollen, langsamen und rhythmischen Sprechchor an: »G-B!... G-B!... G-B!« – wieder und immer wieder, sehr langsam, mit einer langen Pause zwischen dem ersten G und dem zweiten B – in einem feierlichen, murmelnden, seltsam ungestüm wirkenden Ton, so daß man als Begleitung das Stampfen nackter Füße und das dumpfe Dröhnen von Tamtams zu hören glaubte. Vielleicht dreißig Sekunden lang fuhren sie damit fort. Es war ein Refrain, den man oft in Augenblicken überwältigender Erregung hörte. Zum Teil war es eine Art Hymne auf die Weisheit und Majestät des Großen Bruders, mehr aber noch ein Akt der Selbsthypnose, ein absichtliches Übertönen des Bewußtseins durch das Mittel rhythmischen Lärms. Winston fühlte eine Kälte in seinen Eingeweiden. Während der *Zwei-Minuten-Haß-Sendung* konnte er nicht umhin, gleichfalls dem allgemeinen Delirium anheimzufallen, aber dieser unmenschliche Singsang »G-B!... G-B!...« erfüllte ihn immer mit Abscheu. Natürlich stand er den übrigen nicht nach; etwas anderes wäre unmöglich gewesen. Seine Gefühle zu verschleiern, sein Gesicht zu beherrschen, zu tun, was jeder tat, gebot schon der Instinkt. Aber es gab eine Zeitspanne von einigen Sekunden, in der ihn der Ausdruck seiner Augen in bedenklicher Weise hätte verraten können. Und genau in diesem Augenblick ereignete sich das Bedeutsame – wenn es sich wirklich ereignete.

Er fing flüchtig O'Briens Blick auf. O'Brien war aufgestanden. Er hatte seine Brille abgenommen und war gerade im Begriff, sie wieder mit seiner charakteristischen Geste aufzusetzen. Aber dazwischen lag der Bruchteil einer Sekunde, währenddessen sich ihre Augen begegneten, und in diesem winzigen Zeitraum wußte Winston – ja, er *wußte* es! –, daß O'Brien das gleiche dachte wie er. Eine unmißverständliche Botschaft war zwischen ihnen ausgetauscht worden. Es war, als hätten ihre beiden Denkwellen sich aufgetan und als strömten durch ihre Augen die Gedanken von dem einen in den anderen über. »Ich halte es mit dir«, schien O'Brien zu ihm zu sagen. »Ich weiß genau, was in dir vorgeht. Ich kenne deine ganze Verachtung, deinen Haß, deinen Abscheu. Aber hab keine Angst, ich stehe auf deiner Seite!« – Dann war der Blitz des Einverständnisses erloschen, und O'Briens Gesicht war ebenso undurchdringlich wie das aller anderen.

Das war alles gewesen, und er war schon nicht mehr sicher, ob es sich wirklich zugetragen hatte. Derartige Zwischenfälle hatten nie eine Fortsetzung. Sie hielten lediglich den Glauben – oder die Hoffnung – in ihm lebendig, daß es außer ihm noch andere Feinde der Partei gab. Vielleicht waren die Gerüchte von großen Untergrundverschwörungen doch wahr – vielleicht existierte *»Die Brüderschaft«* wirklich! Trotz der endlosen Verhaftungen, Geständisse und Hinrichtungen konnte man nie sicher sein, daß *»Die Brüderschaft«* nicht lediglich eine sagenhafte Erfindung war. An manchen Tagen glaubte er daran, an anderen nicht. Es gab keinen greifbaren Beweis, nur flüchtige Andeutungen, die alles oder nichts bedeuten konnten: Bruchstücke erlauschter Gespräche, verwischte Aufschriften an Abortwänden – oder einmal, wenn zwei Freunde sich trafen, eine kleine Bewegung der Hände, die einem Verständigungszeichen ähnlich sah. Alles war nur eine Mutmaßung: sehr wahrscheinlich hatte er sich das alles nur eingebildet. Er war an seinen Arbeitsplatz zurückgegangen, ohne O'Brien noch einmal anzusehen. Der Gedanke, ihre kurze Fühlungnahme weiter zu verfolgen, war ihm kaum durch den Sinn gegangen. Es wäre unvorstellbar gefährlich gewesen, selbst wenn er gewußt hätte, wie er das machen sollte. Eine oder zwei Sekunden lang hatten sie einen zweideutigen Blick getauscht – und damit Schluß. Aber sogar das war ein denkwürdiger Augenblick in der abgeschlossenen Einsamkeit, in der man zu leben gezwungen war.

Winston rappelte sich hoch und setzte sich gerade. Er mußte rülpsen. Der Gin rumorte in seinem Magen.

Sein Blick richtete sich wieder auf das Blatt. Er entdeckte, daß er, während er in hilflosem Grübeln dagesessen, gleichzeitig automatisch weitergeschrieben hatte. Und zwar war es nicht mehr die gleiche verkrampfte Handschrift von vorhin. Seine Feder war beschwingt über das glatte Papier geglitten und hatte in großer klarer Blockschrift hingemalt:

NIEDER MIT DEM GROSSEN BRUDER
NIEDER MIT DEM GROSSEN BRUDER
NIEDER MIT DEM GROSSEN BRUDER

immer wieder, fast über eine halbe Seite hinweg.

Unwillkürlich durchzuckte ihn ein furchtbarer Schrecken. Das war im Grund töricht, denn das Niederschreiben gerade dieser Worte war nicht gefährlicher als der erste Schritt, ein Tagebuch anzulegen; und doch fühlte er sich einen Augenblick lang versucht, die beschriebenen Seiten herauszureißen und die ganze Sache aufzugeben.

Er tat es jedoch nicht, weil er wußte, daß es zwecklos war. Ob er *nieder mit dem Großen Bruder* hinschrieb oder nicht, machte keinen Unterschied. Die Gedankenpolizei würde ihn trotzdem erwischen. Er hatte – auch wenn er nie die Feder angesetzt hätte – das Kapitalverbrechen begangen, das alle anderen in sich einschloß. *Gedankenverbrechen* nannten sie es. *Gedankenverbrechen* konnte man auf die Dauer nicht geheimhalten. Man konnte vielleicht eine Weile, oder sogar Jahre lang, schlaue Winkelzüge machen, aber früher oder später kamen sie einem doch darauf.

Immer war es nachts – die Verhaftungen fanden unabänderlich nachts statt. Das plötzliche Hochfahren aus dem Schlaf, die derbe Hand, die einen an der Schulter packte, die Lichter, die einem die Augen blendeten, der Kreis harter Gesichter um das Bett. In der überragenden Mehrzahl der Fälle fand keine Gerichtsverhandlung statt, kein Bericht meldete die Verhaftung. Die Menschen verschwanden einfach, immer mitten in der Nacht. Der Name wurde aus den Listen gestrichen, jede Aufzeichnung von allem, was einer je getan hatte, wurde vernichtet; daß man jemals gelebt hatte, wurde erst geleugnet und dann vergessen. Man war ausgelöscht, zu Nichts geworden; man wurde *vaporisiert,* wie das gebräuchliche Wort dafür lautete.

Einen Augenblick überfiel ihn eine Art Nervenkrise. Er begann in fliegendem, krakeligem Gekritzel zu schreiben:

»sie werden mich erschießen wenn ich nicht aufpasse sie werden mich mit einem genickschuß erschießen wenn ich nicht aufpasse nieder mit dem großen bruder sie erschießen einen immer mit genickschuß mir ist es egal nieder mit dem großen bruder –«

Er lehnte sich in seinen Stuhl zurück, ein wenig beschämt über sich selbst, und legte den Federhalter hin. Im nächsten Augenblick fuhr er heftig zusammen. Es klopfte jemand an die Tür.

Schon! Er saß mucksmäuschenstill da, in der vergeblichen Hoffnung, der Draußenstehende könnte nach einem einmaligen Versuch weggehen. Aber nein, das Klopfen wurde wiederholt. Das Schlimmste, was er tun konnte, war zu zögern. Sein Herz klopfte wie eine Pauke, aber sein Gesicht war, vermutlich aus langer Gewohnheit, ganz ausdruckslos. Er stand auf und ging schweren Schrittes zur Tür.

II

Während er die Hand auf die Türklinke legte, sah Winston, daß er das Tagebuch offen auf dem Tisch hatte liegen lassen. *Nieder mit dem Großen Bruder* stand da über die halbe Seite hinweg in Buchstaben, die beinahe groß genug waren, um durch das ganze Zimmer leserlich zu sein. Es war eine unvorstellbare Dummheit. Aber er stellte fest, daß er es sogar in seinem Schrecken nicht über sich gebracht hatte, das weiße Papier dadurch zu besudeln, daß er das Buch zuklappte, solange die Tinte noch naß war.

Er hielt den Atem an und öffnete die Tür. Sofort durchflutete ihn eine warme Welle der Erleichterung. Draußen stand eine farblose, zerknittert aussehende Frau mit strähnigem Haar und tiefgefurchtem Gesicht.

»Ach, Genosse«, begann sie mit leidender Jammerstimme, »mir war so, als ob ich Sie heimkommen hörte. Könnten Sie wohl herüberkommen und sich eben mal unsern Ausguß in der Küche ansehen? Er ist verstopft und –«

Es war Frau Parsons, die Frau des Nachbarn auf dem gleichen Flur. (Die Bezeichnung »Frau« wurde von der Partei nicht gern gesehen – man erwartete, daß man alle Leute mit »Genosse« oder »Genossin« anredete –, aber bei einigen Frauen gebrauchte man das Wort ganz unwillkürlich.) Sie war eine Frau von etwa dreißig Jahren, sah aber viel älter aus. Man hatte den Eindruck, daß sich in den Falten ihres Gesichts Staub angesetzt hatte. Winston folgte ihr durch den Gang. Solche eigenhändigen, unfachgemäßen Reparaturarbeiten waren eine fast alltägliche Last. Der Victory-Block war ein alter, etwa um das Jahr 1930 gebauter Wohnungskomplex und ging langsam in die Brüche. Dauernd bröckelte der Verputz von Decken und Wänden, die Leitungsrohre platzten bei jedem starken Frost, das Dach ließ Wasser durchsickern, sobald es schneite, die Zentralheizung war gewöhnlich nur unter halbem Druck, wenn sie nicht aus Sparsamkeitsgründen ganz abgestellt war. Reparaturen mußten, wenn man sie nicht selbst machte, von abgelegenen Ämtern genehmigt werden, die es fertigbrachten, sogar das Wiedereinsetzen einer Fensterscheibe zwei Jahre hinauszuzögern.

»Ich komme natürlich nur, weil Tom nicht zu Hause ist«, murmelte Frau Parsons unbestimmt vor sich hin.

Die Wohnung der Parsons war größer als die von Winston und auf eine andere Art schäbig. Alles sah hier abgestoßen und niedergetrampelt aus, so als seien die Räume eben von einem großen wilden Tier heimgesucht worden. Sportgeräte – Hockeyschläger, Boxhandschuhe, ein aus den Nähten geplatzter Fußball, eine verschwitzte, umgekrempelte Turnhose – lagen sämtlich über den Fußboden verstreut, und auf dem Tisch war ein Durcheinander von schmutzigem Geschirr und eselsohrigen Schulbüchern. An den Wänden hingen knallrote Wimpel der *Jugendliga* und der sogenannten *Späher,* nebst einem Plakat vom Großen Bruder in Großformat. Auch hier schwebte der übliche Kohlgeruch, der dem ganzen Haus anhaftete, in der Luft, aber er war von einem schärferen Schweißdunst geschwängert, dem Schweiß eines – wie man vom ersten Schnuppern an wußte, wenn man auch schwer den Grund dafür hätte sagen können – im Augenblick abwesenden Menschen. In einem andern Zimmer versuchte jemand im Takt der Militärmusik, die noch immer aus dem Televisor dröhnte, auf einem Kamm mit darübergespanntem Toilettenpapier zu blasen.

»Es sind die Kinder«, sagte Frau Parsons mit einem halb furchtsamen Blick auf die Tür. »Sie sind heute nicht aus dem Haus gekommen. Und natürlich –« Sie hatte eine Angewohnheit, ihre Sätze mittendrin abzubrechen. Der Küchenausguß war fast bis zum Rand voll mit schmutzig-grünlichem Wasser, das schlimmer als alles andere nach Kohl stank. Winston kniete nieder und untersuchte das gebogene Verbindungsstück des Ableitungsrohres. Er verabscheute manuelle Arbeit sehr, und es war ihm schrecklich, sich bücken zu müssen, weil das fast immer einen Hustenanfall bei ihm auslöste. Frau Parsons machte ein hilfloses Gesicht.

»Freilich, wenn Tom daheim wäre, würde er es im Nu in Ordnung bringen«, meinte sie. »Solche Sachen machen ihm Spaß. Er ist so geschickt mit seinen Händen, wirklich, er ist so geschickt, der Tom.«

Parsons war Winstons Kollege im Wahrheitsministerium. Er war ein rundlicher, jedoch sehr beweglicher Mann von entwaffnender Dummheit, ein Klotz voll törichter Begeisterung – einer von diesen ergebenen Gimpeln, die niemals eine Frage stellen und von denen – mehr sogar noch als von der Gedankenpolizei –

der Bestand der Partei abhing. Mit fünfunddreißig Jahren war er erst kürzlich sehr ungern aus der *Jugendliga* ausgeschieden, und ehe er in die *Jugendliga* aufgerückt war, hatte er es fertiggebracht, ein Jahr über das satzungsgemäß festgesetzte Alter hinaus bei den *Spähern* zu verbleiben. Im Ministerium wurde er auf einem untergeordneten Posten verwendet, für den kein Verstand nötig war, doch war er andererseits ein führender Mann beim Sportausschuß und allen anderen Ausschüssen, denen die Organisation von Gemeinschaftswanderungen, spontanen Demonstrationen, Sparwerbewochen und überhaupt jede Art freiwilligen Einsatzes unterstand. Er erzählte einem voll ruhigen Stolzes, während er seiner Pfeife kleine Rauchwölkchen entlockte, daß er in den letzten vier Jahren jeden Abend im Gemeinschaftshaus erschienen sei. Ein durchdringender Schweißgeruch folgte ihm wie ein unfreiwilliges Zeugnis für die Angestrengtheit seines Lebens überallhin und schwebte sogar nach seinem Weggehen noch im Zimmer.

»Haben Sie einen Schraubenschlüssel?« fragte Winston und machte sich mit der Schraubenmutter am Verbindungsstück zu schaffen.

»Einen Schraubenschlüssel«, sagte Frau Parsons und wurde sofort unsicher. »Ich weiß nicht. Vielleicht, daß die Kinder –«

Man hörte Schuhgetrampel und einen neuen Trompetenstoß auf dem Kamm, als die Kinder ins Wohnzimmer hereinstürmten. Frau Parsons brachte den Schraubenschlüssel. Winston ließ das Wasser ablaufen und entfernte angeekelt den Pfropfen menschlicher Haare, der die Röhre verstopft hatte. Er reinigte seine Hände, so gut er konnte, in dem kalten Leitungswasser und ging in das andere Zimmer zurück.

»Hände hoch!« schrie eine wilde Stimme.

Ein hübscher, robust aussehender Junge von neun Jahren war hinter dem Tisch hervorgesprungen und bedrohte ihn mit einer automatischen Kinderpistole, während seine um etwa zwei Jahre jüngere Schwester mit einem Stück Holz dieselbe Geste machte. Beide waren mit den kurzen blauen Hosen, den grauen Hemden und dem roten Halstuch bekleidet, aus denen die Uniform der *Späher* bestand. Winston hob seine Hände über den Kopf, aber mit einem unbehaglichen Gefühl, denn der Junge gebärdete sich so bösartig, als ob es wirklich mehr als ein Spiel war.

»Sie sind ein Verräter!« schrie der Junge. »Sie sind ein Gedankenverbrecher! Sie sind ein eurasischer Spion! Ich erschieße Sie, ich werde Sie vaporisieren, ich werde Sie in die Salzbergwerke verbannen!«

Plötzlich sprangen beide um ihn herum und schrien »Verräter!« und »Gedankenverbrecher!«, wobei das kleine Mädchen ihrem Bruder jede Bewegung nachmachte. Es war irgendwie erschreckend, gleich den Freudensprüngen von Tigerjungen, die bald zu Menschenfressern herangewachsen sein werden. Es war etwas von berechnender Wildheit im Auge des Jungen, ein ganz offensichtliches Verlangen, Winston zu schlagen oder zu treten, und das Bewußtsein, schon beinahe groß genug dazu zu sein. Ein Glück, daß er keine richtige Pistole in Händen hielt, dachte Winston.

Frau Parsons' Blicke huschten nervös von Winston zu den Kindern und wieder zurück. In dem besseren Licht des Wohnzimmers bemerkte er voller Mitleid, daß es tatsächlich Staub war, was sich in ihren Runzeln eingenistet hatte.

»Sie sind so laut«, sagte sie. »Sie sind enttäuscht, weil sie nicht ausgehen und sich das Hängen ansehen können, daher kommt es wohl. Ich bin zu beschäftigt, um mit ihnen hinauszugehen, und Tom kommt nicht rechtzeitig von der Arbeit heim.«

»Warum können wir nicht gehen und das Hängen sehen?« brüllte der Junge mit seiner kräftigen Stimme.

»Hängen sehen! Hängen sehen!« leierte das Mädchen, das noch immer herumsprang.

Einige eurasische Gefangene, denen Kriegsverbrechen zur Last gelegt wurden, sollten an diesem Abend im Park gehängt werden, fiel Winston ein. Dergleichen fand etwa einmal im Monat statt und war ein beliebtes Schauspiel. Kinder verlangten immer, dazu mitgenommen zu werden. Er verabschiedete sich von

Frau Parsons und ging zur Tür. Er war aber noch keine sechs Stufen die Treppe hinuntergestiegen, als ihn etwas mit furchtbarer Wucht höchst schmerzhaft in den Nacken traf. Es war, als sei ihm ein rotglühender Draht ins Fleisch gestoßen worden. Er fuhr gerade noch rechtzeitig herum, um zu sehen, wie Frau Parsons ihren Sohn durch die Wohnungstür hineinzerrte, während der Junge eine Schleuder einsteckte.

»Goldstein!« schrie ihm der Junge nach, während sich die Tür hinter ihm schloß. Was Winston am betroffensten machte, war der Ausdruck hilfloser Angst im Antlitz der Frau.

Als er in seine Wohnung zurückgekehrt war, ging er rasch hinter den Televisor und setzte sich wieder an den Tisch. Er rieb seinen immer noch schmerzenden Nacken. Die Musik aus dem Televisor war verstummt. Statt dessen verlas eine forsche militärische Stimme mit einer Art brutalen Behagens eine Beschreibung von der Bewaffnung der neuen Schwimmenden Festung, die soeben zwischen Island und den Faröer-Inseln vor Anker gegangen war.

Mit diesen Kindern, dachte Winston, mußte die arme Frau ein Höllenleben haben. Noch ein, zwei Jahre, und sie würden sie Tag und Nacht nach Anzeichen nachlassender Parteitreue bespitzeln. Fast alle Kinder waren heutzutage schrecklich. Am schlimmsten von allem war jedoch, daß sie mit Hilfe von solchen Organisationen wie den *Spähern* systematisch zu unbezähmbaren kleinen Wilden erzogen wurden. Und doch weckte das in ihnen keineswegs die Neigung, sich gegen die Parteidisziplin aufzulehnen. Die Marschlieder, die Umzüge, die Fahnen, die Wanderungen, das Exerzieren mit Holzgewehren, das Brüllen von Schlagworten, die Verehrung des Großen Bruders – alles das war für sie ein herrliches Spiel. Ihre ganze Wildheit wurde nach außen gelenkt, gegen die Staatsfeinde, gegen Ausländer, Verräter, Saboteure, Gedankenverbrecher. Es war für Leute über dreißig nahezu normal, vor ihren eigenen Kindern Angst zu haben. Und das mit gutem Grund, denn es verging kaum eine Woche, in der nicht in der *Times* ein Bericht stand, wie ein lauschender kleiner Angeber –

»Kinderheld« lautete die gewöhnlich gebrauchte Bezeichnung – eine kompromittierende Bemerkung mit angehört und seine Eltern bei der Gedankenpolizei angezeigt hatte.

Der durch das Geschoß der Schleuder verursachte Schmerz war vergangen. Winston griff unentschlossen zum Federhalter und fragte sich, ob ihm wohl noch etwas für sein Tagebuch einfallen würde. Plötzlich dachte er von neuem an O'Brien.

Vor Jahren – wie lange war es her? Es mußte vor sieben Jahren gewesen sein – hatte er geträumt, er gehe durch ein stockdunkles Zimmer. Und jemand, der seitlich von ihm saß, hatte, als er vorüberkam, gesagt: »Wir wollen uns wiedersehen, wo keine Dunkelheit herrscht.« Er sagte das ganz ruhig, fast nebenbei – als eine Feststellung, kein Befehl. Er war weitergegangen, ohne stehenzubleiben. Das seltsame war, daß damals, im Traum, die Worte keinen großen Eindruck auf ihn gemacht hatten. Erst später und allmählich hatten sie anscheinend eine Bedeutung angenommen. Er konnte sich jetzt nicht mehr erinnern, ob es vor oder nach dem Traum war, daß er O'Brien zum erstenmal gesehen hatte; so wenig wie er sich entsann, wann er zum erstenmal jene Stimme als die O'Briens identifiziert hatte. Jedenfalls war es für ihn jetzt die Stimme O'Briens. O'Brien hatte aus der Dunkelheit zu ihm gesprochen.

Winston hatte nie genau herausfinden können – auch nach dem flüchtigen zweideutigen Blick von heute morgen konnte er dessen nicht sicher sein –, ob O'Brien ein Freund oder ein Feind war. Aber das schien nicht einmal viel auszumachen. Zwischen ihnen herrschte ein Einverständnis, das wichtiger war als Zuneigung oder Parteizugehörigkeit. »Wir wollen uns wiedersehen, wo keine Dunkelheit herrscht«, hatte er gesagt. Winston wußte nicht, was das zu bedeuten hatte, sondern nur, daß es sich auf irgendeine Weise bewahrheiten würde.

Die Stimme aus dem Televisor brach ab. Ein Fanfarenstoß schmetterte klar und schön durch die stille Luft. Die Stimme fuhr rasch und krächzend fort:

»Achtung! Achtung! Soeben ist eine Sondermeldung von der

Malabar-Front eingetroffen. Unsere Streitkräfte in Süd-Indien haben einen glänzenden Sieg erfochten. Ich bin zu der Durchsage ermächtigt, daß die kriegerische Operation, von der wir gleich berichten werden, das Kriegsende in errechenbare Nähe rücken dürfte. Es folgt jetzt die Sondermeldung –«

Das bedeutet nichts Gutes, dachte Winston. Und tatsächlich, nach einer blutrünstigen Schilderung der vollständigen Vernichtung einer eurasischen Armee, bei der riesige Zahlen von Toten und Gefangenen genannt wurden, kam die Ankündigung, daß ab nächster Woche die Schokoladenration von dreißig auf zwanzig Gramm herabgesetzt werden sollte.

Winston mußte noch einmal aufstoßen. Die Wirkung des Gins verflüchtigte sich und ließ ein Gefühl der Erschlaffung zurück. Der Televisor stimmte – vielleicht um den Sieg zu feiern, oder aber um die Erinnerung an die Schokoladenkürzung zu übertönen – die schmetternden Klänge von »Ozeanien, mein Land, für Dich mit Herz und Hand« an. Vom Zuhörer wurde erwartet, daß er dabei stramme Haltung annahm. Aber an seinem derzeitigen Platz war Winston nicht sichtbar.

Die Hymne wurde von leichterer Musik abgelöst. Winston trat ans Fenster, mit dem Rücken zum Televisor. Der Tag war noch immer kalt und klar. Irgendwo in der Ferne explodierte eine Raketenbombe mit dumpfem, widerhallendem Dröhnen. Zur Zeit fielen wöchentlich etwa zwanzig bis dreißig Stück auf London.

Unten auf der Straße klappte der Wind das zerrissene Plakat hin und her, und das Wort *Engsoz* war abwechselnd sichtbar und unsichtbar. Die heiligen politischen Grundsätze von *Engsoz:* Neusprache, Zwiegedanke, die Verwandlung der Vergangenheit. Ihm war, als wandle er durch Wälder auf dem Meeresgrund, in eine ungeheuerliche Welt verirrt, in der er selbst das Ungeheuer war. Er war allein. Die Vergangenheit war tot, die Zukunft unvorstellbar. Welche Gewißheit hatte er, daß auch nur ein einziger lebender Mensch auf seiner Seite stand? Und warum sollte die Herrschaft der Partei nicht ewig dauern? Wie eine Art Antwort fielen ihm die drei Wahlsprüche auf der weißen Front des Wahrheits-Ministeriums ein:

KRIEG BEDEUTET FRIEDEN
FREIHEIT IST SKLAVEREI
UNWISSENHEIT IST STÄRKE

Er zog ein Fünfundzwanzig-Cent-Stück aus der Tasche. Auch hier waren in winziger, klarer Schrift die gleichen Devisen eingestanzt, während die Kehrseite der Münze den Kopf des Großen Bruders zeigte. Sogar auf der Münze verfolgten einen die Augen. Von Geldmünzen, Briefmarken, Bucheinbänden, Fahnen, Plakaten, Zigarettenschachteln – von überall verfolgten sie einen. Immer wurde man von den Augen beobachtet, von der Stimme eingehüllt. Im Wachen und im Schlafen, bei der Arbeit oder beim Essen, im Haus oder außer Haus, im Bad oder im Bett – es gab kein Entrinnen. Nichts gehörte einem außer den paar Kubikzentimetern im eigenen Schädel.

Die Sonne war weitergerückt, und die unzähligen Fenster des Wahrheits-Ministeriums, auf die ihre Strahlen nicht mehr fielen, sahen grimmig wie die Schießscharten einer Festung aus. Winstons Herz verzagte angesichts dieser riesig sich hochtürmenden Pyramide. Sie war zu unerschütterlich, um erstürmt zu werden, tausend Raketenbomben vermochten sie nicht zu zertrümmern. Wieder fragte er sich, für wen er sein Tagebuch schrieb. Für die Zukunft, für die Vergangenheit – für ein Zeitalter, das vielleicht nur ein Traum war. Ihn erwartete nicht allein der Tod, sondern vollständige Austilgung. Das Tagebuch würde zu Asche, er selbst zu bloßem Rauch verbrannt werden. Nur die Gedankenpolizei würde das von ihm Geschriebene lesen, ehe sie es aus der Welt und aus der Erinnerung tilgte. Wie konnte man an die Zukunft appellieren, wenn keine Spur von einem; nicht einmal ein Stückchen Papier mit ein paar darauf gekritzelten anonymen Worten hinübergerettet werden konnte?

Im Televisor schlug es vierzehn Uhr. In zehn Minuten mußte

er aufbrechen. Um vierzehn Uhr dreißig mußte er zurück an der Arbeit sein.

Merkwürdigerweise schien ihn das Schlagen der vollen Stunde mit neuem Mut erfüllt zu haben. Er war ein einsamer Gast auf dieser Erde, der eine Wahrheit verkündete, die niemand jemals hören würde. Aber solange er sie verkündete, war auf eine geheimnisvolle Weise der rote Faden nicht abgerissen. Nicht indem man sich Gehör verschaffte, sondern indem man sich unversehrt bewahrte, gab man das Erbe der Menschheit weiter. Er kehrte an den Tisch zurück, tauchte seine Feder ein und schrieb:

»Einer Zukunft oder einer Vergangenheit, in der Gedankenfreiheit herrscht, in der die Menschen voneinander verschieden sind und nicht jeder für sich lebt – einer Zeit, in der es Wahrheit gibt und das Geschehene nicht ungeschehen gemacht werden kann, schicke ich diesen Gruß aus einem Zeitalter der Gleichmachung und der Vereinsamung, dem Zeitalter des Großen Bruders, dem Zeitalter des Zwiegedankens.«

Er war bereits tot, überlegte er. Es schien ihm, als habe er erst jetzt, seit er angefangen hatte, seine Gedanken formulieren zu können, den entscheidenden Schritt getan. Die Folgen jeder Handlung sind schon in der Handlung selbst beschlossen. Er schrieb:

»Das Gedankenverbrechen zieht nicht den Tod nach sich: das Gedankenverbrechen ist der Tod.«

Jetzt aber, seit er sich als einen toten Mann betrachtete, wurde es wichtig, so lange wie möglich am Leben zu bleiben. Zwei Finger seiner rechten Hand waren mit Tinte bekleckst. Gerade durch eine solche Kleinigkeit konnte man sich verraten. Ein schnüffelnder fanatischer Eiferer im Ministerium (vermutlich eine Frau: so jemand wie die kleine Aschblonde oder das schwarzhaarige Mädchen aus der Literatur-Abteilung) konnten sich zu wundern anfangen, warum er während der Mittagspause geschrieben, warum er eine altmodische Stahlfeder benützt und *was* er geschrieben hatte – um dann an zuständiger Stelle einen Wink zu geben. Er ging ins Badezimmer und schrubbte die Tintenflecke sorgfältig mit der sandigen dunkelbraunen Seife, die einem die Hand wie Schmirgelpapier aufscheuerte und deshalb für seinen Zweck geeignet war.

Er legte sein Tagebuch in die Schublade. Der Gedanke, es zu verstecken, war völlig sinnlos, aber er konnte wenigstens Vorkehrungen treffen, um sich zu vergewissern, ob es entdeckt worden war. Ein zwischen die Seiten gelegtes Haar war zu auffällig. Mit der Fingerspitze pickte er ein gerade noch erkennbares weißliches Staubkörnchen auf und legte es auf die Ecke des Einbands, wo es herunterfallen mußte, wenn jemand das Buch berührte.

III

Winston träumte von seiner Mutter. Er mußte, so überlegte er, zehn oder elf Jahre alt gewesen sein, als seine Mutter verschwunden war. Sie war eine große, würdevolle, ziemlich stille Frau mit gemessenen Bewegungen und wundervollen blonden Haaren gewesen. Seinen Vater hatte er undeutlicher in Erinnerung: dunkelhaarig und hager, immer in eleganten dunklen Anzügen (Winston entsann sich insbesondere seiner sehr dünnen Schuhsohlen) und mit einer Brille. Die beiden mußten offenbar bei einer der ersten großen Säuberungsaktionen nach 1950 ums Leben gekommen sein.

Im Traum saß seine Mutter an einem Platz tief unter ihm, seine kleine Schwester in den Armen. Er erinnerte sich an seine Schwester nur noch als an ein winziges, schwächliches, immer lautloses Kind mit großen, aufmerksamen Augen. Beide blickten zu ihm empor. Sie befanden sich an einer Stelle unter der Erde – etwa auf dem Grunde eines Ziehbrunnens oder in einem sehr tiefen Grab –, aber der Fleck, auf dem sie saßen, sank, obwohl bereits tief unter ihm gelegen, selbst noch immer tiefer nach unten ab. Sie waren in der Kajüte eines sinkenden Schiffes und blickten durch das immer dunkler werdende Wasser zu ihm empor. Noch war Luft in der Kajüte, noch konnten sie einander sehen, aber die ganze Zeit sanken sie tiefer, immer tiefer hinunter in die grünen Wasser, die sie im nächsten Augenblick für immer dem Blick entziehen mußten. Er weilte in Licht und Luft, während sie in den Tod hinuntergezogen wurden, und sie waren dort drunten, *weil* er hier oben war. Er wußte es, und auch sie wußten es, und er konnte dieses Wissen in ihren Gesichtern lesen. Es war kein Vorwurf, weder in ihren Gesichtern noch in ihren Herzen, nur das Bewußtsein, daß sie sterben mußten, damit er am Leben blieb, und daß dies zur unausweichlichen Ordnung der Dinge gehörte.

Er konnte sich nicht erinnern, was eigentlich geschehen war, aber er wußte in seinem Traum, daß das Leben seiner Mutter und seiner Schwester irgendwie für das seine geopfert worden war. Es war einer jener Träume, die in der charakteristischen Verkleidung des Traumes doch eine Fortsetzung des seelischen Erlebens sind und in denen einem Tatsachen und Gedanken zum Bewußtsein kommen, die auch nach dem Erwachen neu und wertvoll erscheinen. Die Erkenntnis, die Winston jetzt plötzlich dämmerte, war, daß der Tod seiner Mutter vor dreißig Jahren auf eine Weise traurig und tragisch gewesen war, die es heutzutage nicht mehr gab. Tragik, erkannte er, gehörte einer vergangenen Zeit an, als es noch ein Eigenleben, Liebe und Freundschaft gab und die Mitglieder einer Familie, ohne nach dem Grund zu fragen, füreinander eintraten. Die Erinnerung an seine Mutter nagte an seinem Herzen, denn sie war aus Liebe zu ihm gestorben, als er selbst noch zu jung und eigensüchtig war, um ihre Liebe zu erwidern, und weil sie sich irgendwie – auf welche Weise, erinnerte er sich nicht mehr – einem Treuegedanken geopfert hatte, an den sie persönlich und unerschütterlich glaubte. Derlei konnte heutzutage nicht mehr vorkommen, das begriff er. Heutzutage gab es Angst, Haß und Leid, aber keine starken und wertvollen Gefühle, keine tiefen und echten Schmerzen. All das schien er in den großen Augen seiner Mutter und seiner Schwester zu lesen, mit denen sie ihn durch das grüne Wasser aus einer Tiefe von vielen hundert Klafter ansahen, dabei immer tiefer versinkend.

Plötzlich stand er auf einer abgemähten Wiese, auf der federnden Grasnarbe; es war ein Sommerabend, und die Strahlen der untergehenden Sonne vergoldeten die Erde. Die Landschaft, die er sah, kehrte so oft in seinen Träumen wieder, daß er nie ganz sicher war, ob er sie nicht in Wirklichkeit gesehen hatte. In seiner wachen Vorstellung nannte er sie das *Goldene Land.* Es war eine alte, von Kaninchen bevölkerte Weide, durch die ein Fußpfad lief, mit da und dort einem Maulwurfshügel. In der unregelmäßigen Baumreihe jenseits der Wiese wiegten sich die Zweige der Ulmen leise in der sanften Brise, und ihre Blätter wogten in dichten Büscheln wie Frauenhaar. In der Nähe war, wenn auch außer Sicht, ein klarer, träge dahinfließender Fluß, in dessen seichten Buchten unter den Weidenbäumen sich Weißfische tummelten.

Das Mädchen mit dem dunklen Haar kam über die Wiese auf ihn zu. Mit einer einzigen Bewegung riß sie sich das Kleid herunter und warf es verächtlich beiseite. Ihr Leib war weiß und weich, aber er weckte kein Verlangen in ihm, ja er sah ihn kaum an. Was ihn in diesem Augenblick ganz erfüllte, war die Bewunderung für die Gebärde, mit der sie ihre Kleider weggeschleudert hatte. Mit ihrer Grazie und Unbekümmertheit schien sie eine ganze Kultur abzutun, eine ganze Denkordnung, so, als könnten der Große Bruder, die Partei und die Gedankenpolizei mit einer einzigen herrlichen Armbewegung weggewischt werden. Auch das war eine der alten Zeit angehörende Geste. Winston wachte mit dem Wort »Shakespeare« auf den Lippen auf.

Der Televisor ließ einen ohrenbetäubenden Pfeifton hören, der in gleicher Höhe dreißig Sekunden lang anhielt. Es war Punkt sieben Uhr fünfzehn, Zeit zum Aufstehen für alle Behördenangestellten. Winston wälzte seinen Körper aus dem Bett – er schlief nackt, denn ein Mitglied der Äußeren Partei erhielt nur dreitausend Kleiderpunkte im Jahr – und ergriff ein über dem Stuhl liegendes graufarbenes Unterhemd und eine kurze Sporthose. In drei Minuten begann die Morgengymnastik. Doch im nächsten Augenblick krümmte er sich unter einem heftigen Hustenanfall, der ihn fast immer kurz nach dem Erwachen überfiel. Seine Lungen wurden dadurch so vollständig leergepumpt, daß er erst wieder Atem schöpfen konnte, indem er sich der Länge nach auf den Rücken streckte und ein paar tiefe Atemzüge machte. Seine Adern waren unter der Anstrengung des Hustens geschwollen, und die Krampfaderknoten hatten angefangen zu schmerzen.

»Gruppe der Dreißig- bis Vierzigjährigen!« kläffte eine schrille Frauenstimme. »Gruppe der Dreißig- bis Vierzigjährigen. Bitte auf die Plätze! Dreißig- bis Vierzigjährige.«

Winston nahm stramme Haltung vor dem Televisor an, auf dessen Schirm bereits das Bild einer ziemlich jungen, mageren, aber muskulösen Frau in einem Kittel und Turnschuhen erschienen war.

»Arme beu-gt und streckt!« legte sie los. »Im Takt, bitte! Eins, zwei, drei, vier! Eins, zwei, drei, vier! Los, Genossen, ein bißchen lebhafter! Eins, zwei, drei, vier! Eins, zwei, drei, vier!...«

Der von dem Hustenanfall verursachte Schmerz hatte in Winstons Gehirn noch nicht ganz den Eindruck verwischt, den sein Traum auf ihn gemacht hatte, und unter den rhythmischen Bewegungen der Gymnastik wurde dieser wieder lebhafter. Während er mechanisch seine Arme beugte und streckte, wobei sein Gesicht den beflissen begeisterten Ausdruck zur Schau trug, der für die Morgengymnastik Vorschrift war, versuchte er sich in Gedanken zurück in die unklare Zeit seiner frühen Kindheit zu versetzen. Das war äußerst schwierig. Schon bei den fünfziger Jahren trübte sich jede Erinnerung. Wenn es keine äußerlichen Anhaltspunkte gab, an die man sich halten konnte, verlor sogar der Verlauf des eigenen Lebens seine deutlich umreißbare Kontur. Man entsann sich großer Geschehnisse, die sehr wahrscheinlich gar nicht stattgefunden hatten, erinnerte sich an Einzelheiten von Vorfällen, ohne ihre Atmosphäre wiederherstellen zu können, und es gab lange leere Zeitabschnitte, mit denen man überhaupt nichts anzufangen wußte. Damals war alles anders gewesen. Sogar die Namen der Länder und ihre Gestalt auf der Landkarte waren anders gewesen. Luftflottenstützpunkt Nr. 1 zum Beispiel hatte zu der Zeit eine andere Bezeichnung gehabt: er hatte England oder Großbritannien geheißen, wenn auch London, wie er ziemlich sicher zu sein glaubte, immer London genannt worden war.

Winston konnte sich nicht genau an einen Zeitpunkt erinnern, in dem seine Heimat nicht in einen Krieg verwickelt gewesen wäre, aber offenbar hatte es doch zwischendurch, während seiner Kindheit, eine ziemlich lange Friedensperiode gegeben; denn eine seiner frühesten Erinnerungen betraf einen Luftangriff, der für jedermann vollkommen überraschend gekommen zu sein schien. Vielleicht handelte es sich um die Zeit, als die Atombombe auf Colchester gefallen war. Er erinnerte sich nicht an den Luftangriff selbst, entsann sich aber, wie die Hand seines Vaters die seinige umklammert hielt, als sie hinunter, immer tiefer und tiefer hinunter an einen Ort tief unter der Erde geeilt waren, immer im Kreis auf einer spiralförmigen Treppe, die unter seinen Sohlen leise geklirrt und schließlich seine Beine so ermüdet hatte, daß er zu jammern begann und sie stehenbleiben und ausruhen mußten. Die Mutter, in ihrer langsamen, verträumten Art, kam ein gutes Stück hinter ihnen drein. Sie trug sein Schwesterchen – oder vielleicht auch nur ein Bündel Decken: er war nicht sicher, ob seine Schwester damals schon geboren war. Endlich waren sie an einen überfüllten Ort gekommen, den er als einen Untergrundbahnhof erkannt hatte.

Menschen kauerten überall auf dem steingepflasterten Fußboden, und andere saßen, dicht zusammengedrängt, übereinander auf den Eisenträgern. Winston, sein Vater und seine Mutter fanden einen Platz auf dem Boden, und dicht neben ihnen saßen Seite an Seite ein alter Mann und eine alte Frau auf einem Eisenträger. Der alte Mann hatte einen guten schwarzen Anzug an, eine schwarze Reisemütze war über seinem sehr weißen Haar aus der Stirn gerückt; sein Gesicht war blaurot, und seine blauen Augen standen voller Tränen. Er roch heftig nach Gin, den seine Haut an Stelle von Schweiß auszudünsten schien, und man hätte glauben können, auch die Tränen, die aus seinen Augen rollten, seien purer Gin. Aber abgesehen von seiner leichten Betrunkenheit, litt er auch unter einem echten und unerträglichen Kummer. In seinem kindlichen Verstand begriff Winston, daß soeben etwas Schreckliches, etwas Unverzeihliches und nie wieder Gutzumachendes geschehen war. Es schien ihm auch, als wisse er, was es war. Jemand, den der alte Mann lieb hatte, vielleicht eine kleine Enkelin, war getötet worden. Alle paar Augenblicke rief der alte Mann von neuem aus:

»Wir hätten ihnen nicht trauen dürfen. Hab' ich's nicht immer gesagt, Muttchen? Das hat man davon, daß man ihnen vertraut hat. Ich hab' es immer gesagt. Wir hätten diesen Lumpen nicht trauen sollen.«

Aber welchen Lumpen man nicht hätte trauen sollen, daran konnte sich Winston jetzt nicht mehr erinnern.

Seit dieser Zeit nämlich war der Krieg buchstäblich ein Dauerzustand geworden, wenn es sich auch genaugenommen nicht immer um den gleichen Krieg handelte. Mehrere Monate während seiner Kindheit hatten in London selbst wirre Straßenkämpfe getobt, an einige davon erinnerte er sich noch lebhaft. Aber die geschichtliche Entwicklung genau zu verfolgen und zu sagen, wer jemals wen bekämpfte, wäre vollständig unmöglich gewesen, denn keine schriftliche Aufzeichnung oder mündliche Überlieferung erwähnte je eine andere Konstellation als die gegenwärtig gültige. So war zum Beispiel in diesem Augenblick, um das Jahr 1984 (man schrieb tatsächlich das Jahr 1984), Ozeanien mit Eurasien im Kriegszustand und mit Ostasien verbündet. In keiner öffentlichen oder privaten Verlautbarung wurde je zugegeben, daß die drei Mächte jemals anders gruppiert gewesen seien. In Wirklichkeit war es, wie Winston sehr wohl wußte, erst vier Jahre her, daß Ozeanien Ostasien bekriegt und mit Eurasien ein Bündnis gehabt hatte. Aber das war nur ein kleiner Schimmer historischen Wissens, den er auch nur besaß, weil seine Erinnerung noch nicht hinreichend kontrollierbar war. Offiziell hatte nie eine Veränderung in der Kombination der Partner stattgefunden. Ozeanien führte mit Eurasien Krieg: also hatte Ozeanien immer mit Eurasien Krieg geführt. Der augenblickliche Feind stellte immer das Böse an sich dar, und daraus folgte, daß jede vergangene oder zukünftige Verbindung mit ihm undenkbar war.

Das Schrecklichste, überlegte er zum zehntausendstenmal, während er seine Schultern mit schmerzender Anstrengung zurückriß (sie machten jetzt, die Hände auf den Hüften, einige Rumpfbeugen, eine Übung, welche die Rückenmuskeln stärken sollte) – das Schrecklichste war, daß einfach alles wahr oder falsch sein konnte. Wenn die Partei sich so in die Vergangenheit einmischen und von diesem oder jenem Ereignis behaupten konnte, *es habe nie stattgefunden* – war das nicht wirklich furchtbarer als Folter und Tod?

Die Partei sagte, Ozeanien sei nie mit Eurasien verbündet gewesen. Er, Winston Smith, wußte seinerseits, daß Ozeanien noch vor nicht länger als vier Jahren mit Eurasien verbündet gewesen war. Aber wo war dieses Wissen verankert? Nur in seinem eigenen Bewußtsein, das unausweichlich bald in Staub zerfallen mußte. Und wenn alle anderen die von der Partei verbreitete Lüge glaubten – wenn alle Aufzeichnungen gleich lauteten –, dann ging die Lüge in die Geschichte ein und wurde Wahrheit. »Wer die Vergangenheit beherrscht«, lautete die Parteiparole, »beherrscht die Zukunft; wer die Gegenwart beherrscht, beherrscht die Vergangenheit.« Und doch hatte sich die Vergangenheit, so wandelbar sie von Natur aus sein mochte, nie gewandelt. Das gegenwärtig Wahre blieb wahr bis in alle Ewigkeit. Es war ganz einfach. Es war nichts weiter nötig als eine nicht abreißende Kette von Siegen über das eigene Gedächtnis. *Wirklichkeitskontrolle* nannten sie es; in der Neusprache hieß es *Zwiedenken.*

»Rührt euch!« kläffte die Vorturnerin, ein wenig freundlicher.

Winston ließ die Arme sinken und füllte seine Lungen langsam mit Luft. Seine Gedanken schweiften in die labyrinthische Welt des *Zwiedenkens* ab. Zu wissen und nicht zu wissen, sich des vollständigen Vertrauens seiner Hörer bewußt zu sein, während man sorgfältig konstruierte Lügen erzählte, gleichzeitig zwei einander ausschließende Meinungen aufrechtzuerhalten, zu wissen, daß sie einander widersprachen, und an beide zu glauben; die Logik gegen die Logik ins Feld zu führen; die Moral zu verwerfen, während man sie für sich in Anspruch nahm; zu glauben, Demokratie sei unmöglich, die Partei jedoch die Hüterin der Demokratie; zu vergessen, was zu vergessen von einem gefordert wurde, um es sich dann, wenn man es brauchte, wieder ins Gedächtnis zurückzurufen und es hierauf erneut prompt wieder zu vergessen; und vor allem, dem Verfahren selbst gegenüber wiederum das gleiche Verfahren anzuwenden. Das war die äußerste Spitzfindigkeit: bewußt die Unbewußtheit vorzuschieben und dann noch einmal sich des eben vollzogenen Hypnoseaktes nicht bewußt zu werden. Allein schon das Verständnis des Wortes *Zwiedenken* setzte eine doppelbödige Denkweise voraus.

Die Vorturnerin hatte sie wieder zum Stillstehen aufgerufen. »Und jetzt wollen wir mal sehen, wer von uns seine Zehen berühren kann!« sagte sie betont munter. »Aus den Hüften heraus beu-gt, Genossen. *Eins* – zwei! *Eins* – zwei!...«

Winston war diese Übung schrecklich, da sie ihm von den Fersen bis ins Gesäß einen stechenden Schmerz verursachte und oft mit einem erneuten Hustenanfall endete. Ihm vergingen die halbwegs freundlichen Gedanken. Die Vergangenheit, überlegte er, war nicht nur verändert, sondern rundweg ausgelöscht worden. Denn wie konnte man die offensichtlichste Tatsache beweisen, wenn es – außer in der eigenen Erinnerung – keine andere Aufzeichnung darüber gab? Er versuchte sich zu erinnern, in welchem Jahr er zum erstenmal den Großen Bruder hatte erwähnen hören. Er glaubte, es mußte im Laufe der sechziger Jahre gewesen sein, aber es war unmöglich, der Tatsache sicher zu sein. In den Geschichtsdarstellungen der Partei figurierte der Große Bruder selbstverständlich als Führer und Hüter der Revolution von ihren ersten Anfängen an. Seine Heldentaten waren allmählich zeitlich zurückverlegt worden, bis sie bereits in die sagenhafte Welt der vierziger und dreißiger Jahre zurückreichten, als die Kapitalisten noch mit ihren seltsamen zylindrischen Hüten in großen schimmernden Automobilen oder Pferdewagen mit seitlichen Glasfenstern durch die Straßen Londons fuhren. Man wußte nicht, wieviel an dieser Legende wahr und wieviel erfunden war. Winston konnte sich nicht einmal erinnern, zu welchem Zeitpunkt die Partei selbst erstmalig in Erscheinung getreten war. Er glaubte nicht, das Wort *Engsoz* jemals vor dem Jahre 1960 gehört zu haben, aber es war möglich, daß es in seiner alten Form – nämlich als »Englischer Sozialismus« – schon früher gebräuchlich gewesen war. Alles löste sich in Nebel auf. Manchmal freilich konnte man eine deutliche Lüge festnageln. Es war zum Beispiel nicht wahr – wie in den Parteigeschichtsbüchern behauptet wurde –, daß die Partei die Flugzeuge erfunden hatte. Er erinnerte sich an Flugzeuge von seiner frühesten Kindheit an. Aber man konnte nichts beweisen. Es gab keinen Beweis. Nur einmal in seinem ganzen Leben hatte er den unverkennbaren dokumentarischen Beweis einer Geschichtsfälschung in Händen gehalten. Und das war damals, als –

»Smith!« schrie die giftige Stimme aus dem Televisor. »6079 Smith W.! Ja, *Sie* meine ich! Tiefer bücken, wenn ich bitten darf! Sie bringen mehr fertig, als was Sie da zeigen. Sie geben sich keine Mühe. Tie-fer, bitte! *So* ist es schon besser, Genosse. Rühren, der ganze Verein, und alle mal herschauen!«

Heißer Schweiß war Winston plötzlich am ganzen Körper ausgebrochen. Sein Gesicht blieb vollkommen undurchdringlich. Nur keine Unlust verraten! Niemals entrüstet sein! Ein einziges Zucken in den Augen konnte einen verraten. Er stand da und sah aufmerksam zu, während die Vorturnerin ihre Arme über den Kopf gehoben hatte und dann – man konnte nicht gerade sagen anmutig, aber mit erstaunlicher Exaktheit und Tüchtigkeit – eine tiefe Rumpfbeuge machte, wobei sie ihre vordersten Fingerglieder unter ihre Zehen schob.

»Bitte, Genossen. So möchte ich das bei Ihnen sehen. Schauen Sie mir noch einmal genau zu. Ich bin neununddreißig und habe vier Kinder. Obacht jetzt!« Sie beugte sich wieder. »Sie sehen, die Knie sind bei mir durchgedrückt. Sie alle können das, wenn Sie wollen«, fügte sie hinzu, während sie sich aufrichtete. »Jeder Mensch unter fünfundvierzig Jahren ist durchaus imstande, seine Zehenspitzen zu berühren. Wir haben nicht alle den Vorzug, an der Front kämpfen zu dürfen, aber wenigstens können wir uns alle in bester Form erhalten. Denkt an unsere Jungens an der Malabar-Front! Und an die Matrosen auf den Schwimmenden Festungen! Denkt nur mal daran, was die auszuhalten haben. Jetzt versuchen Sie es noch einmal. So ist's besser, Genossen, so ist's schon viel besser«, fügte sie ermutigend hinzu, als es Winston in einer heftigen Tauchbewegung zum erstenmal in mehreren Jahren gelang, mit durchgedrückten Knien seine Zehen zu berühren.

IV

Mit dem tiefen, unbewußten Seufzer, den bei Beginn seiner Tagesarbeit auszustoßen ihn nicht einmal die Nähe des Televisors hindern konnte, zog Winston den Sprechschreiber an sich heran, blies den Staub aus dem Mundstück und setzte seine Brille auf. Dann öffnete er vier kleine Papierrollen, die bereits aus der Rohrpost an der rechten Seite seines Schreibtisches herausgeschossen waren, und heftete sie mit Klammern zusammen.

In den Wänden des Büroraumes waren drei Löcher angebracht. Rechts von dem Sprechschreiber eine kleine Rohrpoströhre für schriftliche Mitteilungen; links eine größere für Zeitungen; und in der Seitenwand, für Winston in bequemer Reichweite, ein großer, durch ein Klappgitter geschützter länglicher Schlitz. Dieser Schlitz diente als Papierkorb, und ähnliche Schlitze waren zu Tausenden oder Zehntausenden über das ganze Gebäude verteilt, nicht nur in jedem Zimmer, sondern in kurzen Abständen auf jedem Gang. Aus irgendeinem Grunde hießen sie die *Gedächtnis-Löcher*. Wußte man, daß ein Dokument zur Vernichtung bestimmt war, oder sah man auch nur ein Stück Abfallpapier herumliegen, war es eine automatische Handlung, das Schutzgitter des nächstbesten *Gedächtnis-Loches* hochzuklappen und das Papier hineinzuwerfen, woraufhin es von einem warmen Luftstrom zu den riesigen Verbrennungsöfen fortgewirbelt wurde, die in den geheimen Tiefen des Gebäudes verborgen waren.

Winston las die vier Zettel, die er aufgerollt hatte. Jeder enthielt eine nur eine oder zwei Zeilen umfassende Botschaft in dem abgekürzten Jargon, der im Ministerium für interne Zwecke benutzt wurde und der nicht eigentlich aus der Neusprache bestand, aber viele einzelne Worte der Neusprache enthielt. Sie lauteten:

Times vom 17. 3. 84: GB Rede Fehlbericht Afrika rechtstellt.

Times vom 19. 12. 83: Voraussagen 3 jp 4. Quartal 83 Falschdruck verbessert Neuausgabe.

Times vom 14. 2. 84: Miniflu fehlzitiert Schokolade rechtstellt.

Times vom 3. 12. 83: Bericht GB Tagesbefehl doppelplusungut nennt Unpersonen totalumschreibt anteordner.

Mit einem leisen Gefühl der Befriedigung legte Winston die letzte Botschaft beiseite. Es war eine verzwickte und verantwortungsvolle Aufgabe und besser erst am Schluß zu erledigen. Die anderen drei waren Routineangelegenheiten, wenn auch die zweite vermutlich ein langweiliges Durchackern von Zahlenlisten erfordern würde.

Winston schaltete auf dem Televisor »Frühere Nummern« ein und verlangte die entsprechenden Ausgaben der *Times*, die schon nach ein paar Augenblicken aus der Rohrpostanlage herausglitten. Die Botschaften, die er erhalten hatte, bezogen sich auf Zeitungsartikel oder Meldungen, die aus diesem oder jenem Grunde zu ändern oder, wie die offizielle Phraseologie lautete, *richtigzustellen* für nötig befunden wurde. So ging z. B. aus der *Times* vom 17. März hervor, daß der Große Bruder in seiner Rede am Tage vorher prophezeit hatte, die Südindien-Front werde ruhig bleiben, aber in Nordafrika werde bald eine eurasische Offensive losbrechen. In Wirklichkeit jedoch hatte das eurasische Oberkommando seine Offensive in Südindien angesetzt, und in Afrika hatte Ruhe geherrscht. Deshalb mußte eine neue Fassung von der Rede des Großen Bruders geschrieben werden, die eben das voraussagte, was wirklich eingetreten war. Im zweiten Falle hatte die *Times* vom 19. Dezember die offiziellen Voraussagen der Produktion verschiedener Gebrauchsgüter während des vierten Quartals von 1983 publiziert, das gleichzeitig das 6. Quartal des neunten Dreijahresplans war. Die heutige Ausgabe enthielt einen Bericht der tatsächlichen Produktion, aus dem hervorging, daß die Voraussagen in jeder Sparte grob unrichtig waren. Winstons Aufgabe bestand nun darin, die ursprünglichen Zahlen richtigzustellen, indem er sie mit den späteren in Übereinstimmung brachte. Was die dritte Botschaft betraf, so bezog sie sich auf einen ganz einfachen Irrtum, der in ein paar Minuten eingerenkt werden konnte. Noch im Februar hatte das Ministerium für Überfluß ein Versprechen verlautbaren lassen (eine »kategorische Garantie« hieß der offizielle Wortlaut), daß während des Jahres 1984 keine Kürzung der Schokoladenration vorgenommen werden würde. In Wirklichkeit sollte, wie Winston nun wußte, Ende dieser Woche die Schokoladenration von dreißig auf zwanzig Gramm herabgesetzt werden. Man brauchte nun nichts weiter zu tun, als statt des ursprünglichen Versprechens eine warnende Äußerung zu unterschieben, daß es vermutlich nötig sein werde, die Ration im Laufe des Monats April zu kürzen.

Nachdem Winston von jeder der Botschaften Kenntnis genommen hatte, heftete er seine sehsprechgeschriebenen Korrekturen an die jeweilige Ausgabe der *Times* und steckte sie in den Rohrpostzylinder. Dann knüllte er, mit einer fast völlig unbewußten Bewegung, die ursprüngliche Meldung und alle von ihm selbst gemachten Notizen zusammen und warf sie in das *Gedächtnis-Loch,* um sie von den Flammen verzehren zu lassen.

Was in dem unsichtbaren Labyrinth geschah, in dem die Rohrpoströhren zusammenliefen, wußte er nicht im einzelnen, sondern nur in großen Umrissen. Wenn alle Korrekturen, die in einer Nummer der *Times* nötig geworden waren, gesammelt und kritisch miteinander verglichen worden waren, wurde diese Nummer neu gedruckt, die ursprüngliche vernichtet und an ihrer Stelle die richtiggestellte Ausgabe ins Archiv eingereiht. Dieser dauernde Umwandlungsprozeß vollzog sich nicht nur an den Zeitungen, sondern auch an Büchern, Zeitschriften, Broschüren, Plakaten, Flugblättern, Filmen, Liedertexten, Karikaturen – an jeder Art von Literatur, die irgendwie von politischer oder ideologischer Bedeutung sein konnte. Einen Tag um den anderen und fast von Minute zu Minute wurde die Vergangenheit mit der Gegenwart in Einklang gebracht. Auf diese Weise konnte für jede von der Partei gemachte Vorhersage der dokumentarische Beweis erbracht werden, daß sie richtig gewesen war; auch wurde nie geduldet, daß man eine Verlautbarung oder Meinungsäußerung aufhob, die den augenblicklichen Gegebenheiten widersprach. Die ganze Historie stand so gleichsam auf einem auswechselbaren Blatt, das genausooft, wie es nötig wurde, radiert und neu beschrieben werden konnte. In keinem Fall wäre es möglich gewesen, nach Durchführung des Verfahrens nachzuweisen, daß eine Fälschung vorgenommen worden war. Die größte Gruppe der Abteilung Registratur, weit größer als die Winstons, bestand aus Personen, deren Aufgabe lediglich war, alle Ausgaben von Büchern, Zeitungen und anderen Druckerzeugnissen ausfindig zu machen und zu sammeln, die außer Gebrauch gesetzt und vernichtet werden mußten. Eine Nummer der *Times,* die vielleicht infolge von Änderungen in der politischen Gruppierung oder der vom Großen Bruder ausgesprochenen irrtümlichen Prophezeiungen ein dutzendmal neu abgefaßt worden war, stand noch immer mit ihrem ursprünglichen Datum versehen in ihrem Regal, und es gab auf der ganzen Welt keine andere Ausgabe, die mit ihr in Widerspruch hätte stehen können. Auch Bücher wurden immer wieder aus dem Verkehr gezogen und neu geschrieben und ohne jeden Hinweis auf die vorgenommenen Veränderungen neu aufgelegt. Sogar die geschriebenen Weisungen, die Winston erhielt und deren er sich in jedem Fall nach Gebrauch sofort entledigte, sprachen nie aus oder ließen durchblicken, daß eine Fälschung vorgenommen werden sollte: immer wurde nur von Weglassungen, Irrtümern, Druckfehlern oder falschen Zitaten gesprochen, die im Interesse der Genauigkeit richtiggestellt werden mußten.

In Wirklichkeit, so dachte er, während er die Ziffern der Angaben des Ministeriums für Überfluß neu einsetzte, war es auch nicht einmal eine Fälschung. Es war lediglich die Einsetzung eines Unsinns an Stelle eines anderen. Der größte Teil des Materials, das man bearbeitete, hatte keinerlei Relation zur Wirklichkeit, nicht einmal die Relation, die eine direkte Lüge zur Wahrheit hat. Die Statistiken waren in ihrer ursprünglichen Fassung genauso wohl eine Ausgeburt der Phantasie wie in ihrer berichtigten Form. Sehr häufig wurde erwartet, daß man sie nach eigenem Ermessen zurechtstutzte. So hatten zum Beispiel die Voraussagen des Ministeriums für Überfluß die Schuhproduktion für ein Vierteljahr auf 145 Millionen Paare geschätzt. Die tatsächliche Produktion wurde mit 62 Millionen angegeben. Winston jedoch setzte, als er die Vorhersage neu schrieb, dafür 57 Millionen ein, um so die übliche Behauptung zu ermöglichen, die Quote sei übererfüllt worden.

In jedem Fall aber kamen zweiundsechzig Millionen der Wahrheit nicht näher als siebenundfünfzig oder einhundertundfünfundvierzig Millionen. Sehr wahrscheinlich waren überhaupt keine Schuhe produziert worden. Noch wahrscheinlicher war es, daß niemand wußte, wieviel Schuhe produziert worden waren, oder daß sich überhaupt niemand darum kümmerte. Man wußte nur so viel, als daß jedes Vierteljahr auf dem Papier astronomische Zahlen von Schuhen produziert wurden, während etwa die Hälfte der Bevölkerung Ozeaniens barfuß lief. Und so war es mit jeder Gattung berichteter Tatsachen, ob es sich nun um große oder kleine handelte. Alles löste sich in einer Welt des leeren Scheins auf, in der zuletzt sogar die gültige Jahreszahl unsicher geworden war.

Winston warf einen Blick durch den Saal. Auf dem entsprechenden Platz auf der anderen Seite ging ein kleiner, pedantischer, dunkelhäutiger Mann namens Tillotson beflissen seiner Arbeit nach, eine entfaltete Zeitung auf den Knien, den Mund ganz dicht an der Muschel des Sprechschreibers. Er sah so aus, als versuche er, was er sagte, als Geheimnis zwischen ihm und dem Televisor zu bewahren. Er blickte auf, und seine Brille warf ein feindseliges Aufblitzen zu Winston herüber.

Winston kannte Tillotson kaum und hatte keine Ahnung, mit welcher Arbeit er beschäftigt war. Die Angestellten der Registratur sprachen nicht gerne über ihre Tätigkeit. In dem langen, fensterlosen Saal mit seiner doppelten Reihe von Nischen und seinem endlosen Rascheln von Papier und Summen von Stimmen, die in die Sprechschreiber sprachen, saßen ein gutes Dutzend Menschen, die Winston nicht einmal dem Namen nach kannte, obwohl er sie tagtäglich auf den Gängen hin und her eilen oder während der *Zwei-Minuten-Haß-Sendung* gestikulieren sah. Er wußte, daß in der Nische neben ihm die kleine Frau mit dem aschblonden Haar tagein, tagaus damit beschäftigt war, aus der Presse die Namen von Menschen herauszusuchen und zu streichen, die *vaporisiert* worden waren und die man infolgedessen so behandelte, als hätten sie niemals existiert. Darin lag eine gewisse Abgebrühtheit, denn erst vor zwei Jahren war ihr eigener Mann vaporisiert worden. Ein paar Nischen weiter saß ein milder, untüchtiger, verträumter Mensch namens Ampleforth, mit stark behaarten Ohren und einem erstaunlichen Talent, mit Reimen und Versmaßen zu jonglieren, der dazu angestellt war, geänderte

Texte – »endgültige Fassungen«, wie es hieß – von Gedichten herzustellen, die ideologisch anstößig geworden waren, die man aber aus diesem oder jenem Grunde in den Gedichtsammlungen beibehalten wollte. Und dieser Saal mit seinen etwa fünfzig Angestellten war nur eine Unterabteilung Registratur. Neben, über und unter ihnen waren andere Schwärme von Angestellten mit einer unvorstellbaren Vielfalt von Arbeiten beschäftigt. Da waren die großen Druckereien mit ihren Hilfsredakteuren, ihren drucktechnischen Fachleuten und ihren hervorragend ausgestatteten Ateliers für Fälschungen von Photographien. Da war die Tele-Programm-Abteilung mit ihren Ingenieuren, ihren Produktionsleitern und ihrem Stab von Schauspielern, die speziell im Hinblick auf ihr Imitationstalent ausgewählt worden waren. Da gab es die Heerscharen von Bibliothekaren, deren Aufgabe lediglich darin bestand, Listen von Büchern und Zeitschriften aufzustellen, von denen eine Neuauflage hergestellt werden mußte. Da waren die großen Lagerräume, in denen die korrigierten Druckerzeugnisse aufbewahrt, und die versteckten Verbrennungsanlagen, in denen die ursprünglichen Ausgaben vernichtet wurden. Und irgendwo saßen ganz anonym die leitenden Hirne, die den ganzen Betrieb koordinierten und die politischen Richtlinien festlegten, nach denen dieses Bruchstück der Vergangenheit aufbewahrt, jenes gefälscht und ein anderes aus der Welt geschafft wurde.

Und doch war die Registraturabteilung als solche nur ein einzelner Zweig des Wahrheitsministeriums, dessen Hauptaufgabe ja nicht darin bestand, die Vergangenheit entsprechend zu frisieren, sondern die Bürger Ozeaniens mit Zeitungen, Filmen, Lehrbüchern, Televisor-Programmen, Theaterstücken, Romanen – mit jeder nur vorstellbaren Art von Nachrichten, Belehrung oder Unterhaltung zu versorgen, von Denkmälern angefangen bis zur biologischen Abhandlung, von der Kinderfibel bis zum Wörterbuch der Neusprache. Und das Ministerium mußte nicht nur die mannigfachen Bedürfnisse der Partei befriedigen, sondern den ganzen Arbeitsgang noch einmal auf dem niedrigeren Niveau des Proletariats wiederholen. Es gab eine Reihe von besonderen Abteilungen, die sich mit der proletarischen Literatur, mit Musik, Theater und Varieté für Proletarier befaßten. Dort wurden minderwertige Zeitungen, die fast nichts als Sport, Verbrechen und astrologische Ratschläge enthielten, reißerische Fünfcentromane, von Sexualität strotzende Filme und sentimentale Schlager hergestellt, die vollkommen mechanisch mit Hilfe einer Art Kaleidoskop, des sogenannten *Versificators*, abgefaßt wurden. Es gab sogar eine ganze Unterabteilung – *Porno-Ro* hieß sie in der Neusprache –, die sich mit der massenhaften Erzeugung der niedrigsten Art von Pornographie befaßte, die in versiegelten Verpackungen versandt wurde und von keinem Parteimitglied, außer den in der betreffenden Abteilung beschäftigten, betrachtet werden durfte.

Drei Mitteilungen waren aus der Rohrpostanlage geglitten, während Winston an der Arbeit war; aber es handelte sich um einfache Dinge, und er hatte sie erledigt, ehe er durch die *Zwei-Minuten-Haß-Sendung* unterbrochen wurde. Als die Haßovation zu Ende war, ging er in seine Nische zurück, schob den Sprechschreiber auf die Seite, putzte seine Brille und machte sich an die Hauptarbeit, die er an diesem Morgen zu bewältigen hatte.

Winstons größte Freude im Leben war seine Arbeit. Das meiste war langweilige Routine, aber es gab doch auch so schwierige und knifflige Aufgaben darunter, daß man sich darin wie in den Tiefen mathematischer Probleme verlieren konnte – feine Fälschungen, bei denen man von nichts anderem geleitet wurde als seiner Kenntnis der Prinzipien des *Engsoz* und dem eigenen Einfühlungsvermögen dafür, was die Partei von einem erwartete. Winston war in diesen Dingen tüchtig. Gelegentlich war er sogar mit der Umarbeitung von völlig in der Neusprache verfaßten Leitartikeln der *Times* betraut worden. Er rollte die Mitteilung auf, die er vorher beiseite gelegt hatte:

Times vom 3. 12. 83: Bericht GB Tagesbefehl doppelplusungut nennt Unpersonen totalumschreibt anteordner.

In der alten umständlichen Sprache hieß das ungefähr soviel wie:

Der Bericht über den Tagesbefehl des Großen Bruders in der *Times* vom 3. Dezember 1983 ist äußerst unbefriedigend und erwähnt heute nicht mehr lebende Personen. Noch einmal völlig neu schreiben und Ihren Entwurf an höherer Stelle vorlegen, ehe er im Archiv abgelegt wird.

Winston las den beanstandeten Artikel durch. Der Tagesbefehl des Großen Bruders hatte offenbar hauptsächlich in einem Loblied auf die Leistung einer als *SFZZ* bekannten Organisation bestanden, die für die Matrosen auf den Schwimmenden Festungen Zigaretten und andere Zubehöre des täglichen Lebens lieferte. Ein gewisser Genosse Withers, ein prominentes Mitglied der Inneren Partei, war mit namentlicher Erwähnung geehrt und mit der Zweiten Klasse des Ordens für besondere Verdienste ausgezeichnet worden.

Drei Monate später war die *SFZZ* plötzlich ohne Bekanntgabe eines Grundes aufgelöst worden. Man durfte annehmen, daß Withers und seine Geschäftsteilhaber jetzt in Ungnade gefallen waren, jedoch war in der Presse oder durch den Televisor kein Bericht darüber erfolgt. Das war zu erwarten gewesen, da es nicht üblich war, politische Sünder vor Gericht zu stellen oder öffentlich anzuklagen. Die großen Säuberungsaktionen, bei denen es sich um Tausende von Menschen handelte, mit öffentlichen Verhandlungen von Verrätern und Gedankenverbrechern, die dann Geständnisse ihrer abscheulichen Verbrechen ablegten und darauf hingerichtet wurden, waren besondere Schaustellungen, die nicht öfter als einmal alle Jahre stattfanden. Gewöhnlich verschwanden Menschen, die sich das Mißfallen der Partei zugezogen hatten, ganz einfach, und man hörte nie wieder etwas von ihnen. Man erhielt nie auch nur die leiseste Andeutung, was aus ihnen geworden war. In manchen Fällen waren sie vielleicht nicht einmal tot. Etwa dreißig Menschen, die Winston persönlich gekannt hatte, abgesehen von seinen Eltern, waren im Laufe der Zeit auf diese Weise verschwunden.

Winston schubberte sich mit einer Heftklammer die Nase. In

der Nische jenseits des Ganges saß Genosse Tillotson noch immer geheimnistuerisch über seinen Sprechschreiber gebeugt. Er hob einen Augenblick den Kopf: wieder das feindselige Blitzen der Brille. Winston fragte sich, ob Genosse Tillotson mit der gleichen Arbeit wie er beschäftigt war. Das war durchaus möglich. Ein so kniffliges Stück Arbeit würde niemals nur einem Sachbearbeiter anvertraut werden: es andererseits einem Ausschuß vorzulegen, wäre mit dem öffentlichen Eingeständnis gleichbedeutend gewesen, daß eine Fälschung vorgenommen werden sollte. Sehr wahrscheinlich bemühte sich jetzt ein ganzes Dutzend Menschen darum, die beste Abwandlung von dem zu finden, was der Große Bruder in Wirklichkeit gesagt hatte. Und bald darauf würde dann ein Großkopfeter aus der Inneren Partei diese oder jene Fassung auswählen, sie erneut herausgeben und das komplizierte Getriebe der notwendig werdenden Richtigstellung auf anderen Gebieten in Gang setzen, worauf die ausgewählte Lüge ins Archiv eingehen und zu Wahrheit werden würde.

Winston wußte nicht, warum Withers in Ungnade gefallen war. Vielleicht wegen Bestechlichkeit oder wegen Unfähigkeit. Vielleicht wollte sich auch der Große Bruder lediglich eines allzu beliebten Untergebenen entledigen. Vielleicht hatte Withers oder ein ihm Nahestehender sich ketzerischer Ansichten verdächtig gemacht. Oder vielleicht – und das war das Allerwahrscheinlichste – war das Ganze nur geschehen, weil Säuberungsaktionen und Vaporisierungen nun einmal zu den notwendigen Maßnahmen der Regierungsmaschinerie gehörten. Der einzige Schlüssel lag in den Worten *»nennt Unpersonen«*, was darauf hinwies, daß Withers bereits tot war. Man konnte nicht ein für allemal annehmen, daß dies der Fall war, wenn Menschen festgenommen wurden. Manchmal wurden sie wieder entlassen und ein oder zwei Jahre in Freiheit geduldet, ehe sie hingerichtet wurden. Ganz unvermutet trat ein Mensch, den man seit langem für tot gehalten hatte, bei einer öffentlichen Gerichtsverhandlung wieder in gespenstische Erscheinung, wo er dann Hunderte andere durch seine Zeugenaussage belastete, ehe er, diesmal für immer, von der Bildfläche verschwand. Withers jedoch war bereits eine *Unperson*. Er war nicht vorhanden: er war nie vorhanden gewesen. Winston entschied, es genüge nicht, einfach die Tendenz der Rede des Großen Bruders auf den Kopf zu stellen. Es war besser, man ließ sie von etwas handeln, das überhaupt nichts mit ihrem ursprünglichen Thema zu tun hatte.

Er konnte die Rede in die übliche Anklage gegen Verräter und Gedankenverbrecher verwandeln, aber das war ein bißchen zu naheliegend; andererseits würde es die Registratur zu sehr überlasten, wenn man einen Sieg an der Front oder einen Triumph der Überproduktion während des neunten Dreijahresplanes erfinden wollte. Das Richtigste war schon ein reines Phantasiegebilde. Plötzlich schwebte ihm, fix und fertig, die Phantasiegestalt eines gewissen Genossen Ogilvy vor, der vor kurzem unter heldenhaften Umständen im Kampf gefallen war. Manchmal kam es vor, daß der Große Bruder seinen Tagesbefehl dem Gedächtnis eines einfachen, dem Mannschaftsstand angehörenden Parteimitglieds widmete, dessen Leben und Sterben er als ein der Nachahmung würdiges Beispiel hinstellte. An diesem 3. Dezember also sollte er des Genossen Ogilvy gedenken. Zwar gab es keinen Menschen dieses Namens auf der Welt, aber ein paar gedruckte Zeilen und zwei gefälschte Photographien würden ihn schnell und ohne große Mühe ins Leben rufen.

Winston überlegte einen Augenblick, zog dann den Sprechschreiber zu sich heran und begann in dem vertrauten Stil des Großen Bruders zu diktieren. Dieser Stil, zugleich militärisch und pedantisch, war infolge eines Kniffes, Fragen zu stellen und sie sofort zu beantworten *(»Welche Lehre lernen wir daraus, Genossen? Die Lehre, die auch eines der Grundprinzipien von Engsoz ist, nämlich daß –«)*, sehr leicht nachzuahmen.

Im Alter von drei Jahren hatte Genosse Ogilvy kein anderes Spielzeug als eine Trommel, eine Maschinenpistole und ein Flugzeugmodell in die Hand nehmen wollen. Sechsjährig war er – infolge einer besonderen Genehmigung ein Jahr früher, als nach den Statuten zulässig – den *Spähern* beigetreten; mit neun Jahren war er Truppführer geworden. Mit elf hatte er seinen Onkel bei der Gedankenpolizei angezeigt, nachdem er eine Unterhaltung belauscht hatte, die ihm verbrecherische Tendenzen zu haben schien. Mit siebzehn war er Bezirksleiter der *Jugendliga gegen Sexualität* geworden. Mit neunzehn hatte er eine Handgranate erfunden, die vom Friedensministerium übernommen und bei ihrer ersten versuchsweisen Anwendung mit einem Schlag einunddreißig eurasische Gefangene getötet hatte. Mit dreiundzwanzig war er im Kampf gefallen. Von feindlichen Düsenjägern auf einem Flug mit wichtigen Depeschen über dem Indischen Ozean verfolgt, hatte er den eigenen Leib mit dem Bord-MG beschwert und war samt den Depeschen aus dem Flugzeug ins Meer gesprungen – ein Tod, sagte der Große Bruder, den man unmöglich ohne Neidgefühle betrachten konnte. Der Große Bruder fügte ein paar Worte über die Lauterkeit und Untadeligkeit von Genosse Ogilvys Leben hinzu. Er war ein vollständiger Abstinenzler und Nichtraucher gewesen, hatte keine andere Erholung als eine tägliche Stunde auf dem Turnplatz gekannt und das Gelübde abgelegt, unverheiratet zu bleiben, da er Ehe- und Familiensorgen für unvereinbar mit der täglich vierundzwanzigstündigen Pflichterfüllung hielt. Er kannte keinen anderen Gesprächsstoff als die Grundlehren des *Engsoz* und kein anderes Lebensziel als die Vernichtung des eurasischen Feindes und die Unschädlichmachung von Spionen, Saboteuren, Gedankenverbrechern und aller Arten von Verrätern und anderen unsauberen Elementen.

Winston schwankte, ob er dem Genossen Ogilvy den Orden für besondere Verdienste verleihen sollte. Am Schluß entschied er sich dagegen, wegen der unnötigen Richtigstellungen, die das mit sich bringen würde.

Noch einmal schielte er kurz zu seinem Rivalen in der gegenüberliegenden Nische hinüber. Etwas schien ihm mit Gewißheit zu sagen, daß Tillotson mit der gleichen Aufgabe beschäftigt war wie er selbst. Man konnte nicht wissen, wessen Lösung schließlich angenommen wurde, aber er fühlte eine tiefe Überzeugung, daß er den Vogel abschießen würde. Genosse Ogilvy, vor einer Stunde noch im Schoße des Nichtgedachten, war jetzt eine Tatsache. Es fiel ihm ein, daß man seltsamerweise Toten Gestalt geben konnte, nicht aber Lebenden. Genosse Ogilvy, der nie in der Gegenwart gelebt hatte, lebte jetzt in der Vergangenheit, und wenn erst einmal die Tatsache der Fälschung vergessen war, würde er ebenso authentisch und ebenso nachweislich vorhanden sein wie Karl der Große oder Julius Cäsar.

V

In der tief unter der Erde liegenden, niedrigen Kantine rückte die Schlange der Mittagsgäste nur langsam voran. Der Raum war bereits gedrängt voll, und es herrschte ein betäubender Lärm. Von dem Herd hinter dem Ausgabetisch stieg der dicke Dampf eines Eintopfgerichts auf, mit einem säuerlich-metallischen Geruch, der die Dünste des Victory-Gins nicht ganz überdeckte. Am Ende des langen Raumes nämlich befand sich eine kleine Bar, nur eben eine Nische in der Wand, wo man ein großes Glas Gin für zehn Cents kaufen konnte.

»Da ist ja der Mann, den ich suche«, sagte eine Stimme hinter Winstons Rücken.

Er drehte sich um. Es war sein Freund Syme, der in der Forschungsabteilung arbeitete. Vielleicht war »Freund« nicht ganz das richtige Wort. Man hatte heutzutage keine Freunde, man hatte Kameraden; aber es gab Kameraden, deren Gesellschaft angenehmer war als die anderer. Syme war Sprachwissenschaftler, ein Spezialist für »Neusprache«. Er gehörte zu der riesigen Gruppe von Fachleuten, die jetzt mit der Zusammenstellung der elften Ausgabe des Wörterbuchs der Neusprache betraut waren. Er war ein winziges Kerlchen, kleiner als Winston, mit dunklem

Haar und großen, hervortretenden Augen, die traurig und spöttisch zugleich dreinblickten und im Gespräch das Gesicht des Gegenübers genau zu durchforschen schienen.

»Ich wollte dich fragen, ob du vielleicht ein paar Rasierklingen hast«, sagte er.

»Nicht eine!« versicherte Winston mit gleichsam schuldbewußter Hast. »Ich habe überall welche aufzutreiben versucht. Es gibt keine mehr.«

Beständig wurde man von allen Leuten nach Rasierklingen gefragt. In Wirklichkeit hatte Winston noch zwei unbenützte gehortet. Seit Monaten schon herrschte Mangel an diesem Artikel. Alle Augenblicke fehlte es an einem notwendigen Gebrauchsartikel, den die Parteiläden nicht liefern konnten. Manchmal waren es Knöpfe, manchmal Stopfwolle, dann wieder Schnürsenkel; zur Zeit waren es Rasierklingen. Man konnte sie, wenn überhaupt, nur dadurch bekommen, daß man mehr oder weniger heimlich den »freien« Markt abgraste.

»Ich habe seit sechs Wochen die gleiche Klinge benützt«, setzte Winston lügnerisch hinzu.

Die Schlange machte einen neuen Ruck vorwärts. Erst als sie zum Stehen kam, drehte er sich wieder Syme zu. Jeder von ihnen nahm ein fettiges Metalltablett von einem auf der Ecke des Ausgabetisches stehenden hochaufgetürmten Stoß.

»Hast du gestern zugeschaut, wie die Gefangenen aufgehängt wurden?« fragte Syme.

»Ich hatte zu arbeiten«, sagte Winston leichthin. »Ich werde es mir wohl im Kino ansehen.«

»Ein sehr ungenügender Ersatz«, meinte Syme und blickte Winston forschend an.

Seine spöttischen Augen glitten über Winstons Gesicht. »Ich kenne dich!« schienen die Augen zu sagen. »Ich sehe durch dich hindurch. Ich weiß sehr wohl, warum du nicht hingegangen bist, um dir das anzusehen.« Auf eine intellektuelle Art und Weise war Syme verbissen orthodox. Er konnte mit einer unangenehm genießerischen Befriedigung von Bombenangriffen auf feindliche Dörfer, von den Gerichtsverhandlungen und Geständnissen der Gedankenverbrecher und den Hinrichtungen in den Kellern des Liebesministeriums sprechen. Wenn man sich mit ihm unterhalten wollte, so mußte man ihn vor allem von diesen Themen ablenken und ihn möglichst in ein Gespräch über die technischen Eigentümlichkeiten der Neusprache verwickeln, ein Thema, über das er fesselnd und voll Sachkenntnis plaudern konnte. Winston drehte den Kopf ein wenig zur Seite, um dem forschenden Blick der großen dunklen Augen zu entgehen.

»Es war recht interessant, das Hängen«, sagte Syme in Erinnerung daran. »Ich finde, es beeinträchtigt die Sache sehr, wenn man ihnen die Füße zusammenbindet. Ich sehe sie gerne strampeln. Und vor allem muß am Schluß die Zunge herausblecken, blau – ganz zart hellblau. Das ist eine Einzelheit, die mir gefällt.«

»Der nächste, bitte!« rief der weißbeschürzte Proles mit der Schöpfkelle.

Winston und Syme schoben ihre Tabletts über den Ausgabetisch. Jedem wurde mit einem raschen Schwung seine Einheitsmahlzeit zugeteilt: ein Eßgeschirr voll eines rosagrauen Eintopfes, ein Stück Brot, ein Würfel Käse, ein Becher Victory-Kaffee ohne Milch und eine Sacharintablette.

»Dort unter dem Televisor ist ein Tisch frei«, sagte Syme. »Nehmen wir uns im Vorbeigehen einen Gin mit.«

Der Gin wurde in henkellosen Porzellanbechern ausgegeben. Sie zwängten sich durch den gedrängt vollen Raum und stellten ihre Schüsseln auf die Metallplatte des Tisches, auf dessen einer Ecke jemand eine Pfütze von Eintopf hinterlassen hatte, einen schmutzig-nassen Brei, der wie Erbrochenes aussah. Winston hob seinen Ginbecher in die Höhe, hielt einen Augenblick inne, um Mut zu sammeln, und stürzte das ölig schmeckende Zeug hinunter. Nachdem er die Tränen niedergekämpft hatte, die ihm in die Augen gestiegen waren, merkte er plötzlich, daß er hungrig war. Er begann gehäufte Löffel des Eintopfgerichtes herunterzuschlingen, in dessen schlüpfriger Masse auch Würfel eines schwammigen, rosafarbenen Zeugs auftauchten, das vermutlich ein Kunstfleischprodukt war. Keiner der beiden sprach ein Wort, bis sie ihr Eßgeschirr geleert hatten. An dem Tisch links von Winston, ein wenig hinter ihm, sprach jemand rasch und pausenlos – ein unangenehmes Geplapper, das wie das Quaken einer Ente durch das allgemeine Getöse des Raumes drang.

»Wie geht's mit dem Wörterbuch vorwärts?« fragte Winston mit erhobener Stimme, um den Lärm zu übertönen.

»Nur langsam«, sagte Syme. »Ich bin jetzt bei den Adjektiven. Es ist sehr interessant.«

Bei der Erwähnung der Neusprache war er sofort lebhaft geworden. Er schob seine Schüssel beiseite, ergriff mit der einen seiner zarten Hände sein Stück Brot und mit der andern den Käse; dabei beugte er sich über den Tisch, um nicht schreien zu müssen.

»Die Elfte Ausgabe ist die endgültige Fassung«, erklärte er. »Wir geben der Neusprache ihren letzten Schliff – wir geben ihr die Form, die sie haben wird, wenn niemand mehr anders spricht. Wenn wir damit fertig sind, werden Leute wie du die Sprache ganz von neuem erlernen müssen. Du nimmst wahrscheinlich an, daß wir neue Worte erfinden. Ganz im Gegenteil! Wir merzen jeden Tag Worte aus – massenhaft, zu Hunderten. Wir vereinfachen die Sprache auf ihr nacktes Gerüst. Die Elfte Ausgabe wird kein einziges Wort mehr enthalten, das vor dem Jahr 2050 entbehrlich wird.«

Er biß hungrig in sein Brot, und nachdem er zwei Bissen geschluckt hatte, fuhr er mit pedantischer Leidenschaft zu sprechen fort. Sein mageres, dunkles Gesicht hatte sich belebt, seine Augen hatten ihren spöttischen Ausdruck verloren und waren fast träumerisch geworden.

»Es ist eine herrliche Sache, dieses Ausmerzen von Worten. Natürlich besteht der große Leerlauf hauptsächlich bei den Zeit- und Eigenschaftswörtern, aber es gibt auch Hunderte von Hauptwörtern, die ebensogut abgeschafft werden können. Es handelt sich nicht nur um die sinnverwandten Worte, sondern auch um Worte, die den jeweils entgegengesetzten Begriff wiedergeben. Welche Berechtigung besteht schließlich für ein Wort, das nichts weiter als das Gegenteil eines anderen Wortes ist? Jedes Wort enthält seinen Gegensatz in sich. Zum Beispiel ›gut‹: Wenn du ein Wort wie ›gut‹ hast, wozu brauchst du dann noch ein Wort wie ›schlecht‹? ›Ungut‹ erfüllt den Zweck genauso gut, ja sogar noch besser, denn es ist das haargenaue Gegenteil des anderen, was man bei ›schlecht‹ nicht wissen kann. Wenn du hinwiederum eine stärkere Abart von ›gut‹ willst, worin besteht der Sinn einer ganzen Reihe von undeutlichen, unnötigen Worten wie ›vorzüglich‹, ›hervorragend‹ oder wie sie alle heißen mögen? ›Plusgut‹ drückt das Gewünschte aus; oder ›doppelplusgut‹, wenn du etwas noch Stärkeres haben willst. Freilich verwenden wir diese Formen bereits, aber in der endgültigen Neusprache gibt es einfach nichts anderes. Zum Schluß wird die ganze Begriffswelt von Gut und Schlecht nur durch sechs Worte – letzten Endes durch ein einziges Wort – gedeckt werden. Siehst du die Schönheit, die darin liegt, Winston? Es war natürlich ursprünglich eine Idee vom G. B.«, fügte Syme hinzu. Ein mattes Aufleuchten huschte bei der Erwähnung des Großen Bruders über Winstons Gesicht. Trotzdem stellte Syme sofort einen Mangel an Begeisterung fest.

»Du weißt die Neusprache nicht wirklich zu schätzen, Winston«, sagte er beinahe traurig. »Selbst wenn du in ihr schreibst, denkst du noch immer in der Altsprache. Ich habe ein paar von den Artikeln gelesen, die du gelegentlich in der *Times* schreibst. Sie sind recht gut, aber es sind doch nur Übertragungen. Dein Herz hängt noch an der Altsprache, mit allen ihren Unklarheiten und unnützen Gedankenschattierungen. Dir geht die Schönheit der Wortvereinfachung nicht auf. Weißt du auch, daß die Neusprache die einzige Sprache der Welt ist, deren Wortschatz von Jahr zu Jahr kleiner wird?«

Nein, Winston wußte das nicht. Er lächelte, wie er hoffte, mit einem anerkennenden Ausdruck, ohne daß er zu sprechen wagte. Syme biß wieder ein Stück Schwarzbrot ab, kaute kurz und fuhr dann fort:

»Siehst du denn nicht, daß die Neusprache kein anderes Ziel hat, als die Reichweite des Gedankens zu verkürzen? Zum Schluß werden wir Gedankenverbrechen buchstäblich unmöglich gemacht haben, da es keine Worte mehr gibt, in denen man sie ausdrücken könnte. Jeder Begriff, der jemals benötigt werden könnte, wird in einem einzigen Wort ausdrückbar sein, wobei seine Bedeutung streng festgelegt ist und alle seine Nebenbedeutungen ausgetilgt und vergessen sind. Schon heute, in der Elften Ausgabe, sind wir nicht mehr weit von diesem Punkt entfernt. Aber der Prozeß wird immer weitergehen, lange nachdem wir beide tot sind. Mit jedem Jahr wird es weniger und immer weniger Worte geben, wird die Reichweite des Bewußtseins immer kleiner und kleiner werden. Auch heute besteht natürlich kein Entschuldigungsgrund für das Begehen eines Gedankenverbrechens. Es ist lediglich eine Frage der Selbstzucht, der *Wirklichkeitskontrolle.* Aber schließlich wird auch das nicht mehr nötig sein. Die Revolution ist vollzogen, wenn die Sprache geschaffen ist. Neusprache ist *Engsoz,* und *Engsoz* ist Neusprache«, fügte er mit einer Art geheimnisvoller Befriedigung hinzu. »Hast du schon einmal bedacht, Winston, daß um das Jahr 2050 kein Mensch mehr am Leben sein wird, der ein solches Gespräch, wie wir es eben führen, überhaupt verstehen könnte?«

»Außer –«, wollte Winston einwenden, aber er brach ab.

Es lag ihm auf der Zunge zu sagen: »Außer den Proles«, aber er hielt sich zurück, da er nicht ganz sicher war, ob eine solche Bemerkung nicht in gewisser Weise unorthodox gewesen wäre. Syme hatte jedoch erraten, was er sagen wollte.

»Die Proles sind keine Menschen«, sagte er beiläufig. »Mit dem Jahr 2050 – aber vermutlich schon früher – wird jede wirkliche Kenntnis der Altsprache verschwunden sein. Die gesamte Literatur der Vergangenheit wird vernichtet worden sein. Chaucer, Shakespeare, Milton, Byron werden nur noch in Neusprachfassungen vorhanden sein, und damit nicht einfach umgewandelt, sondern in das Gegenteil von dem verkehrt, was sie waren. Selbst die Parteiliteratur wird eine Wandlung erfahren. Sogar die

Leitsätze werden anders lauten. Wie könnte ein Leitsatz wie ›Freiheit ist Sklaverei‹ bestehen bleiben, wenn der Begriff Freiheit aufgehoben ist? Das ganze Reich des Denkens wird anders sein. Es wird überhaupt kein Denken mehr geben – wenigstens was wir heute darunter verstehen. Strenggläubigkeit bedeutet: nicht mehr denken – nicht mehr zu denken brauchen. Strenggläubigkeit ist Unkenntnis.«

Eines Tages, dachte Winston plötzlich aus innerster Überzeugung, wird Syme vaporisiert werden. Er ist zu gescheit. Er sieht zu klar und spricht zu offen. Die Partei sieht solche Menschen nicht gerne. Eines schönen Tages wird er verschwinden. Es steht in seinem Gesicht geschrieben.

Winston war fertig mit seinem Brot und seinem Käse. Er drehte sich auf seinem Stuhl ein wenig zur Seite, um seinen Becher Kaffee zu trinken. Am Tisch links von ihm sprach der Mann mit der kreischenden Stimme noch immer unbarmherzig weiter. Eine junge Frau, vielleicht seine Sekretärin, die mit dem Rücken zu Winston dasaß, hörte ihm zu und schien allem, was er sagte, eifrig beizustimmen. Von Zeit zu Zeit fing Winston Bemerkungen auf wie »Ich glaube, Sie haben vollkommen recht, ich bin ganz Ihrer Meinung«, die eine jugendliche und ziemlich törichte Frauenstimme vorbrachte. Aber die andere Stimme schwieg keinen Augenblick still, auch nicht, wenn das Mädchen einmal sprach. Winston kannte den Mann vom Sehen, doch wußte er nicht mehr von ihm, als daß er einen wichtigen Posten in der Literaturabteilung bekleidete. Er war ein Mann von etwa dreißig Jahren, mit einem muskulösen Hals und einem großen, beweglichen Mund. Sein Kopf war ein wenig zurückgebeugt, und infolge des Winkels, in dem er dasaß, fingen seine Brillengläser das Licht auf und zeigten Winston zwei blanke Scheiben statt der Augen. Das etwas Gespenstische an der Sache war, daß es fast unmöglich war, ein einziges Wort des aus dem Munde hervorbrechenden Redeschwalls zu verstehen. Nur einmal fing Winston einen Gesprächsfetzen auf: »– vollständige und endgültige Ausrottung des Goldsteinismus« – sehr rasch und gleichsam in einem Stück, wie eine fertiggegossene Druckzeile, hervorgestoßen. Der Rest war nur ein Geräusch, *quak-quak-quak*. Und doch konnte man, auch ohne zu verstehen, was der Mann sagte, sich über den Grundton nicht im Zweifel sein. Mochte er nun Goldstein beschuldigen und strengere Maßnahmen gegen Gedankenverbrecher und Saboteure fordern, mochte er gegen die Grausamkeiten der eurasischen Streitkräfte wettern, mochte er den Großen Bruder oder die Helden an der Malabar-Front lobpreisen – es blieb sich alles gleich. Man konnte sicher sein, was immer er sagte, daß jedes seiner Worte streng orthodox, reinster *Engsoz* war. Während Winston das augenlose Gesicht betrachtete, dessen Unterkiefer schnell auf- und zuklappte, hatte er ein merkwürdiges Gefühl, daß dies kein richtiger Mensch, sondern eine Art Puppe war. Hier sprach nicht das Gehirn eines Menschen, sondern sein Kehlkopf. Was dabei herauskam, bestand zwar aus Worten, aber es war keine menschliche Sprache im echten Sinne; es war ein unbewußt hervorgestoßenes, völlig automatisches Geräusch, wie das Quaken einer Ente.

Syme war einen Augenblick verstummt und zeichnete mit dem Stiel seines Löffels ein Muster in die Eintopfreste. Die Stimme am Nebentisch quakte pausenlos weiter, gut hörbar trotz des großen Getöses ringsum.

»Es gibt ein Wort in der Neusprache«, sagte Syme, »ich weiß nicht, ob du es kennst: *Entenquak*. Es ist eines von den interessantesten Wörtern, die zwei gegensätzliche Bedeutungen haben. Einem Gegner gegenüber angewandt, ist es eine Beschimpfung; gebraucht man es von jemandem, mit dem man einer Meinung ist, dann ist es ein Lob.«

Fraglos wird Syme vaporisiert werden, dachte Winston von neuem. Er dachte es mit einem gewissen Bedauern, obwohl er genau wußte, daß Syme ihn verachtete und keineswegs besonders mochte, ja, daß er durchaus imstande war, ihn beim geringsten Anlaß als Gedankenverbrecher zu denunzieren. Etwas an Syme stimmte nicht ganz. Ihm fehlte etwas: Takt, Zurückhaltung, ein rettendes Quentchen Dummheit. Man konnte ihn nicht als unorthodox bezeichnen. Er glaubte an die Grundsätze des *Engsoz*, verehrte den Großen Bruder, jubelte über Siege, haßte Ketzer nicht nur eifrig und unermüdlich aus Überzeugung, sondern wohlinformiert, mit einem Scharfblick, wie ihn ein gewöhnliches Parteimitglied sonst nicht besaß. Dennoch hatte er immer etwas Anrüchiges. Er sagte Dinge, die besser ungesagt blieben, er hatte zu viele Bücher gelesen und war ein Stammgast im Café »Kastanienbaum«, dem Treffpunkt der Maler und Musiker. Es gab kein Gesetz, nicht einmal ein ungeschriebenes, das den Besuch dieses Cafés untersagte, und trotzdem war dieses Lokal einigermaßen übel beleumundet. Die alten, in Mißkredit geratenen Parteiführer hatten dort verkehrt, ehe sie schließlich liquidiert worden waren. Goldstein selbst, erzählte man sich, war dort vor Jahren oder Jahrzehnten manchmal gesehen worden. Symes Schicksal war unschwer vorauszusehen. Und doch war kein Zweifel, daß Syme, wenn er – und sei es auch nur für die Dauer von drei Sekunden – die wahre Natur von Winstons geheimen Absichten erkannt hätte, ihn sofort an die Gedankenpolizei verraten würde. Freilich hätte das auch jeder andere getan; aber Syme mit größerer Bestimmtheit als die meisten. Eifer allein genügte noch nicht. Der strenge Glaube handelte unbewußt.

Syme blickte auf. »Da kommt Parsons«, sagte er und stützte seine Ellbogen auf die metallische Tischplatte.

Etwas im Ton seiner Stimme schien hinzuzufügen: »Dieser blöde Kerl.« Tatsächlich bahnte sich Parsons, Winstons Wohnungsnachbar im Victory-Block, seinen Weg durch den Raum – ein dickbäuchiger, mittelgroßer Mann mit blondem Haar und einem froschartigen Gesicht. Mit fünfunddreißig Jahren setzte er bereits am Nacken und an den Hüften Fettpolster an, seine Bewegungen waren jedoch temperamentvoll und jungenhaft. Seine ganze Erscheinung war die eines hochaufgeschossenen Knaben, so sehr, daß man sich ihn – obwohl er den vorschriftsmäßigen Trainingsanzug trug – schwerlich anders als in den kurzen blauen Hosen, dem grauen Hemd und dem roten Halstuch der *Späher* vorstellen konnte. Wenn man sich im Geiste sein Bild vor Augen hielt, sah man immer nackte Knie und rundliche Unterarme mit aufgekrempelten Hemdärmeln. Parsons kehrte auch unweigerlich zu kurzen Hosen zurück, sobald ihm eine Gemeinschaftswanderung oder eine sonstige Form von Leibesübungen den geringsten Anlaß dafür bot. Er begrüßte die beiden mit einem munteren »Hallo, hallo!« und setzte sich an den Tisch, wobei ein intensiver Schweißgeruch von ihm ausströmte. Auf seinem ganzen rosaroten Gesicht standen Schweißtropfen. Seine Fähigkeit zu schwitzen war unbegrenzt. Im Gemeinschaftshaus konnte man immer an der Feuchtigkeit des Schlägergriffs feststellen, ob er vor einem Tischtennis gespielt hatte. Syme hatte ein Blatt Papier hervorgezogen, auf dem eine lange Reihe Worte standen, und studierte sie aufmerksam, wobei er einen Tintenbleistift zur Hand nahm.

»Schauen Sie nur, wie er während der Mittagspause arbeitet«, sagte Parsons und gab Winston einen Rippenstoß. »Das nenne ich Eifer! Was haben Sie denn da, alter Junge? Vermutlich etwas, das ein bißchen über meinen Horizont hinausgeht. Smith, alter Junge, jetzt muß ich Ihnen sagen, warum ich hinter Ihnen her bin. Es ist wegen des Beitrags, den Sie mir noch nicht gestiftet haben.«

»Um welchen Beitrag handelt es sich?« fragte Winston und tastete automatisch nach Geld. Ungefähr ein Viertel seines Gehaltes mußte man für freiwillige Beiträge zeichnen, die so zahlreich waren, daß man sie kaum auseinanderhalten konnte.

»Für die *Haß-Woche.* Sie wissen ja, die Haussammlung. Ich bin Vertrauensmann für unseren Block. Die ganze Stadt soll im Festschmuck prangen – es wird eine Riesensache werden. Ich kann Ihnen sagen, es wird bestimmt nicht meine Schuld gewesen sein, wenn der gute alte Victory-Block nicht den reichsten Fahnenschmuck in der ganzen Stadt aufzuweisen hat. Sie haben mir zwei Dollar versprochen.«

Winston fischte zwei fettig-schmutzige Scheine aus der Tasche und reichte sie Parsons, der den Betrag mit der sauberen Handschrift des Ungebildeten in ein kleines Notizbuch eintrug.

»Bei der Gelegenheit, alter Junge«, meinte er, »wie ich höre, hat mein kleiner Lauselümmel gestern mit seinem Katapult nach Ihnen geschossen. Ich habe ihm eine tüchtige Abreibung dafür erteilt. Ich sagte ihm, ich würde ihm das Ding wegnehmen, wenn er es noch einmal tut.«

»Er war wohl ein wenig verstimmt, weil er nicht zu der Hinrichtung gehen durfte«, sagte Winston.

»Ei nun – das zeigt den richtigen Geist, finden Sie nicht auch? Mutwillige kleine Lausejungen sind sie, alle beide, aber an Eifer mangelt es bei ihnen wahrhaftig nicht! Sie haben nichts anderes im Kopf als die *Späher* – und den Krieg natürlich. Wissen Sie, was mein kleines Mädel letzten Samstag getan hat, als ihr Fähnlein einen Gemeinschaftsausflug nach Berkhamsted machte? Sie stahl sich mit zwei anderen Mädchen aus der Reihe und heftete sich den ganzen Nachmittag an die Fersen eines merkwürdig aussehenden Mannes. Sie folgten ihm zwei Stunden lang, mitten durch den Wald, und als sie nach Amersham kamen, übergaben sie ihn der Polizeistreife.«

»Warum haben sie das getan?« fragte Winston ein wenig verblüfft. Parsons fuhr triumphierend fort: »Mein Sprößling hatte erkannt, daß er irgendwie so eine Art Feindagent war – er konnte zum Beispiel mit dem Fallschirm abgesetzt worden sein. Aber nun kommt der springende Punkt, alter Junge. Was glauben Sie, was ihr zuerst an ihm aufgefallen ist? Sie merkte, daß er eine merkwürdige Sorte Schuhe anhatte – sie sagte, sie habe noch nie zuvor jemanden solche Schuhe tragen sehen. Daher bestand die Wahrscheinlichkeit, daß es sich um einen Ausländer handelte. Allerhand Köpfchen für einen siebenjährigen Dreikäsehoch, was?«

»Was wurde aus dem Mann?« fragte Winston.

»Ach, das kann ich Ihnen natürlich nicht sagen. Aber ich wäre durchaus nicht verwundert, wenn –« Parsons machte die Bewegung des Gewehranlegens und deutete mit einem Zungenschnalzen den Schuß an.

»Gut!« sagte Syme zerstreut, ohne von seinem Papier aufzublicken.

»Natürlich können wir uns kein Risiko leisten«, stimmte Winston pflichtschuldig bei.

»Schließlich haben wir nun einmal Krieg«, meinte Parsons.

Wie zur Bestätigung seiner Worte erscholl ein Fanfarenstoß aus dem gerade über ihren Köpfen angebrachten Televisor. Diesmal war es jedoch nicht die Verkündigung eines militärischen Sieges, sondern lediglich eine Meldung des Ministeriums für Überfluß.

»Genossen!« rief eine eifrige jugendliche Stimme. »Achtung, Genossen! Wir haben herrliche Nachrichten für euch. Wir haben die Erzeugungsschlacht gewonnen! Die jetzt abgeschlossenen amtlichen Berichte über die Produktion aller Kategorien von Gebrauchsgütern zeigen, daß der Lebensstandard im Vergleich zum vergangenen Jahr sich um nicht weniger als zwanzig Prozent erhöht hat. In ganz Ozeanien fanden heute morgen spontane Demonstrationen statt, bei denen die Arbeiter aus den Fabriken und Büros herausmarschierten und mit Fahnen durch die Straßen zogen, um dem Großen Bruder ihre Dankbarkeit für das neue, glückliche Leben zum Ausdruck zu bringen, mit dem uns seine weise Führung beschenkt hat. Hier folgen einige der endgültigen Zahlen: Lebensmittel –.«

Der Satz »unser neues, glückliches Leben« kehrte mehrmals wieder. Es war in letzter Zeit ein Lieblingsausdruck des Ministeriums für Überfluß geworden. Parsons, dessen Aufmerksamkeit durch den Fanfarenstoß geweckt worden war, saß in einem Zustand von gähnendem Ernst und belehrter Langeweile da. Er vermochte den Zahlen nicht zu folgen, war sich aber bewußt, daß sie irgendwie einen Grund zur Befriedigung boten. Er hatte eine große, verschmutzte Pfeife hervorgeholt, die bereits bis zur Hälfte mit verkohltem Tabak angefüllt war. Mit der Tabakration von hundert Gramm in der Woche konnte man seine Pfeife selten bis zum Rand füllen. Winston rauchte eine Victory-Zigarette, die er sorgfältig waagrecht hielt. Die neue Zuteilung wurde erst morgen fällig, und er hatte nur noch vier Zigaretten übrig. Für den Augenblick hatte er seine Ohren den entfernteren Geräuschen verschlossen und lauschte dem Redeschwall, der aus dem Televisor drang. Es stellte sich heraus, daß sogar Demonstrationen stattgefunden hatten, um dem Großen Bruder für die Erhöhung der Schokoladenration auf zwanzig Gramm in der Woche zu danken. Dabei war erst gestern, so überlegte Winston, bekanntgegeben worden, daß die Ration auf zwanzig Gramm die Woche *herabgesetzt* werde. War es möglich, daß die Leute das nach nur vierundzwanzig Stunden schlucken würden? Ja, sie schluckten es. Parsons schluckte es mühelos, mit der Dummheit eines Tieres. Das augenlose Geschöpf am Nebentisch schluckte es fanatisch, leidenschaftlich, mit der blindwütigen Sucht, jeden ausfindig zu machen, zu denunzieren und zu vaporisieren, der behaupten wollte, vergangene Woche habe die Ration dreißig Gramm betragen. Auch Syme schluckte es – allerdings auf eine komplizierte Art, bei der das *Zwiedenken* hineinspielte. Stand er demnach *allein* da, war er der einzige, der ein Gedächtnis hatte?

Immer noch tönten die frei erfundenen Statistiken aus dem Televisor. Im Vergleich zum vergangenen Jahr gab es mehr zu essen, mehr Kleidung, mehr Häuser, mehr Möbel, mehr Kochtöpfe, mehr Heizmaterial, mehr Schiffe, mehr Flugzeuge, mehr Bücher, mehr Neugeborene – mehr von allem außer Krankheit, Verbrechen und Wahnsinn. Jahr um Jahr, von einer Minute zur anderen erlebte alles einen rasenden Aufstieg. Wie vorher Syme, hatte Winston jetzt seinen Löffel ergriffen und manschte in den farblosen Speiseresten auf dem Tisch herum, wobei er einen langen Streifen zu einem Muster auszog. Voll Ingrimm dachte er über die physische Beschaffenheit des Lebens nach. War es schon immer so gewesen? Hatte das Essen immer so geschmeckt? Er blickte sich in der Kantine um. Ein niedriger, gedrängt voller Raum, dessen Wände durch die Berührung unzähliger Leiber schmutzig geworden waren. Verbeulte Metalltische und -stühle, so eng zusammengerückt, daß man sich im Sitzen mit den Ellenbogen berührte. Verbogene Gabeln, am Rand abgestoßenes Geschirr, grobe weiße Becher, auf allen Flächen fettglänzend, Schmutz in jedem Sprung. Und ein säuerlicher Geruch über allem, zusammengesetzt aus schlechtem Gin, minderwertigem Kaffee, leicht metallisch schmeckendem Eintopf und unsauberen Kleidern. Immer regte sich im Magen und auf der Haut ein Protest – das Gefühl, um etwas betrogen worden zu sein, worauf man ein Anrecht hatte. Zwar hatte er keine Erinnerung an etwas wesentlich anderes. Soweit er sich genau zurückzuerinnern vermochte, hatte es nie wirklich genug zu essen gegeben, hatte man nie Socken oder Unterhosen besessen, die nicht voll Löcher waren, war das Mobiliar immer schadhaft und wackelig gewesen, waren die Zimmer ungenügend geheizt, die Untergrundbahn überfüllt, die Häuser verfallen, das Brot dunkel, der Tee eine Rarität, der Kaffee schauderhaft, die Zigaretten zu knapp gewesen. Nichts war billig oder reichlich vorhanden gewesen außer dem synthetischen Gin. Und obwohl man das alles mit dem Älterwerden natürlich schlimmer empfand, war es nicht ein Zeichen, daß dies *nicht* die natürliche Ordnung der Dinge sein konnte, wenn einem stets das Herz weh tat bei der Unbehaglichkeit, dem Schmutz und dem Mangel, den endlosen Wintern, den verfilzten Socken, den nie funktionierenden Fahrstühlen, dem kalten Wasser, der sandigen Seife, den zerbröckelnden Zigaretten, den künstlichen Nahrungsmitteln mit ihrem verdächtigen Geschmack? Warum empfand man das als so unerträglich, wenn man nicht eine altererbte Erinnerung in sich trug, daß die Dinge einmal ganz anders gewesen waren?

Er sah sich noch einmal in der Kantine um. Fast jeder einzelne war häßlich, und wäre auch häßlich gewesen, wenn er etwas anderes als den gleichförmigen blauen Trainingsanzug getragen hätte. Am anderen Ende des Raumes saß allein an einem Tisch ein kleiner, einem Käfer merkwürdig ähnlicher Mann und trank seine Tasse Kaffee, wobei seine Äuglein argwöhnische Blicke von einer Seite zur anderen warfen. Wie leicht, dachte Winston, konnte man glauben, wenn man nicht um sich blickte, daß es den von der Partei als Ideal proklamierten körperlichen Typus – großgewachsene, muskulöse junge Männer und vollbusige Mädchen, blond, lebensbejahend, sonnengebräunt und sorglos –

wirklich gab und daß er sogar vorherrschte. In Wirklichkeit war die Mehrzahl der Menschen im Luftflottenstützpunkt Nr. 1, soweit er es beurteilen konnte, klein, brünett und häßlich. Es war merkwürdig, wie dieser käferartige Typ in den Ministerien überhand nahm: kleine, untersetzte Menschen, die schon in jungen Jahren korpulent wurden, mit kurzen Beinen, raschen zappeligen Bewegungen und gedunsenen undurchdringlichen Gesichtern mit sehr kleinen Augen. Dieser Typ schien unter der Herrschaft der Partei am besten zu gedeihen.

Die Meldung des Ministeriums für Überfluß endete mit einem erneuten Fanfarenstoß und wurde durch Blechmusik abgelöst. Parsons, durch das Zahlenbombardement zu vager Begeisterung aufgerüttelt, nahm seine Pfeife aus dem Mund.

»Das Ministerium für Überfluß hat dieses Jahr wahrhaftig Großes geleistet«, sagte er mit einem wissenden Kopfnicken. »Bei der Gelegenheit, Smith, alter Junge, Sie haben nicht zufällig ein paar Rasierklingen, die Sie mir ablassen könnten?«

»Nicht eine«, sagte Winston. »Ich benütze selbst seit sechs Wochen dieselbe Klinge.«

»Ach so – ich dachte nur, ich wollte Sie mal fragen, alter Junge.«

»Tut mir leid«, sagte Winston.

Die quakende Stimme vom Nebentisch, die während der Meldung des Ministeriums vorübergehend zum Schweigen gebracht worden war, hatte wieder mit voller Lautstärke loszulegen begonnen. Aus irgendeinem Grunde mußte Winston plötzlich an Frau Parsons mit ihrem Wuschelhaar und dem Staub in ihren Kummerfalten denken. In zwei Jahren würden ihre Kinder sie bei der Gedankenpolizei denunzieren. Frau Parsons würde vaporisiert werden. Syme würde vaporisiert werden. Winston würde vaporisiert werden. O'Brien würde vaporisiert werden. Parsons dagegen würde nie vaporisiert werden. Das augenlose Wesen mit der quakenden Stimme würde nie vaporisiert werden. Die kleinen käferartigen Menschen, die so behend durch die labyrinthischen Gänge der Ministerien huschten – auch sie würden nie vaporisiert werden. Und das Mädchen mit dem dunklen Haar, das Mädchen aus der Literaturabteilung – auch sie würde niemals vaporisiert werden. Es schien ihm, als wisse er instinktiv, wer mit dem Leben davonkommen und wer vernichtet werden würde: wenn man auch nicht ohne weiteres sagen konnte, welcher Faktor eigentlich das Überleben entschied.

In diesem Augenblick schrak er heftig aus seiner Träumerei auf. Das Mädchen am Nebentisch hatte sich halb umgedreht und ihn angeblickt. Es war das Mädchen mit dem dunklen Haar. Sie sah ihn mit einem verstohlenen Seitenblick, aber mit merkwürdiger Eindringlichkeit an. In dem Moment, in dem ihre Augen sich begegneten, wandte sie sich wieder ab.

Winston brach der Schweiß aus allen Poren. Ein furchtbarer Schreck durchzuckte ihn. Zwar ließ er fast sofort nach, aber es blieb eine nagende Ungewißheit zurück. Warum beobachtete sie ihn? Warum verfolgte sie ihn dauernd? Unglücklicherweise konnte er sich nicht entsinnen, ob sie bereits bei seinem Kommen an diesem Tisch gesessen hatte oder erst nachher erschienen war. Auf alle Fälle hatte sie sich gestern, während der *Zwei-Minuten-Haß-Sendung,* unmittelbar hinter ihn gesetzt, obwohl dazu keine zwingende Notwendigkeit bestand. Sehr wahrscheinlich hatte sie in Wirklichkeit die Absicht gehabt, ganz genau hinzuhören und sich davon zu überzeugen, ob er auch laut genug in das Beifallsgeschrei einstimmte.

Sein erster Gedanke kam ihm wieder: vermutlich war sie nicht wirklich ein Mitglied der Gedankenpolizei, andererseits stellten eben gerade die Amateurspitzel die größte Gefahr von allen dar. Er wußte nicht, wie lange sie ihn schon angesehen hatte, vielleicht immerhin fünf Minuten, und es war möglich, daß er sein Gesicht nicht völlig in der Gewalt gehabt hatte. Es war schrecklich gefährlich, seine Gedanken schweifen zu lassen, wenn man bei einer öffentlichen Veranstaltung oder in Reichweite eines Televisors war. Die geringste Kleinigkeit konnte einen verraten. Ein nervöses Zusammenzucken, ein unbewußter Angstblick, die Gewohnheit, vor sich hinzumurmeln – alles, was den Verdacht des Ungewöhnlichen erwecken konnte, oder daß man etwas zu verbergen habe. Einen unpassenden Ausdruck im Gesicht zu zeigen (zum Beispiel ungläubig dreinzuschauen, wenn ein Sieg verkündet wurde), war jedenfalls schon an sich ein strafbares Vergehen. Es gab sogar ein Neusprachwort dafür: *Gesichtsverbrechen.*

Das Mädchen hatte ihm wieder den Rücken zugewandt. Vielleicht verfolgte sie ihn nicht wirklich, oder es war nur ein Zufall, daß sie zwei Tage hintereinander so nahe von ihm gesessen hatte. Seine Zigarette war ausgegangen, und er legte sie vorsichtig auf den Tischrand. Er würde sie nach der Arbeit fertig rauchen, wenn inzwischen nicht der Tabak herausgefallen war. Sehr wahrscheinlich war die Person am Nebentisch ein Spitzel der Gedankenpolizei, und sehr wahrscheinlich war er in drei Tagen in den Krallen des Liebesministeriums – aber einen Zigarettenstummel durfte man nicht vergeuden! Syme hatte sein Blatt Papier zusammengefaltet und in die Tasche gesteckt. Parsons hatte wieder zu schwatzen angefangen.

»Habe ich Ihnen eigentlich erzählt, alter Junge«, sagte er kichernd, das Pfeifenmundstück zwischen den Zähnen, »wie meine beiden Sprößlinge den Rock der alten Marktfrau in Brand gesetzt haben, weil sie gesehen hatten, wie sie Würste in ein Plakat mit dem Bild vom G. B. einwickelte? Schlichen sich von hinten an sie heran und legten mit Zündhölzern Feuer an. Haben sie recht bös verbrannt, nehm' ich an. Kleine Lauser, was? Aber scharf wie Schießhunde! Heute bekommen sie bei den *Spähern* eine erstklassige Vorschulung – sogar noch besser als zu meiner Zeit. Was glauben Sie, womit sie neuerdings die Kinder ausgerüstet haben? Hörrohre, um damit durch Schlüssellöcher zu lauschen! Meine Kleine brachte gestern abend eins mit nach Hause. Sie probierte es an unserer Wohnzimmertür aus und stellte fest, daß sie doppelt so gut damit hören konnte, als wenn sie einfach das Ohr ans Schlüsselloch legte. Natürlich ist es nur ein Spielzeug, verstehen Sie mich recht. Aber jedenfalls lenkt es ihre Gedanken auf die richtige Fährte, nicht wahr?«

In diesem Augenblick kam aus dem Televisor ein schrilles Pfeifen. Es war das Zeichen, wieder an die Arbeit zu gehen. Alle drei Männer sprangen auf, um sich in das Gewühl vor den Fahrstühlen zu stürzen, und aus Winstons Zigarette fiel der restliche Tabak heraus.

VI

Winston lehnte sich zurück und starrte gegen die Decke. Dann ergriff er den Federhalter und schrieb in sein Tagebuch:

Es war vor drei Jahren. An einem dunklen Abend, in einer engen Seitenstraße in der Nähe eines der großen Bahnhöfe. Sie stand unweit von einem Torweg unter einer Straßenlaterne, die nur spärliches Licht gab. Sie hatte ein junges, sehr stark geschminktes Gesicht. Eigentlich war es die Gesichtsbemalung mit ihrer maskenhaften Weiße, was mich anzog, und die brennend roten Lippen. Die Frauen von der Partei schminken sich nie. Es war niemand sonst auf der Straße, und kein Televisor. Sie sagte zwei Dollar. Ich –

Es war im Augenblick zu schwierig weiterzuschreiben. Er preßte die Finger auf die geschlossenen Augen und versuchte, das Bild wieder heraufzubeschwören, das ihm in seiner Erinnerung vorschwebte. Er verspürte ein fast unüberwindliches Verlangen, mit vollem Stimmaufwand einen Schwall unflätiger Worte hinauszuschreien. Oder mit dem Kopf gegen die Wand zu rennen, den Tisch umzuwerfen und das Tintenfaß aus dem Fenster zu schleudern – irgend etwas Gewaltsames, Lautes oder Schmerzhaftes zu tun, um die quälende Erinnerung auszulöschen.

Der schlimmste Feind, mit dem man es zu tun hatte, überlegte er, waren die eigenen Nerven. Jeden Augenblick konnte die innere Spannung sich in einem äußeren Symptom verraten. Ihm fiel ein Mann ein, an dem er vor ein paar Wochen auf der Straße vorbeigegangen war: ein ganz alltäglich aussehender Mann, ein Parteimitglied von fünfunddreißig oder vierzig Jahren, ziemlich groß und mager, eine Aktentasche unterm Arm. Sie waren ein paar Meter voneinander entfernt gewesen, als die linke Gesichtshälfte des Mannes plötzlich in krampfhafte Zuckungen geriet. Das gleiche hatte sich noch einmal gerade in dem Augenblick wiederholt, als sie aneinander vorbeigekommen waren: es war nur ein kurzes Zittern, ein Zucken, so schnell wie das Klicken eines Fotoapparats, aber offenbar chronisch. Er erinnerte sich, daß er damals gedacht hatte: Der arme Teufel ist geliefert! Und das Erschreckende daran war, daß es sich höchstwahrscheinlich um einen unbewußten Vorgang handelte. Die allergrößte Gefahr war, im Schlaf zu sprechen. Soviel er wußte, gab es keine Möglichkeit, sich dagegen irgendwie zu schützen.

Er schöpfte Atem und fuhr fort zu schreiben:

Ich ging mit ihr durch den Torweg und über einen Hinterhof in eine im Erdgeschoß gelegene Küche. An der Wand stand ein Bett und auf dem Tisch eine sehr tief herabgeschraubte Lampe. Sie...

Er war nervös. Er hätte am liebsten ausspucken mögen. Zugleich mit der Frau in der Küche dachte er an Katherine, seine Frau. Winston war verheiratet – oder jedenfalls verheiratet gewesen; vermutlich war er es noch, denn soviel ihm bekannt war, war seine Frau nicht gestorben. Ihm kam es vor, als atme er wieder den warmen, stickigen Geruch in der ebenerdigen Küche, einen Geruch aus Ungeziefer, schmutziger Wäsche und miserablem billigen Parfüm, aber dennoch verlockend, denn keine Frau von der Partei benützte jemals Parfüm, auch hätte man sich das überhaupt nicht vorstellen können. Nur die Proles benützten Parfüm. In seiner Vorstellung war dieser Geruch untrennbar mit Unzucht verbunden.

Als er mit dieser Frau gegangen war, hatte das seinen ersten Fehltritt seit ungefähr zwei Jahren bedeutet. Der Umgang mit Prostituierten war natürlich verboten, aber es war eine der Vorschriften, die man gelegentlich zu übertreten wagen konnte. Es war gefährlich, aber es war keine Angelegenheit auf Leben und Tod. Mit einer Prostituierten erwischt zu werden, konnte bis zu fünf Jahren Zwangsarbeit bedeuten; aber nicht mehr, wenn man keinen weiteren Verstoß begangen hatte. Und das war recht einfach, wenn man nur vermeiden konnte, in flagranti ertappt zu werden. In den ärmeren Vierteln wimmelte es von Frauen, die bereit waren, sich zu verkaufen. Manche waren sogar für eine Flasche Gin zu haben, der nicht für die Proles bestimmt war. Stillschweigend neigte die Partei sogar dazu, die Prostitution zu fördern, als ein Ventil für Instinkte, die sich nicht völlig unterdrücken ließen. Die bloße Ausschweifung wurde nicht wichtig genommen, solange sie flüchtig und freudlos blieb und nur die Frauen der unterdrückten und verachteten Klasse daran teilnahmen. Ein unverzeihliches Verbrechen dagegen war die Unzucht zwischen Parteimitgliedern. Doch obwohl dies auch zu den Verbrechen gehörte, deren sich die Angeklagten in den großen Säuberungsprozessen unabänderlich schuldig bekannten, so konnte man sich doch nur schwer vorstellen, daß dergleichen wirklich vorkam.

Das Ziel der Partei war nicht nur, das Zustandekommen enger Beziehungen zwischen Männern und Frauen zu verhindern, die sie vielleicht nicht mehr übersehen konnte. Ihre wirkliche, unausgesprochene Absicht ging dahin, den sexuellen Akt aller Freude zu entkleiden. Nicht so sehr die Liebe als vielmehr die Erotik wurde als Feind betrachtet, sowohl in wie außerhalb der Ehe. Alle Eheschließungen zwischen Parteimitgliedern mußten von einer zu diesem Zweck aufgestellten Kommission genehmigt werden, und diese Genehmigung wurde – obwohl dieser Grundsatz nie deutlich festgelegt worden war – immer verweigert, wenn das fragliche Paar den Eindruck machte, körperlich zueinander hingezogen zu sein. Der einzig anerkannte Zweck einer

Heirat war, Kinder zum Dienst für die Partei zur Welt zu bringen. Der Geschlechtsakt selbst hatte als eine unbedeutende und leicht anrüchige Sache zu gelten, wie ein Klistier. Auch das wurde nie deutlich ausgedrückt, doch auf indirekte Weise jedem Parteimitglied von Jugend an eingeimpft. Es gab sogar Organisationen wie die *Jugendliga gegen Sexualität,* die für das vollkommene Zölibat beider Geschlechter eintraten. Alle Kinder sollten durch künstliche Befruchtung (*Kunstsam* hieß das in der Neusprache) gezeugt und in staatlichen Anstalten großgezogen werden. Winston wußte sehr wohl, daß dies nicht ganz ernst gemeint war, aber es paßte zu der allgemeinen Ideologie der Partei. Die Partei versuchte das Sexualgefühl abzutöten oder doch zu verbiegen und in den Schmutz zu ziehen. Er wußte nicht, warum das so war, aber es schien natürlich, daß es so sein sollte. Und soweit es die Frauen betraf, waren die Bemühungen der Partei weitgehend erfolgreich. Er dachte wieder an Katherine. Es mußte wohl neun, zehn – fast elf Jahre her sein, seit sie sich getrennt hatten. Es war merkwürdig, wie selten er an sie dachte. Er konnte tagelang vergessen, daß er überhaupt verheiratet gewesen war. Sie hatten nur ungefähr fünfzehn Monate zusammengelebt. Die Partei duldete keine Scheidung, befürwortete aber in Fällen kinderloser Ehen die Trennung.

Katherine war ein großes blondes Mädchen, von sehr gerader Haltung und mit herrlichen Bewegungen. Sie hatte ein kühnes, adlerhaftes Gesicht, ein Gesicht, das man versucht war, ideal zu nennen, bis man herausfand, daß so gut wie nichts dahintersteckte.

Schon sehr bald während seiner Ehe war er zu der Ansicht gelangt – vielleicht auch nur, weil er sie genauer kannte als die meisten anderen Menschen –, daß sie geistig das dümmste, gewöhnlichste und leerste Wesen war, dem er je begegnet war. Sie hatte keinen Gedanken im Kopf, der nicht ein Schlagwort gewesen wäre, und es gab keinen Blödsinn, aber auch keinen einzigen, den sie nicht gefressen hätte, wenn die Partei ihn ihr auftischte. Er gab ihr im stillen den Spitznamen »Die alte Platte«. Und doch hätte er mit ihr zusammenleben können, wenn nicht – die Erotik gewesen wäre.

Sobald er sie berührte, schien sie zurückzuzucken und zu erstarren. Wenn man sie umarmte, war es genauso, als umarmte man eine Holzpuppe. Und seltsamerweise hatte er sogar, wenn sie ihn an sich preßte, das Gefühl, als stoße sie ihn gleichzeitig mit aller Kraft von sich weg. Sie lag mit geschlossenen Augen da, weder widerstrebend noch miterlebend, sondern nur sich fügend. Es war äußerlich hinderlich und nach einer Weile geradezu schrecklich. Aber selbst dann hätte er es fertiggebracht, mit ihr zusammenzuleben, wenn sie sich dahin geeinigt hätten, daß jeder für sich blieb. Aber merkwürdigerweise lehnte gerade Katherine das ab. Sie mußte, nach ihrer Ansicht, wenn irgend möglich, ein Kind zur Welt bringen. So vollzog sich der Vorgang weiterhin ganz regelmäßig einmal in der Woche, wenn es nicht gerade unmöglich war. Sie pflegte ihn sogar am Morgen daran zu erinnern als an etwas, das an dem betreffenden Abend getan und nicht vergessen werden durfte. Sie hatte zwei Bezeichnungen dafür, die eine hieß »an unser Baby denken«, und die andere »unsere Pflicht gegenüber der Partei erfüllen« (ja, diesen Ausdruck hatte sie tatsächlich gebraucht). Bald schon entwickelte sich bei Winston ein Gefühl ehrlicher Angst, wenn der betreffende Tag nahte. Aber glücklicherweise kam kein Kind, und zu guter Letzt war sie einverstanden, den Versuch aufzugeben. Und bald darauf gingen sie auseinander.

Winston seufzte hörbar. Wieder ergriff er seinen Federhalter, und dann schrieb er weiter in das Tagebuch:

Sie warf sich aufs Bett, und sofort, ohne jede Vorbereitung, raffte sie in der gemeinsten, abscheulichsten Weise, die man sich vorstellen kann, ihren Rock hoch. Ich...

Er sah sich wieder in dem trüben Lampenlicht stehen und spürte in seiner Nase den Geruch nach Wanzen und billigem Parfüm. In seinem Herzen stieg ein Gefühl der Niedergeschlagenheit und

Reue auf, das in diesem Augenblick sogar mit dem Gedanken an den weißen Leib Katherines verschwamm, den die hypnotische Macht der Partei für immer hatte zu Eis erstarren lassen. Warum mußte es immer so sein? Warum konnte er nicht eine Frau für sich haben, statt dieser schmutzigen Schlampen, in Abständen von Jahren? Aber ein wirkliches Liebeserlebnis war ein nahezu unvorstellbares Ereignis. Die Frauen aus der Partei waren sich alle gleich. Die Enthaltsamkeit war ihnen ebenso tief eingeimpft wie die Treue zur Partei. Durch sorgfältige frühzeitige Lenkung, durch Sport und Kaltwasser, durch den ganzen Unsinn, der ihnen in der Schule, bei den *Spähern* und in der *Jugendliga* eingetrichtert wurde, durch Vorträge, Paraden, Lieder, Parteischlagworte und Militärmusik war ihnen jedes natürliche Gefühl ausgetrieben worden. Wenn sein Verstand ihm auch sagte, daß es Ausnahmen geben müsse, glaubte sein Herz doch nicht daran. Diese Frauen waren alle, genau wie die Partei es haben wollte, nicht zu erschüttern. Er aber wünschte sich, sogar noch sehnlicher, als geliebt zu werden, diese Tugendmauer niederzureißen, und wäre es auch nur ein einziges Mal in seinem Leben. Der Akt der geschlechtlichen Verschmelzung, wenn er glückhaft vollzogen wurde, war ein Akt der Auflehnung. Die Begierde war ein Gedankenverbrechen. Sogar Katherine geweckt zu haben – wenn ihm das je gelungen wäre –, hätte als Verführung gegolten, obwohl sie seine Frau war.

Aber der Schluß der Geschichte mußte zu Papier gebracht werden. Er schrieb:

Ich schraubte die Lampe hoch. Als ich sie bei Licht sah...

Nach der Dunkelheit war ihm das schwache Licht der Paraffinlampe sehr hell erschienen. Zum erstenmal konnte er die Frau richtig sehen. Er hatte einen Schritt auf sie zu gemacht und war dann, erfüllt von Begierde und Angst, stehengeblieben. Er war sich qualvoll der Gefahr bewußt, die er damit auf sich genommen hatte, daß er hier hereingekommen war. Es war sehr wohl möglich, daß ihn eine Streife beim Herauskommen abfing: vielleicht warteten sie in diesem Augenblick schon draußen vor der Tür. Wenn er nun fortging, ohne zu tun, weswegen er gekommen war –!

Es mußte niedergeschrieben, mußte gebeichtet werden. In der vollen Flut des Lampenlichts hatte er plötzlich erkannt: die Frau war uralt. Die Schminke in ihrem Gesicht war so dick aufgetragen, daß es aussah, als könnte sie Sprünge bekommen, wie eine Maske aus Pappe. In ihrem Haar waren weiße Strähnen. Aber die grausigste Einzelheit war, daß ihr halbgeöffneter Mund nichts enthüllte als eine schwarze Höhle. Sie hatte überhaupt keine Zähne. Hastig schrieb er mit kritzeligen Zügen:

Bei Licht gesehen, war sie eine ganz alte Frau, wenigstens fünfzig Jahre alt. Aber ich ließ mich nicht abschrecken und tat es trotzdem.

Wieder preßte er die Finger gegen seine Augenlider. Endlich hatte er es hingeschrieben. Aber es half nichts, die Therapie hatte nicht gewirkt. Sein Verlangen, mit lauter Stimme unflätige Worte hinauszuschreien, war genauso heftig wie je zuvor.

VII

Wenn es noch eine Hoffnung gibt, schrieb Winston, *so liegt sie bei den Proles.*

Wenn es eine Hoffnung gab, so mußte sie einfach bei den Proles liegen, denn nur dort, in diesen unbeachtet durcheinanderwimmelnden Massen, die 85 Prozent der Bevölkerung Ozeaniens ausmachten, konnte jemals die Kraft entstehen, die Partei zu zerschlagen. Von innen her konnte die Partei nicht gestürzt werden. Ihren Feinden – wenn sie überhaupt Feinde hatte – bot sich keine Möglichkeit, zusammenzukommen oder auch nur einander zu erkennen. Sogar wenn die legendäre *»Brüderschaft«* wirklich existierte, was immerhin möglich war, blieb es doch unvorstellbar, daß diese Mitglieder sich jemals in größerer Anzahl als zu zweien oder dreien versammeln könnten. Ein Blick in die Augen, eine Modulation der Stimme bedeutete schon Rebellion; das Äußerste war ein geflüstertes Wort. Aber die Proles, wenn sie sich nur ihrer Macht bewußt werden könnten, hätten es gar nicht nötig, eine Verschwörung anzuzetteln. Sie brauchten nur aufzustehen und sich zu schütteln, wie ein Pferd, das die Fliegen abschüttelt. Wenn sie wollten, konnten sie die Partei morgen in Stücke schlagen. Sicherlich mußte ihnen früher oder später der Gedanke dazu kommen! Und doch –!

Er erinnerte sich, wie er einmal eine volkreiche Straße hinuntergegangen war, als sich ein mächtiges Geschrei von Hunderten von Stimmen – Frauenstimmen – in einer dicht vor ihm gelegenen Seitenstraße erhob. Es war ein großer, furchtbarer Aufschrei des Zorns und der Verzweiflung, ein tiefes, lautes »O-o-o-o-oh!«, das wie eine Glocke weiterdröhnte. Sein Herz hatte ausgesetzt. Es ist soweit! hatte er gedacht. Eine Volkserhebung! Die Proles wachen endlich auf! Als er die Stelle erreicht hatte, sah er einen Pöbelhaufen von zwei- oder dreihundert Weibern sich mit tragischen Mienen, als seien sie die dem Untergang geweihten Passagiere eines sinkenden Schiffes, um die Verkaufsstände eines Straßenmarktes drängen. Aber im gleichen Augenblick löste sich die allgemeine Verzweiflung in eine Menge einzelner Zänkereien auf. Es stellte sich heraus, daß an einem der Stände Blechpfannen verkauft worden waren. Armselige, schäbige Dinger – aber Kochgeschirr jeglicher Art war immer schwierig zu bekommen. Nun war der Vorrat unerwarteterweise schon erschöpft. Die Frauen, denen es geglückt war, ein Stück zu ergattern, versuchten sich mit ihren Blechpfannen, von den übrigen gestoßen und gedrängt, davonzumachen, während Dutzende von anderen vor dem Verkaufsstand lärmten, die Verkäuferin der Bevorzugung beschuldigten und behaupteten, sie habe irgendwo noch mehr Blechpfannen in der Reserve. Ein erneutes Geschrei brach aus. Zwei aufgedunsene Frauenspersonen, von denen der einen die Frisur aufging, hielten dieselbe Blechpfanne fest und versuchten, sie einander aus der Hand zu reißen. Einen Augenblick zerrten beide daran, dann brach der Stiel ab. Winston beobachtete sie angeekelt. Und doch, welche fast erschreckende Macht hatte für einen Augenblick aus diesem Schrei aus ein paar hundert Kehlen geklungen! Warum konnten sie niemals über etwas Wichtiges so aufschreien? Er schrieb:

Sie werden sich nie auflehnen, solange sie sich nicht ihrer Macht bewußt sind, und erst nachdem sie sich aufgelehnt haben, können sie sich ihrer Macht bewußt werden.

Das hätte beinahe einem der Parteilehrbücher entnommen sein können, überlegte er. Die Partei erhob natürlich Anspruch darauf, die Proles aus der Knechtschaft befreit zu haben. Vor der Revolution waren sie von den Kapitalisten schmählich unterdrückt worden, man hatte sie hungern lassen und ausgepeitscht, Frauen mußten in den Kohlenbergwerken arbeiten (Frauen arbeiteten übrigens in Wirklichkeit noch immer in den Kohlenbergwerken), Kinder waren im Alter von sechs Jahren an die Fabriken verkauft worden. Aber gleichzeitig lehrte die Partei, getreu den Grundsätzen des *Zwiedenkens,* die Proles seien von Natur aus minderwertige Geschöpfe, die durch die Anwendung von einigen wenigen einfachen Verordnungen wie die Tiere im Zaum gehalten werden mußten. In Wahrheit wußte man sehr wenig über die Proles. Man brauchte nicht viel zu wissen. Solange sie nur arbeiteten und sich fortpflanzten, waren ihre übrigen Lebensäußerungen unwichtig. Sich selbst überlassen wie das Vieh, das man auf die Weiden Argentiniens hinaustreibt, waren sie zu einem ihnen offenbar natürlichen Lebensstil, einer Art alter Überlieferung, zurückgekehrt. Sie wurden geboren, wuchsen in der Gosse auf, gingen mit zwölf Jahren an die Arbeit, durchlebten eine kurze Blütezeit körperlicher Schönheit und sinnlicher Begierde, heirateten mit zwanzig, alterten mit dreißig und starben zum größten Teil mit sechzig Jahren. Schwere körperliche Arbeit, die Sorge um Heim und Kinder, kleinliche Streitigkeiten mit Nachbarn, Kino, Fußball, Bier und vor allem Glücksspiele füllten den Rahmen ihres Denkens aus. Es war nicht schwer, sie unter Kontrolle zu halten. Nur ein paar Agenten der Gedankenpolizei bewegten sich ständig unter ihnen, um falsche Gerüchte zu verbreiten und diejenigen zu notieren und verschwinden zu lassen, die vielleicht gefährlich werden konnten. Aber es wurde kein Versuch gemacht, die Proles mit der Partei-Ideologie vertraut zu machen. Es war nicht wünschenswert, daß sie ein starkes politisches Bewußtsein hatten. Von ihnen wurde nur ein primitiver Patriotismus verlangt, an den man gegebenenfalls appellieren konnte, wenn sie sich mit einer Verlängerung ihrer Arbeitsstunden oder einer Kürzung der Rationen abfinden mußten. Und sogar, wenn sie einmal unzufrieden wurden, führte ihre Unzufriedenheit zu nichts, denn da sie ganz ohne einen leitenden Gedanken waren, richtete sich diese Unzufriedenheit nur auf belanglose jeweilige Übelstände. Die größten Übelstände entgingen unweigerlich ihrer Aufmerksamkeit. Die große Mehrheit der Proles hatte nicht einmal einen Televisor in ihrer Wohnung. Selbst die gewöhnliche Polizei mischte sich nur sehr wenig in ihre Angelegenheiten. Es gab in London ein weit verbreitetes Verbrechertum, eine ganz in sich geschlossene Welt von Dieben, Straßenräubern, Prostituierten, bekannten Rauschgift- und Schwarzhändlern. Aber da sich das alles nur unter den Proles abspielte, war es ohne Bedeutung. In allen ethischen Fragen ließ man sie ihrer alten Tradition folgen. Der sexuelle Puritanismus der Partei wurde ihnen nicht aufgezwungen. Außerehelicher Geschlechtsverkehr blieb unbestraft, Scheidungen waren erlaubt. Selbst die Ausübung einer Religion wäre gestattet worden, wenn die Proles irgendwie das Bedürfnis oder den Wunsch danach zum Ausdruck gebracht hätten. Sie waren über jeden Verdacht erhaben. Wie ein Schlagwort der Partei es ausdrückt: »Proles und Tiere sind frei.«

Winston beugte sich vor und kratzte vorsichtig seine Krampfaderknoten, die wieder zu jucken angefangen hatten. Der Punkt, auf den man unausweichlich immer wieder zurückgeführt wurde, war die Unmöglichkeit, sich ein Bild von dem Leben vor der Revolution zu machen. Er zog aus der Schublade ein Geschichtsbuch für Schulkinder hervor, das er von Frau Parsons entliehen hatte, und begann ein Stück daraus in sein Tagebuch abzuschreiben:

In den alten Zeiten vor der glorreichen Revolution war London nicht die herrliche Stadt, als die wir es heute kennen. Es war ein düsterer, schmutziger, armseliger Ort, wo kaum jemand genug zu essen und Tausende von armen Menschen keine Schuhe an ihren Füßen und nicht einmal ein Dach überm Kopf hatten, unter dem sie schlafen konnten. Kinder in Euerm Alter mußten zwölf Stunden am Tag für grausame Arbeitgeber schuften, die sie mit Peitschen schlugen, wenn sie zu langsam arbeiteten, und ihnen nur trockenes Brot und Wasser zu essen gaben. Aber inmitten dieser schrecklichen Armut gab es ein paar große, schöne Häuser, die von den Reichen bewohnt wurden, die bis zu dreißig Dienstboten zu ihrer Bedienung hatten. Diese Reichen nannte man Kapitalisten. Sie waren dicke, häßliche Menschen mit bösen Gesichtern, wie der auf der nächsten Seite Abgebildete. Er trägt, wie Ihr seht, einen langen, schwarzen Rock, der Gehrock genannt wurde, und einen komischen, glänzenden Hut von der Form eines Ofenrohrs, der Zylinder hieß. Das war die Kleidung der Kapitalisten, und niemand sonst durfte sie tragen. Den Kapitalisten gehörte alles, was es auf der Welt gab, und alle anderen Menschen waren ihre Sklaven. Sie besaßen das ganze Land, alle Häuser, alle Fabriken und alles Geld. Wenn jemand ihnen nicht gehorchte, ließen sie ihn ins Gefängnis werfen oder nahmen ihm die Arbeit weg, damit er verhungerte. Wenn ein gewöhnlicher Mensch mit einem Kapitalisten sprach, mußte er sich ducken und vor ihm katzbuckeln, seine Mütze abnehmen und ihn mit »Gnädiger Herr« anreden. Der Häuptling der Kapitalisten wurde König genannt und…

Aber er kannte diese alte Leier schon. Es würde sich die Beschreibung der Bischöfe mit ihren Batistärmeln anschließen, der Richter in ihren Hermelinroben, des Prangers, des Blocks, der Tretmühle, der neunschwänzigen Katze, des Banketts des Londoner Oberbürgermeisters und des Brauchs, dem Papst den Schuh zu küssen. Auch hatte es so etwas wie das sogenannte *jus primae noctis* gegeben, was vermutlich nicht in einem Kinderlehrbuch stehen würde. Das war ein Gesetz, nach dem jeder Kapitalist das Recht hatte, mit jedem in seinen Fabriken beschäftigten Mädchen zu schlafen.

Er konnte nicht sagen, wieviel von all dem Lüge war. Es mochte wahr sein, daß es dem Durchschnittsmenschen heute besser ging als vor der Revolution. Der einzige Gegenbeweis war der stumme Protest im eigenen Innern, das instinktive Gefühl, daß die Bedingungen, unter denen man lebte, unerträglich waren und früher anders gewesen sein mußten. Es fiel ihm auf, daß das wirklich Charakteristische des heutigen Lebens nicht seine Grausamkeit und Unsicherheit, sondern einfach seine Nacktheit, seine Schäbigkeit, seine Ruhelosigkeit war. Das Leben hatte, wenn man um sich blickte, nicht nur keinerlei Ähnlichkeit mit den Lügen, die aus dem Televisor strömten, sondern entsprach nicht einmal den Idealen, wie sie die Partei aufstellte. Ein großer Teil des Lebens spielte sich, selbst für ein Parteimitglied, auf einer neutralen und unpolitischen Ebene ab und bestand darin, sich mit langweiligen Arbeiten abzuplagen, sich einen Platz in der Untergrundbahn zu erobern, eine zerrissene Socke zu stopfen, eine Sacharintablette zu erbetteln, einen Zigarettenstummel aufzubewahren. Das von der Partei angestrebte Ideal war etwas Großes, Schreckliches, Gleißendes – eine Welt aus Stahl und Beton, eine Welt von riesigen Maschinen und furchtbaren Waffen – mit einem Volk von Kriegern und Fanatikern, das völlig geschlossen voranmarschierte, alle mit den gleichen Gedanken und den gleichen Schlachtrufen, wo alle pausenlos arbeiteten, kämpften, siegten, verfolgten – dreihundert Millionen Menschen, alle mit den gleichen Gesichtern. Die Wirklichkeit aber waren zerfallende, heruntergekommene Städte, durch deren Straßen unterernährte Menschen in durchlöcherten Schuhen schlichen und in deren notdürftig ausgebesserten Häusern aus dem neunzehnten Jahrhundert wohnten, wo es immer nach Kohl und schadhaften Aborten roch. Ihm war, als sähe er eine Vision von London als einer riesigen Trümmerstadt, einer Stadt von Millionen Kehrichthaufen, und dahinter ein Bild von Frau Parsons, einer Frau mit durchfurchtem Gesicht und verwuschelten Haaren, die hilflos an einem verstopften Ausguß herumhantierte.

Er bückte sich und kratzte wieder an seinem Knöchel. Tag und Nacht knatterte einem der Televisor die Ohren voll mit Statistiken, aus denen hervorging, daß die Menschen heutzutage mehr zu essen, mehr anzuziehen, bessere Wohnungen und eine bessere Freizeitgestaltung hatten – daß sie länger lebten und ihre Arbeitszeit kürzer war, daß sie größer, gesünder, kräftiger, glücklicher, klüger, gebildeter waren als die Menschen vor fünfzig Jahren. Kein Wort davon konnte je belegt oder widerlegt werden. Die Partei behauptete zum Beispiel, gegenwärtig könnten 40 Prozent der erwachsenen Proles lesen und schreiben: vor der Revolution, hieß es, habe die Zahl nur 15 Prozent betragen. Die Partei behauptete, die Kindersterblichkeit belaufe sich jetzt nur noch auf einhundertundsechzig pro Tausend, während sie vor der Revolution dreihundert betragen habe – und so ging es weiter. Es war ein ewiges Jonglieren mit zwei Unbekannten. Es konnte sehr gut möglich sein, daß buchstäblich jedes Wort in den Geschichtsbüchern, sogar das, was man unbedenklich hinnahm, frei erfunden war. Es brauchte ein Gesetz wie das *jus primae noctis* oder ein Wesen wie den Kapitalisten oder eine Kopfbedeckung wie den Zylinderhut nie gegeben zu haben.

Alles löste sich in Nebel auf. Die Vergangenheit war ausradiert, und dann war sogar die Tatsache des Radierens vergessen, die Lüge war zur Wahrheit geworden. Nur einmal in seinem Leben hatte er – *post factum*, darauf kam es an – den greifbaren, unverkennbaren Beweis einer Fälschung gehabt. Er hatte ihn ganze dreißig Sekunden in seinen Händen gehalten. Es mußte im Jahre 1973 gewesen sein – jedenfalls war es um die Zeit herum, als er und Katherine sich getrennt hatten. Aber das Datum, worauf es dabei ankam, lag noch sieben oder acht Jahre weiter zurück.

Die Geschichte begann eigentlich um die Mitte der sechziger Jahre, der Zeit der großen Säuberungsaktionen, in der die ursprünglichen Führer der Revolution ein für allemal beseitigt worden waren. Um das Jahr 1970 war keiner von ihnen mehr übrig, außer dem Großen Bruder selbst. Alle anderen waren inzwischen als Verräter und Konterrevolutionäre überführt worden. Goldstein war geflohen und hielt sich irgendwo verborgen, und von den anderen waren ein paar einfach verschwunden, während die Mehrzahl nach aufsehenerregenden Schauprozessen hingerichtet worden war, bei denen sie Geständnisse ihrer Verbrechen ablegten. Unter den letzten Überlebenden waren drei Männer namens Jones, Aaronson und Rutherford. Um das Jahr 1965 herum mußten auch diese drei verhaftet worden sein. Wie es häufig vorkam, blieben sie ein Jahr oder länger verschwunden, so daß man nicht wußte, ob sie überhaupt noch lebten, und waren dann plötzlich wieder aus der Versenkung hervorgeholt worden, um sich in der üblichen Weise selbst anzuschuldigen. Sie hatten sich des Einverständnisses mit dem Feind schuldig bekannt (auch damals war Eurasien der Feind), der Unterschlagung öffentlicher Gelder, des Mordes an verschiedenen alten Parteimitgliedern, einer Verschwörung gegen die Führerschaft des Großen Bruders, die lange vor Ausbruch der Revolution begonnen hatte, und endlich an Sabotagehandlungen, die den Tod von Hunderttausenden von Menschen herbeigeführt hatten. Nachdem sie sich dieser Dinge angeklagt hatten, waren sie begnadigt, wieder in die Partei aufgenommen und mit bedeutsam klingenden Posten betraut worden, die in Wahrheit nur Sinekuren waren. Alle drei hatten umfangreiche kriecherische Erklärungen in der *Times* veröffentlicht, in denen sie die Gründe für ihren Treuebruch im einzelnen auseinandersetzten und sich zu bessern versprachen.

Einige Zeit nach ihrer Freilassung hatte Winston alle drei sogar im Café »Kastanienbaum« gesehen. Er entsann sich des gebannten Entsetzens, mit dem er sie aus den Augenwinkeln beobachtet hatte. Sie waren weit älter als er, Überbleibsel aus einer vergangenen Welt, beinahe die letzten großen Gestalten aus der heroischen Anfangszeit der Partei. Der Zauber der Untergrundbewegung und des Bürgerkrieges umwob sie noch ein wenig. Er hatte das Gefühl – wenn damals auch schon Tatsachen und Daten zu verschwimmen begannen –, daß er ihre Namen Jahre vor dem des Großen Bruders gekannt hatte. Aber zugleich waren sie Geächtete, Feinde, Parias, die mit absoluter Sicherheit in ein oder zwei Jahren der Vernichtung anheimfielen. Kein Mensch, der einmal in die Hände der Gedankenpolizei gefallen war, kam schließlich heil davon. Sie waren Leichen auf Urlaub.

Kein Mensch saß an einem der Tische in ihrer unmittelbaren Nähe. Es war nicht ratsam, auch nur in der Nachbarschaft solcher Leute gesehen zu werden. Sie saßen schweigend vor ihren Gläsern mit Gin, dem hier, als Spezialität des Cafés, ein Aroma von Gewürznelken beigesetzt war. Das Aussehen Rutherfords hatte von den dreien den tiefsten Eindruck auf Winston gemacht. Rutherford war früher ein berühmter Karikaturist gewesen, dessen schonungslose Zeichnungen vor und nach der Revolution dazu beigetragen hatten, die Volksmeinung aufzupeitschen. Selbst jetzt noch erschienen in großen Abständen seine Witzzeichnungen in der *Times.* Sie waren lediglich eine Imitation seiner früheren Technik und merkwürdig leblos und unüberzeugend. Es war ein ewiges Wiederkäuen der alten Themen: Elendswohnungen, verhungerte Kinder, Straßenschlachten, Kapitalisten mit Zylinderhüten – sogar auf den Barrikaden schienen die Kapitalisten noch an ihren Zylinderhüten festzuhalten, ein endloses, hoffnungsloses Bemühen, die Vergangenheit wieder aufleben zu lassen. Er war ein unförmig großer Mann mit einer fettigen grauen Mähne, einem pickeligen, gedunsenen Gesicht und dicken Negerlippen. Er mußte einmal riesig stark gewesen sein; jetzt war sein schwerer Körper gebeugt, zerbrochen, aufgeschwemmt und löste sich in seine Bestandteile auf. Er schien vor den Augen des Betrachters auseinanderzufallen, wie ein ins Rutschen geratener Sandberg.

Es war die stille Stunde um fünfzehn Uhr. Winston konnte sich nicht mehr erinnern, wieso er gerade zu dieser Zeit in das Café gekommen war. Das Lokal war fast leer. Aus dem Televisor rieselte Blechmusik. Die drei Männer saßen fast regungslos in ihrer Ecke, ohne auch nur ein Wort zu sprechen. Unaufgefordert brachte der Kellner neue Gläser mit Gin. Neben ihnen auf dem Tisch stand ein Schachbrett mit aufgestellten Figuren, aber die drei spielten nicht. Und dann ereignete sich, vielleicht im ganzen eine halbe Minute lang, etwas Merkwürdiges mit den Televisoren. Das eben gespielte Musikstück änderte sich, nicht allein in der Melodie, auch in der Klangfarbe. Es kam etwas hinein – aber es war schwer zu beschreiben, was es war. Ein seltsam gebrochener, schmetternder, höhnischer Klang: Winston nannte es bei sich einen gelben Klang. Und dann sang eine Stimme aus dem Televisor das alte Liedchen:

Under the spreading chestnut tree
I sold you and you sold me:
There lie they, and here lie we
Under the spreading chestnut tree.

Die drei Männer machten keine Bewegung. Aber als Winston einen heimlichen Blick auf Rutherfords verfallenes Gesicht warf, sah er, daß dessen Augen voller Tränen standen. Und jetzt bemerkte er zum erstenmal mit einem innerlichen Schauer, daß sowohl Aaronson als Rutherford gebrochene Nasenbeine hatten.

Kurze Zeit darauf wurden alle drei aufs neue verhaftet. Es stellte sich heraus, daß sie vom Augenblick ihrer Entlassung an sich in neue Verschwörungen eingelassen hatten. Bei ihrer zweiten Verhandlung bekannten sie sich noch einmal zu ihren alten Verbrechen, nebst einer ganzen Reihe neuer. Sie wurden hingerichtet und ihr Schicksal als Warnung für spätere Generationen in den Partei-Annalen aufgezeichnet.

Etwa fünf Jahre danach, im Jahre 1973, als Winston ein Bündel Dokumente aufrollte, die gerade aus der Rohrpostleitung auf seinen Schreibtisch geplumpst waren, stieß er auf einen Zeitungsausschnitt, der offenbar zwischen die anderen Papiere geraten und dann vergessen worden war. Als er ihn glattstrich, erkannte er sofort seine Bedeutung. Es war eine herausgerissene halbe Seite aus einer etwa zehn Jahre alten *Times* – die obere Hälfte des Blattes, so daß noch das Datum darauf war – und enthielt ein Bild der Delegierten bei irgendeiner Parteiveranstaltung in New York. Deutlich im Mittelpunkt der Gruppe hervorgehoben standen Jones, Aaronson und Rutherford. Sie waren leicht zu erkennen; außerdem standen ihre Namen darunter auf dem Begleittext.

Der springende Punkt war nun, daß bei beiden Verhandlungen alle drei Männer gestanden hatten, sich zu diesem Zeitpunkt auf eurasischem Gebiet befunden zu haben. Sie seien von einem geheimen Flughafen in Kanada zu einem Zusammentreffen irgendwo in Sibirien geflogen, hätten mit Mitgliedern des eurasischen Generalstabs Beratungen gepflogen und ihnen wichtige militärische Geheimnisse verraten. Das Datum hatte sich Winstons Gedächtnis eingeprägt, weil es zufällig mit dem Sommeranfang zusammenfiel. Aber die ganze Sache mußte noch an zahllosen anderen Stellen aufgezeichnet sein. Es gab nur eine mögliche Schlußfolgerung: die Geständnisse waren Lügen.

Natürlich war das an sich keine neue Entdeckung. Sogar damals hatte Winston keinen Augenblick geglaubt, daß die bei den Säuberungsaktionen Hingerichteten wirklich der Verbrechen schuldig seien, deren man sie bezichtigte. Hier aber handelte es sich um einen greifbaren Beweis; hier hielt er ein Fragment der ausgetilgten Vergangenheit in Händen, wie einen fossilen Knochen, der in der verkehrten Gesteinsschicht aufgetaucht war und eine geologische Theorie zunichte machte. Wenn das Dokument auf irgendeine Weise der Welt bekanntgemacht und seine Bedeutung erklärt werden konnte, genügte es, um die Partei in Atome zu zersprengen.

Er hatte ruhig weitergearbeitet. Sobald er gesehen hatte, was das Bild darstellte und was es bedeutete, hatte er es mit einem anderen Blatt Papier zugedeckt. Glücklicherweise war der Zeitungsausschnitt beim Aufrollen mit der Rückseite dem Blickfeld des Televisors zugekehrt gewesen.

Er legte seine Schreibunterlage auf die Knie und schob seinen Stuhl zurück, um möglichst weit von dem Televisor abzurücken. Ein ausdrucksloses Gesicht zu bewahren, war nicht schwer, und mit einer entsprechenden Willensanstrengung konnte man sogar seine Atemzüge beherrschen; nicht aber das Pochen des Herzens, und der Televisor war durchaus empfindlich genug, um es aufzufangen. Er ließ seiner Berechnung nach zehn Minuten verstreichen, die ganze Zeit gequält von der Angst, ein Zufall – ein plötzlich über seinen Schreibtisch wehender Zugwind zum Beispiel – könnte ihn verraten. Dann warf er das Bild, ohne es noch einmal aufzudecken, zugleich mit einigen anderen Papierabfällen in das *Gedächtnis-Loch*. Eine Minute später war es wahrscheinlich schon zu Asche zerfallen.

Das lag zehn, elf Jahre zurück. Heute hätte er das Bild vielleicht aufbewahrt. Es war seltsam, daß die Tatsache, es in Händen gehalten zu haben, für ihn sogar heute noch von Bedeutung war, obwohl doch das Bild selbst ebenso wie das darauf festgehaltene Ereignis so weit zurücklag. War die Macht der Partei über die Vergangenheit weniger groß, fragte er sich, weil ein Beweisstück, das nicht mehr existierte, wenigstens einmal existiert hatte?

Heute jedoch wäre das Bild, selbst wenn man es wieder aus seinen Aschenresten rekonstruieren könnte, wohl kein Beweis mehr. Bereits damals, als er es entdeckte, befand sich Ozeanien nicht mehr im Kriegszustand mit Eurasien, und die drei toten Männer hätten folglich ihr Vaterland an Agenten von Ostasien verraten haben müssen. Seitdem waren andere Konstellationen eingetreten, zwei oder drei, er konnte sich nicht erinnern, wie viele. Sehr wahrscheinlich waren die Geständnisse wieder und wieder umgeschrieben worden, bis die ursprünglichen Tatsachen und Daten nicht mehr die geringste Bedeutung hatten. Nicht genung, daß die Vergangenheit sich veränderte, ihre Veränderung war fortlaufend und unaufhörlich. Mit dem Gefühl eines Alptraums bedrückte ihn am meisten, daß er nie ganz begriffen hatte, *warum* der ganze riesige Schwindel überhaupt vollzogen wurde. Die unmittelbaren Vorteile einer Fälschung der Vergangenheit waren offensichtlich, aber das letzte, ureigentliche Motiv war schleierhaft. Er griff wieder zu seinem Federhalter und schrieb:

Das W i e verstehe ich, aber nicht das W a r u m.

Er fragte sich wie schon oft, ob er wahnsinnig geworden war. Vielleicht war ein Wahnsinniger nichts weiter als eine Minderheit, die nur aus einem Menschen bestand. Es hatte eine Zeit gegeben, in der es als Zeichen von Wahnsinn galt, zu glauben, die Erde drehe sich um die Sonne; heute war es Wahnsinn, zu glauben, die Vergangenheit stünde ein für allemal fest. Er stand vielleicht ganz allein da mit diesem Glauben, wenn er aber allein war, dann war er ein Wahnsinniger. Aber der Gedanke, wahnsinnig zu sein, beunruhigte ihn weniger als die furchtbare Vorstellung, daß auch er unrecht haben konnte.

Er nahm das Geschichtsbuch für Kinder zur Hand und betrachtete das Bild des Großen Bruders auf dem Titelblatt. Die hypnotischen Augen starrten in die seinen. Es war, als drücke einen eine zwingende Kraft nieder – etwas, das einem in den Schädel eindrang, das Gehirn bombardierte, einem die eigenen Überzeugungen austrieb, einen fast dazu brachte, nicht länger dem Zeugnis der eigenen Sinne zu trauen. Zu guter Letzt würde die Partei verkünden, daß zwei und zwei gleich fünf sei, und man würde es glauben müssen. Unausweichlich mußte sie früher oder später diese Behauptung aufstellen: ihre Lage forderte logisch diese letzte Folgerung. Nicht nur der Wert der Erfahrung, sondern überhaupt das Vorhandensein einer gegebenen Wirklichkeit wurde von der Philosophie der Partei stillschweigend geleugnet. Die größte aller Ketzereien war der gesunde Menschenverstand. Und das Furchtbare war nicht, daß sie einen umbrachten, wenn man anders dachte, sondern daß sie vielleicht recht hatten. Denn wie können wir schon wissen, ob zwei und zwei wirklich vier ist? Oder ob das Gesetz der Schwerkraft stimmt? Oder ob die Vergangenheit unveränderlich ist? Wenn beides, Vergangenheit und Außenwelt, nur in der Vorstellung existieren und man die Vorstellung einfach beherrschen kann – was dann?

Aber nein! Seine Zuversicht schien sich plötzlich von selbst zu festigen. Ihm war das Gesicht O'Briens in den Sinn gekommen, ohne durch eine offensichtliche Gedankenassoziation heraufbeschworen zu sein. Er wußte mit größerer Gewißheit als zuvor, daß O'Brien auf seiner Seite stand. Er schrieb das Tagebuch für O'Brien – er schrieb es an O'Brien gewissermaßen: es war wie ein endloser Brief, den niemand je lesen würde, der aber an einen bestimmten Menschen gerichtet und von dem Gedanken an ihn belebt war.

Die Partei lehrte einen, der Erkenntnis seiner Augen und Ohren nicht zu trauen. Das war ihr entscheidendes, wichtigstes Gebot. Ihm sank der Mut, als er an die riesige Macht dachte, die gegen ihn gerüstet stand, die Leichtigkeit, mit der ihm jeder Parteiintelligenzler bei einer Debatte eine Abfuhr erteilen konnte, an die ausgeklügelten Argumente, die er nicht zu verstehen, geschweige denn zu widerlegen vermochte. Das Handgreifliche, das Einfache und das Wahre mußten verteidigt werden. Binsenwahrheiten sind wahr, daran wollte er festhalten! Die stoffliche Welt ist vorhanden, ihre Gesetze ändern sich nicht. Steine sind hart, Wasser ist naß, jeder Gegenstand, den man losläßt, fällt dem Erdmittelpunkt zu. Mit dem Gefühl, zu O'Brien zu sprechen und einen wichtigen Grundsatz aufzustellen, schrieb er:

Freiheit ist die Freiheit zu sagen, daß zwei und zwei gleich vier ist. Sobald das gewährleistet ist, ergibt sich alles andere von selbst.

VIII

Irgendwo vom Ende eines Hausflurs drang der Duft gerösteten Kaffees – echten Kaffees, nicht Victory-Kaffees – auf die Straße. Winston blieb unwillkürlich stehen. Vielleicht zwei Sekunden lang fühlte er sich in die halbvergessene Welt seiner Kindheit zurückversetzt. Dann schlug eine Tür ins Schloß und schien den Duft so unmittelbar und abrupt wie einen Ton abzuschneiden.

Er war mehrere Kilometer weit auf hartem Pflaster gelaufen, und seine Krampfadern rebellierten. Zum zweitenmal innerhalb von drei Wochen hatte er einen Abend im Gemeinschaftshaus versäumt: eine gewagte Unbesonnenheit, denn man konnte sicher sein, daß im Gemeinschaftshaus sorgfältig Buch geführt wurde, wie oft man dort erschien. Im Prinzip hatte ein Parteimitglied keine Freizeit und war, außer im Bett, niemals allein. Es wurde von ihm erwartet, daß es, wenn es nicht arbeitete, aß oder schlief, an einer Parteiunterhaltung teilnahm; irgend etwas zu tun, das einen Hang zum Alleinsein verriet, auch nur für sich einen Spaziergang zu machen, war immer ein wenig gefährlich. Es gab ein Neusprachwort dafür, das *Selbstleben* hieß und Individualismus und Schrullenhaftigkeit bezeichnete. An diesem Abend aber hatte ihn beim Verlassen des Ministeriums die milde Aprilluft verlockt. Der Himmel war von einem wärmeren Blau, als er es in diesem Jahr bisher gesehen hatte, und plötzlich waren ihm der lange, lärmende Abend im Gemeinschaftshaus, die langweiligen, anstrengenden Spiele, die Vorträge, die knarrende, mit Gin geölte Kameradschaft unerträglich vorgekommen. In einer plötzlichen Regung hatte er an der Omnibushaltestelle kehrtgemacht und war in das Labyrinth Londons hineingewandert, erst nach Süden, dann nach Osten, dann wieder nach Norden, sich in unbekannten Straßen verlaufend und gleichgültig, welche Richtung er einschlug.

»Wenn es eine Hoffnung gibt«, hatte er in sein Tagebuch geschrieben, *»so liegt sie bei den Proles.«* Diese Worte wollten ihm

nicht aus dem Sinn, sie waren wie die Feststellung einer geheimnisvollen Wahrheit und zugleich einer offensichtlichen Absurdität. Er befand sich irgendwo in dem unübersichtlichen, schmutzfarbenen Elendsviertel nordöstlich der früheren St.-Pancras-Station und schritt eine kopfsteingepflasterte Straße mit kleinen zweistöckigen Häusern entlang, deren windschiefe Türen auf gleicher Höhe mit dem Straßenpflaster lagen und irgendwie sehr überzeugend an Rattenlöcher erinnerten. Da und dort zwischen den Pflastersteinen standen dreckige Wasserpfützen. Aus den dunklen Hauseingängen und den nach beiden Seiten abzweigenden Gäßchen flutete ein erstaunliches Gewimmel von Menschen her und wieder zurück – üppig aufgeblühte Mädchen mit dick bemalten Lippen, junge Burschen, die ihnen nachstellten, und aufgedunsene, schwerfällige Weiber, die einem vor Augen führten, wie eben diese Mädchen in zehn Jahren aussehen würden; außerdem alte zusammengekrümmte Geschöpfe, die mit auswärts gerichteten Füßen dahinschlurften, und verwahrloste barfüßige Kinder, die in den Pfützen spielten und bald darauf, auf die wütenden Schreie ihrer Mütter hin, auseinanderstoben. Etwa ein Viertel der Fenster in der Straße war zerbrochen und mit Brettern verschlagen. Die meisten Menschen schenkten Winston keine Aufmerksamkeit; ein paar musterten ihn mit vorsichtiger Neugier. Von zwei koloßartigen Weibern, die ihre ziegelroten Unterarme über der Schürze verschränkt hielten und vor einer Toreinfahrt miteinander tratschten, fing Winston im Näherkommen Gesprächsfetzen auf.

»Ja, sag' ich zu ihr, ist recht schön und gut, sag' ich. Aber wären Sie an meiner Stelle gewesen, hätten Sie dasselbe getan, was ich getan hab'. Meckern ist leicht, sag' ich, aber meine Sorgen sind nicht Ihre Sorgen.«

»Ach, natürlich«, meinte die andere, »so ist es. Genau so ist es.«

Die schrillen Stimmen verstummten plötzlich. Die Frauen musterten ihn in feindseligem Schweigen, als er vorüberging. Doch war es nicht eigentlich Feindseligkeit, sondern nur so etwas wie Vorsicht, ein schnelles Wittern beim Wechsel eines unbekannten Tieres. Der blaue Trainingsanzug der Parteimitglieder konnte in einer solchen Straße kein gewohnter Anblick sein. Im Grunde war es unklug, sich an solchen Orten blicken zu lassen, wenn man nicht nachweislich etwas Dienstliches dort zu tun hatte. Die Streifen konnten einen anhalten, wenn man ihnen zufällig in die Arme lief. »Kann ich Ihren Ausweis sehen, Genosse? Was machen Sie hier? Wann haben Sie Ihren Arbeitsplatz verlassen? Ist das Ihr üblicher Nachhauseweg?« Und so weiter und so weiter. Nicht daß es eine Verfügung dagegen gegeben hätte, anders als auf dem gewöhnlichen Weg heimzugehen: aber es war, wenn die Gedankenpolizei es erfuhr, schon genug, um die Aufmerksamkeit auf einen zu lenken.

Plötzlich war die ganze Straße in heller Aufregung. Von allen Seiten ertönten Warnschreie. Menschen huschten wie Kaninchen in die Hauseingänge. Unmittelbar vor Winston stürzte eine junge Frau aus einem Hauseingang heraus, riß ein winziges, in einer Wasserlache spielendes Kind an sich, wickelte ihre Schürze darum und sprang wieder zurück, alles in einer einzigen Bewegung.

Im gleichen Augenblick lief aus einer Seitengasse ein Mann in einem schwarzen Anzug auf Winston zu und zeigte aufgeregt hinauf zum Himmel.

»Ein Dampfer!« schrie er. »Paß auf, Kumpel! Gleich bumst es. Hau dich hin!«

»Dampfer« war der Spitzname, mit dem die Proles aus irgendeinem Grunde die Raketenbomben bezeichneten. Winston warf sich rasch mit dem Gesicht nach unten auf die Erde. Die Proles hatten fast immer recht mit solchen Warnungen. Sie schienen eine Art Instinkt zu besitzen, der sie ein paar Sekunden im voraus warnte, daß eine Rakete herannahte, obwohl die Raketengeschosse angeblich schneller waren als der Schall. Winston legte die Arme über den Kopf. Ein Krach ertönte, so daß die Straßendecke zu bersten schien, und ein Hagelschauer von leichten Gegenständen prasselte auf Winstons Rücken herab. Als er aufstand, entdeckte er, daß er mit Glassplittern übersät war, die von dem nächstgelegenen Fenster stammten.

Er ging weiter. Die Bombe hatte, zweihundert Meter weiter die Straße hinunter, eine Häusergruppe zerstört. Eine schwarze Rauchfahne hing am Himmel, darunter eine Wolke von Mörtelstaub, in der sich bereits, rings um die Trümmer, eine Menschenmenge sammelte. Vor ihm auf dem Pflaster lag ein kleiner Mörtelhaufen, in dessen Mitte er ein hellrotes Rinnsal unterscheiden konnte. Als er näher kam, erkannte er, daß es eine am Handgelenk abgetrennte Menschenhand war. Abgesehen von dem blutigen Stumpf war die Hand so völlig ausgeblutet, daß sie einem weißen Gipsabdruck glich.

Er schleuderte das Ding mit dem Fuß in den Rinnstein und bog dann nach rechts in eine Seitenstraße ab, um aus der Menge herauszukommen. In drei oder vier Minuten hatte er die Gegend mit dem Bombenschaden hinter sich gelassen, und das trübselig-schmutzige Gewirr belebter Straßen zog sich weiter, als habe sich nichts besonderes ereignet. Es war fast zwanzig Uhr, und die von den Proles besuchten Kneipen waren gedrängt voll. Aus ihren abgegriffenen, unablässig auf- und zuschlagenden Klapptüren drang ein Geruch nach Urin, Sägemehl und säuerlichem Bier. In einem Winkel hinter einer vorspringenden Hausfront standen drei Männer dicht beieinander; der mittlere hielt eine aufgeschlagene Zeitung in der Hand, die beiden anderen blickten ihm über die Schultern. Noch bevor er nahe genug herangekommen war, um den Ausdruck ihrer Gesichter zu unterscheiden, erkannte Winston schon an der Körperhaltung ihre Spannung. Offenbar lasen sie eine ungemein wichtige Nachricht. Er war noch ein paar Schritte von ihnen entfernt, als die Gruppe plötzlich auseinanderfiel, während zwei der Männer in heftigen Wortwechsel gerieten. Einen Augenblick lang wollte es so aussehen, als sollte es zu einer Schlägerei kommen.

»Kannst du denn deine Ohren nicht aufmachen, wenn ich dir was sage? Ich sag' dir doch, keine Zahl auf sieben hat jemals gewonnen, seit über vierzehn Monaten.«

»Aber sicher hat sie gewonnen!«

»Nein, keine Spur. Zu Hause hab' ich den ganzen Kram seit über zwei Jahren mitgeschrieben. Ich trag' die Ergebnisse immer haargenau ein. Und ich sag' dir, keine Zahl mit sieben am Schluß...«

»Und doch hat eine mit sieben gewonnen! Ich kann dir ziemlich genau die Nummer sagen, die letzten Stellen waren vier, null, sieben. Das war im Februar – zweite Februarwoche.«

»Laß dich einpökeln mit deinem Februar! Ich hab' es alles schwarz auf weiß. Und ich sag' dir, keine Zahl...«

»Ach, halt's Maul!« sagte der dritte.

Sie sprachen über die Lotterie. Als er dreißig Meter weitergegangen war, schaute Winston noch einmal zurück. Sie stritten mit roten, aufgeregten Gesichtern noch immer. Die Lotterie mit ihren wöchentlichen Auszahlungen riesiger Gewinne war das einzige öffentliche Ereignis, dem die Proles ernstliche Aufmerksamkeit schenkten. Man durfte annehmen, daß im Leben von etlichen Millionen Proles die Lotterie den hauptsächlichen, wenn nicht den einzigen Inhalt bildete. Sie war ihre Lust, ihr Steckenpferd, ihr Trost, ihr geistiger Ansporn. Sobald es sich um die Lotterie handelte, schienen sogar Leute, die kaum lesen und schreiben konnten, zu verzwickten Berechnungen und erstaunlichen Gedächtnisleistungen fähig. Eine ganze Kategorie von Menschen verdiente ihren Lebensunterhalt lediglich durch den Verkauf von Systemen, Vorhersagen und Glücksfetischen. Winston hatte selbst nichts mit der Abwicklung der Lotterie zu tun, die dem Ministerium für Überfluß unterstand, aber er wußte sehr wohl (in der Partei wußte es jedermann), daß die Gewinne größtenteils nur auf dem Papier standen. Nur kleine Beträge wurden wirklich ausbezahlt, während die Gewinner der Haupttreffer frei erfundene Personen waren. Da es zwischen den einzelnen Teilen Ozeaniens keine funktionierenden Verbindungsmöglichkeiten gab, war das unschwer einzurichten.

Und doch, wenn es eine Hoffnung gab, so lag sie bei den Proles. Daran mußte man festhalten. In Worten ausgedrückt klang es vernünftig; sah man aber die Menschen an, denen man auf der Straße begegnete, dann wurde es zu einer Frage des Glaubens. Die Straße, in die er eingebogen war, führte den Hügel hinunter. Es kam ihm vor, als sei er schon einmal in dieser Gegend gewesen und als müsse nicht weit entfernt eine Hauptverkehrsader vorbeigehen. Aus dem Ungewissen vor ihm drang der Lärm lauter Stimmen. Die Straße machte eine Biegung und lief dann in einigen Stufen aus, die zu einer engen Gasse hinunterführten, in der auf ein paar Verkaufsständen welkes Gemüse feilgeboten wurde. In diesem Augenblick erinnerte sich Winston, wo er war. Die Gasse mündete in eine Hauptstraße, und nach der nächsten Biegung, keine fünf Minuten entfernt, kam der Altwarenladen, in dem er das Buch mit den unbeschriebenen Seiten gekauft hatte, das nun sein Tagebuch war. Und in einem kleinen Papierwarengeschäft nicht weit von hier hatte er seinen Federhalter und die Flasche Tinte erstanden.

Er blieb einen Augenblick am oberen Ende der Stufen stehen. Auf der anderen Seite der Gasse war eine schäbige kleine Kneipe, deren Fenster wie vereist aussahen, während sie in Wirklichkeit nur dick mit Staub überkrustet waren. Ein uralter Mann, vornüber gebeugt, aber noch rüstig, mit einem weißen Schnurrbart, der sich wie die Rückenflosse eines Stichlings sträubte, stieß die Schwingtür auf und ging hinein. Während Winston beobachtend dastand, ging ihm durch den Sinn, daß der alte Mann, der wenigstens achtzig Jahre alt sein mußte, bei Ausbruch der Revolution schon in den besten Mannesjahren gestanden hatte. Er und ein paar Leute seiner Generation waren die letzten noch lebenden Bindeglieder zu der verschwundenen Welt des Kapitalismus. In der Partei waren nicht mehr viele Menschen übrig, deren Weltanschauung vor der Revolution geformt worden war. Die ältere Generation war meistenteils bei den großen Säuberungsaktionen der 1950er und 60er Jahre beseitigt worden, und die paar Überlebenden waren längst zu völliger geistiger Unterwerfung terrorisiert worden. Wenn es noch einen lebendigen Menschen gab, der imstande war, einem einen wahrheitsgetreuen Bericht von den

Verhältnissen in der ersten Hälfte des Jahrhunderts zu geben, so konnte das nur ein Proles sein. Plötzlich fiel Winston wieder die Stelle ein, die er aus dem Geschichtsbuch in sein Tagebuch übertragen hatte, und ein toller Impuls ergriff von ihm Besitz. Er würde in die Kneipe gehen, mit dem alten Mann Bekanntschaft schließen und ihn ausfragen. Er würde zum ihm sagen: »Erzählen Sie mir von Ihrem Leben, aus Ihrer Kindheit. Wie sah es damals aus? War es besser als heute – oder war es vielleicht schlechter?«

Rasch, um erst gar keine Angst aufkommen zu lassen, stieg er die Stufen hinunter und überquerte die schmale Gasse. Es war natürlich einfach Wahnsinn. Wie gewöhnlich, gab es kein ausdrückliches Verbot, mit den Proles zu sprechen und ihre Kneipen aufzusuchen, aber es war ein viel zu ungewöhnliches Verhalten, um unbemerkt zu bleiben. Wenn eine Streife erschien, konnte er vielleicht einen Anfall von Unwohlsein vorschützen, aber es war nicht wahrscheinlich, daß man ihm glauben würde. Er stieß die Tür auf, und ein fürchterlicher, käsiger Geruch nach saurem Bier schlug ihm entgegen. Bei seinem Eintritt sank das Stimmengewirr auf etwa eine halbe Lautstärke herab. Hinter seinem Rücken konnte er fühlen, wie jedermann seinen blauen Trainingsanzug anstarrte. Eine Partie Pfeilwerfen, die am anderen Ende des Lokals im Gange war, kam gute dreißig Sekunden zum Stillstand. Der alte Mann, dem er nachgegangen war, stand an der Theke und war in einen Wortwechsel mit dem Wirt verwickelt, einem stämmigen, hakennasigen jungen Mann mit ungeheuren Unterarmen. Eine Gruppe von Leuten, die mit ihren Gläsern in der Hand dastanden, beobachtete die Szene.

»Ich hab' Sie höflich genug gebeten, oder vielleicht nicht?« sagte der alte Mann, wobei er kampflustig seine Schultern reckte. »Und Sie wollen mir weismachen, Sie hätten keine Pinte in der ganzen elenden Bude?«

»Wieviel, zum Teufel, ist überhaupt eine Pinte?« sagte der Wirt, indem er sich, auf die Fingerspitzen gestützt, weit über die Theke beugte.

»Hört euch das an! So was schimpft sich Wirt und weiß nicht einmal, was eine Pinte ist! Eine Pinte ist die Hälfte von einem Viertel und vier Viertel sind eine Gallone. Nächstens muß ich Ihnen noch das Abc beibringen.«

»Noch nie davon gehört«, sagte der Wirt kurz angebunden. »Liter und Halbliter, das ist alles, was wir ausschenken. Dort, vor Ihnen auf dem Bord, stehen die Gläser.«

»Ich möchte eine Pinte«, sagte der alte Mann beharrlich. »Sie könnten mir genausogut eine Pinte einschenken. Wir kannten diese blöden Liter nicht, als ich ein junger Mann war.«

»Als Sie ein junger Mann waren, lebten wir alle noch auf den Bäumen«, sagte der Wirt mit einem Seitenblick auf die Gäste.

Eine Lachsalve brach los, und die durch Winstons Eintritt verursachte Verlegenheit schien überwunden. Das mit weißen Bartstoppeln übersäte Gesicht des alten Mannes war leicht gerötet. Vor sich hinbrabbelnd wandte er sich von der Theke weg und prallte gegen Winston. Dieser fing ihn sanft am Arm auf.

»Darf ich Sie zu einem Glas einladen?« fragte er.

»Sie sind ein Gentleman«, sagte der andere und reckte wieder seine Schultern. Er schien Winstons blauen Trainingsanzug nicht bemerkt zu haben. »Eine Pinte!« fügte er angriffslustig an den Schenkkellner hinzu. »Eine Pinte Dunkles.«

Der Wirt ließ zwei Halbliter dunkelbraunes Bier in dicke Gläser zischen, die er in einem Eimer unter der Theke ausgespült hatte. Bier war das einzige Getränk, das man in den Proles-Kneipen bekommen konnte. Die Proles sollten keinen Gin trinken, wenn sie ihn sich auch praktisch recht leicht beschaffen konnten. Das Pfeilwerfen war jetzt wieder voll im Gange, und die Menschengruppe an der Theke hatte über Lotterielose zu sprechen begonnen. Winstons Anwesenheit war für eine Weile vergessen. Unter dem Fenster stand ein kleiner Abstelltisch, wo er und der alte Mann, ohne Furcht, belauscht zu werden, plaudern konnten. Es war schrecklich gefährlich, aber auf alle Fälle war kein Televisor in dem Lokal, eine Tatsache, deren sich Winston gleich beim Hereinkommen vergewissert hatte.

»Er hätte mir ruhig eine Pinte einschenken können«, brummte der alte Mann, während er hinter seinem Glase Platz nahm. »So ist es mir zuwenig. Und ein ganzer Liter ist wieder zuviel. Er schlägt mir auf die Blase. Ganz abgesehen vom Preis.«

»Seit Sie ein junger Mann waren, müssen Sie große Veränderungen erlebt haben«, sagte Winston, um erst einmal vorzufühlen.

Die blaßblauen Augen des alten Mannes wanderten von der Scheibe der Pfeilwerfer zur Theke und von der Theke zu der Tür mit der Aufschrift »Männer«, als wäre von den Veränderungen die Rede, die sich in der Wirtsstube vollzogen hatten.

»Das Bier war besser«, sagte er schließlich. »Und billiger! Als ich ein junger Mann war, kostete das Bier – Braunbier pflegten wir es zu nennen – vier Pence die Pinte. Das war freilich vor dem Krieg.«

»Welcher Krieg war das?« fragte Winston.

»Ein Krieg ist wie der andere«, sagte der alte Mann verschwommen. Er hob sein Glas, und seine Schultern reckten sich wieder. »Auf Ihr Wohl!«

Der scharf vorspringende Adamsapfel an seinem mageren Hals machte eine erstaunlich schnelle Bewegung auf und ab, und das Bier war verschwunden. Winston ging an die Theke und kam mit zwei weiteren Halblitergläsern zurück. Der alte Mann schien seine Bedenken gegen den ganzen Liter vergessen zu haben.

»Sie sind sehr viel älter als ich«, sagte Winston. »Sie müssen schon ein erwachsener Mann gewesen sein, ehe ich geboren wurde. Sie können sich sicher erinnern, wie es vor der Revolution ausgesehen hat. Menschen in meinem Alter wissen wirklich gar nichts von dieser Zeit. Wir können nur in Büchern davon lesen, und was in den Büchern steht, stimmt vielleicht nicht. Ich wüßte gerne Ihre Meinung darüber. In den Geschichtsbüchern wird behauptet, daß das Leben vor der Revolution vollständig anders gewesen sei als heute. Die schreckliche Unterdrückung, Ungerechtigkeit, Elend – schlimmer als alles, was wir uns vorstellen können. Hier in London hatte die große Masse des Volkes von der Wiege bis zum Grabe nie genug zu essen. Die Hälfte der Menschen besaß nicht einmal Schuhe an den Füßen. Sie arbeiteten zwölf Stunden am Tag, gingen mit neun Jahren von der Schule ab, schliefen zu zehnt in einem Zimmer. Und gleichzeitig gab es einige wenige, nur ein paar Tausend – Kapitalisten wurden sie genannt –, die reich und mächtig waren. Ihnen gehörte alles, was man nur besitzen konnte. Sie wohnten in großen prächtigen Häusern mit dreißig Dienstboten, fuhren in Automobilen und vierspännigen Wagen umher, tranken Champagner, trugen Zylinder.«

Der alte Mann wurde auf einmal lebendig. »Zylinder!« rief er aus. »Komisch, daß Sie das erwähnen. Dasselbe fiel mir erst gestern ein, ich weiß nicht, warum. Ich dachte nur eben, daß ich seit Jahren keinen Zylinder mehr gesehen hab'. Einfach von der Bildfläche verschwunden sind sie. Das letzte Mal, daß ich einen auf hatte, war beim Begräbnis meiner Schwägerin. Und das war – nun, ich könnte Ihnen das Datum nicht nennen, aber es muß fünfzig Jahre her sein. Natürlich war er nur für die Gelegenheit ausgeliehen, Sie verstehen.«

»Das mit den Zylindern ist nicht sehr wichtig«, sagte Winston geduldig. »Der springende Punkt ist, daß diese Kapitalisten – zusammen mit ein paar Juristen, Pfarrern und so weiter, die von ihnen lebten – die Herren dieser Erde waren. Alles war für sie da. Die anderen – das einfache Volk der Arbeiter – waren ihre Sklaven. Sie konnten mit ihnen machen, was sie wollten. Sie konnten sie nach Kanada verschiffen wie das liebe Vieh. Sie konnten mit ihren Töchtern schlafen, wenn es ihnen paßte. Sie konnten die Leute mit einem Ding, das die neunschwänzige Katze hieß, auspeitschen lassen. Man mußte vor ihnen die Mütze ziehen. Jeder Kapitalist ging mit einem Trupp Lakaien umher, die –«

Der alte Mann wurde wiederum lebhafter. »Lakaien!« sagte er. »Das ist auch ein Wort, das ich ewig nicht mehr gehört habe. Lakaien! Das versetzt mich richtig nach damals zurück, doch, bestimmt. Ich erinnere mich – ach, es ist furchtbar lange her –, da ging ich manchmal am Sonntagnachmittag in den Hydepark, um die Brüder ihre Reden schwingen zu hören. Heilsarmee, Katholiken, Juden, Inder – alles war vertreten. Und da war ein Apostel – nee, ich könnte nicht mehr sagen, wie er hieß, aber ein wirklich mitreißender Redner, ja, mitreißend, das war er. Er besorgte es den Burschen nicht schlecht. ›Lakaien‹, sagte er, ›Lakaien der Bourgeoisie! Speichellecker der herrschenden Klasse!‹ Parasiten – das war ein anderes Lieblingswort von ihm. Und Hyänen – er hat sie ohne weiteres Hyänen genannt. Er sprach natürlich von der Labour-Partei, verstehen Sie.«

Winston hatte das Gefühl, daß sie aneinander vorbeiredeten.

»Was ich wirklich wissen wollte«, sagte er, »war, ob Sie das Gefühl haben, daß jetzt mehr Freiheit herrscht, als in jenen Zeiten. Werden Sie mehr wie ein Mensch behandelt? In den alten Zeiten waren die Reichen, die Leute an der Spitze –«

»Das Oberhaus«, warf der alte Mann aus seiner Erinnerung in die Debatte.

»Das Oberhaus, wenn Sie so wollen. Was ich nun gerne wissen möchte: Waren diese Leute imstande, einen deshalb als Tieferstehenden zu behandeln, einfach, weil sie reich waren und man selber arm? Ist es zum Beispiel Tatsache, daß man sie mit ›Gnädiger Herr‹ anreden und die Mütze abnehmen mußte, wenn man an ihnen vorüberkam?«

Der alte Mann schien angestrengt nachzudenken. Er trank erst ungefähr ein Viertel seines Bieres aus, ehe er antwortete:

»Ja«, sagte er, »sie sahen es gerne, wenn man vor ihnen an die Mütze griff. Das verriet so was wie Respekt. Mir behagte das persönlich auch nicht, aber ich hab's nur zu oft getan. Man mußte eben, wie man wohl sagen würde.«

»Und war es üblich – ich führe nur das an, was ich in Geschichtsbüchern gelesen habe –, war es bei diesen Leuten und ihren Bedienten üblich, einen vom Bürgersteig einfach herunter in den Rinnstein zu stoßen?«

»Einer von ihnen hat mich einmal gestoßen«, sagte der alte Mann. »Ich erinnere mich noch daran, als wäre es gestern gewesen. Es war am Abend nach einer Ruderregatta – die Leute waren immer ganz außer Rand und Band, am Abend nach einer Ruderregatta –, und ich renne auf der Shaftesbury Avenue in einen jungen Burschen hinein. Der war ein richtiger feiner Herr – steifes Hemd, Zylinder, schwarzer Mantel. Er schwankte im Zickzack übern Gehsteig, und ich bumse aus Versehen gegen ihn. Sagt er: ›Können Sie nicht aufpassen, wo Sie gehen?‹ sagt er. Sag' ich: ›Glauben Sie, Sie haben das verdammte Trottoir allein gepachtet?‹ Sagt er: ›Ich dreh' dir den Kragen um, wenn du frech wirst.‹ Sag' ich: ›Sie sind besoffen. Gleich melde ich Sie der Polizei.‹ Und wollen Sie mir's glauben oder nicht, er legt mir die Hand auf die Brust und gibt mir einen Stoß, daß ich um ein Haar unter einen Bus geflogen wäre. Na, ich war damals noch jung und wollte ihm gerade eine langen, da...«

Ein Gefühl der Hilflosigkeit überkam Winston. Die Erinnerung des alten Mannes war weiter nichts als ein Kehrichthaufen von Einzelheiten. Man hätte ihn den ganzen Tag ausfragen können, ohne eine einzige vernünftige Auskunft zu bekommen. Die Geschichtsdarstellungen der Partei konnten zur Hälfte wahr sein; ja, sie konnten sogar vollkommen wahr sein. Er machte einen letzten Versuch.

»Vielleicht habe ich mich nicht deutlich ausgedrückt«, meinte er. »Was ich sagen wollte, ist folgendes: Sie sind schon lange auf dieser Welt. Sie haben die Hälfte Ihres Lebens vor der Revolution gelebt. Im Jahre 1925 zum Beispiel waren Sie schon erwachsen. Würden Sie nach dem, woran Sie sich noch erinnern können, sagen, daß das Leben 1925 besser oder schlechter war als heute? Wenn Sie wählen könnten, würden Sie lieber damals als heute leben wollen?«

Der alte Mann blickte nachdenklich auf die Zielscheibe des Wurfspiels. Bedächtiger als zuvor trank er sein Bier aus. Dann sprach er mit einem duldsamen, philosophischen Ausdruck im Gesicht, als habe ihn das Bier milde gestimmt:

»Ich weiß, was Sie von mir erwarten. Sie wollen hören, daß ich lieber wieder jung wäre. Die meisten Menschen würden antworten, wenn man sie fragt, sie wären lieber wieder jung. Man ist bei

Kräften und Gesundheit, wenn man jung ist. Wenn man in mein Alter kommt, ist man nie mehr so ganz in Form. Ich habe manchmal bös an meinen kranken Füßen zu leiden, und meine Blase macht mir furchtbar zu schaffen. Sechs- oder siebenmal in der Nacht muß ich raus. Andererseits sind da wieder große Vorteile, wenn man ein alter Mann ist. Man hat nicht mehr dieselben Sorgen. Kein Ärger mit den Weibern, das ist schon sehr viel wert. Ich war fast dreißig Jahre mit keiner Frau mehr zusammen, ob Sie's glauben oder nicht. Hatte kein Verlangen danach, das ist das Beste daran.«

Winston lehnte sich gegen den Fenstersims zurück. Es hatte keinen Zweck weiterzumachen. Er wollte gerade noch einmal Bier bestellen, als der alte Mann plötzlich aufstand und hastig in das stinkende Pissoir in der Ecke des Lokals schlurrte. Der zusätzliche halbe Liter machte sich bemerkbar. Winston saß noch ein paar Minuten da und starrte in sein leeres Glas. Kaum wurde er sich bewußt, daß ihn seine Füße wieder hinaus auf die Straße trugen. In höchstens zwanzig Jahren, überlegte er, würde die große und einfache Frage: »War das Leben vor der Revolution besser als heute?« ein für allemal unbeantwortet bleiben müssen. Im Grunde war sie bereits heute nicht mehr zu beantworten, da die paar verstreuten Überlebenden der alten Welt nicht imstande waren, das eine Zeitalter mit dem anderen zu vergleichen. Sie erinnerten sich wohl einer Unzahl bedeutungsloser Dinge, an den Streit mit einem Arbeitskollegen, die Suche nach einer verlorenen Fahrradpumpe, den Ausdruck auf dem Gesicht einer längst verstorbenen Schwester, die Staubwirbel an einem windigen Morgen vor siebzig Jahren: aber alle wirklich aufschlußreichen Tatsachen waren ihrem Gesichtskreis entschwunden. Sie waren wie die Ameisen, die wohl kleine, aber keine großen Gegenstände erkennen können. Und wenn es keine Erinnerung mehr gab und alle schriftlichen Berichte gefälscht waren – wenn es soweit war, dann mußte die Behauptung der Partei, die Lebensbedingungen der Menschen verbessert zu haben, als wahr hingenommen werden, weil es keinen

Maßstab mehr gab, den man hätte anlegen können, und nie mehr einen geben würde.

In diesem Augenblick kam sein Gedankengang plötzlich zum Stillstand. Er blieb stehen und blickte hoch. Er befand sich in einer engen Gasse mit ein paar unbeleuchteten Läden, die zwischen Wohnhäusern verstreut lagen. Unmittelbar über seinem Kopf hingen drei verfärbte Metallkugeln, die aussahen, als wären sie einmal vergoldet gewesen. Es kam ihm so vor, als kenne er die Stelle. Natürlich! Er stand vor dem Altwarenladen, in dem er das Tagebuch gekauft hatte.

Ein jähes Erschrecken durchzuckte ihn. Es war schon hinreichend gewagt gewesen, das Buch überhaupt zu kaufen, und er hatte sich geschworen, nie wieder in die Nähe des Ladens zu gehen. Und doch hatten ihn in dem Augenblick, als er seinen Gedanken zu schweifen erlaubt hatte, seine Füße ganz von selbst wieder hierhergetragen. Gerade gegen solche selbstmörderischen Impulse hoffte er sich zu wappnen, indem er das Tagebuch begann.

Gleichzeitig bemerkte er, daß der Laden, obwohl es fast einundzwanzig Uhr war, noch immer offengehalten wurde. In dem Gefühl, drinnen weniger aufzufallen, als wenn er auf dem Gehsteig blieb, trat er durch die Tür ein. Falls gefragt wurde, konnte er glaubhaft versichern, daß er sich nach Rasierklingen erkundigt habe.

Der Ladenbesitzer hatte gerade eine Petroleumlampe angezündet, die einen unsauberen, aber anheimelnden Geruch verbreitete. Er war ein etwa sechzigjähriger Mann, gebrechlich und vornüber gebeugt, mit einer langen, gutmütigen Nase und milden Augen, die von den dicken Brillengläsern ganz verzerrt wurden. Sein Haar war fast weiß, aber seine Augenbrauen waren buschig und noch dunkel. Seine Brille, seine zarten, umständlichen Bewegungen und seine altmodische schwarze Samtjacke verliehen seiner Erscheinung einen intellektuellen Anstrich, als sei er ein Literat oder vielleicht ein Musiker.

»Ich erkannte Sie schon auf der Straße«, sagte er sofort. »Sie sind der Herr, der das Poesiealbum gekauft hat. Das war ein herrliches Papier, wirklich herrlich. Sogenanntes Crèmepapier, so sagte man früher. So ein Papier wird nicht mehr hergestellt seit – oh, ich möchte sagen, seit fünfzig Jahren.« Er sah Winston über seine Brillengläser hinweg an. »Kann ich Ihnen mit etwas Bestimmtem dienen? Oder wollten Sie sich nur eben mal umsehen?«

»Ich kam gerade vorbei«, sagte Winston zögernd. »Wollte nur eben mal reinschauen. Ich suche nichts Bestimmtes.«

»Um so besser«, sagte der andere, »denn ich glaube, ich hätte Sie nicht zufriedenstellen können.« Er machte eine entschuldigende Bewegung mit seiner weichen Hand. »Sie sehen ja selbst: der Laden ist leer, möchte man sagen. Unter uns gesagt, der Antiquitätenhandel ist so gut wie erledigt. Keine Nachfrage mehr, und auch kein Angebot. Möbel, Porzellan, Glas – alles geht langsam in die Brüche. Und die Metallgegenstände sind natürlich größtenteils eingeschmolzen worden. Ich habe seit Jahren keinen Messingleuchter mehr gesehen.«

Das enge Ladeninnere war in Wirklichkeit ungemütlich vollgekramt, aber es gab fast keinen Gegenstand von dem geringsten Wert darin. Der freie Raum auf dem Fußboden war sehr beschränkt, da rings an den Wänden entlang zahllose verstaubte Bilderrahmen aufgeschichtet waren. Im Schaufenster standen Tragbrettchen voll Schrauben und Nägeln, abgenutzten Meißeln, Federmessern mit abgebrochenen Klingen, verrosteten Uhren, die wohl niemals wieder gehen würden, und dem verschiedenartigsten Schund. Nur auf einem Tischchen in einer Ecke lag allerlei netter Krimskrams – lackierte Schnupftabakdosen, Achatbroschen und dergleichen –, Dinge, die so aussahen, als könnte sich etwas Interessantes darunter befinden. Als Winston zu dem Tischchen hinüberschlenderte, fiel sein Blick auf einen runden, glatten Gegenstand, der sanft im Lampenlicht schimmerte, und er nahm ihn in die Hand.

Es war ein schweres Stück Glas, auf der einen Seite abgerundet, auf der andern flach, also fast eine Halbkugel. Ein besonders weicher Ton, als wäre es aus Regenwasser, haftete sowohl der Farbe wie der Beschaffenheit des Glases an. In seinem Innern war, durch die runde Oberfläche vergrößert, ein seltsames, rosafarbenes Gebilde zu sehen, das an eine Rose oder Seeanemone erinnerte.

»Was ist das?« fragte Winston entzückt.

»Eine Koralle«, sagte der alte Mann. »Sie muß aus dem Indischen Ozean stammen. Man pflegte sie gleichsam ins Glas einzubetten. Das wurde vor über hundert Jahren so gemacht. Vielleicht sogar schon vor längerer Zeit, nach ihrem Aussehen zu schließen.«

»Es ist ein sehr schöner Gegenstand«, meinte Winston.

»Etwas sehr Schönes«, sagte der andere anerkennend. »Heutzutage gibt es nicht viele Dinge, von denen man das sagen könnte.« Er hustete. »Nun, sollten Sie es zufällig kaufen wollen, so überlasse ich es Ihnen für vier Dollar. Ich kann mich einer Zeit erinnern, wo ein solches Stück acht Pfund gebracht hätte, und damals waren acht Pfund – nun, ich kann es nicht umrechnen, jedenfalls eine Menge Geld. Aber wer hat heutzutage noch etwas übrig für echte Antiquitäten – für die wenigen, die es noch gibt?«

Winston bezahlte sofort die vier Dollar und steckte den begehrten Gegenstand in seine Tasche. Was ihn daran fesselte, war nicht so sehr seine Schönheit, sondern ein gewisses Etwas, das ihm anhaftete und darauf hinzudeuten schien, daß er einem anderen, grundverschiedenen Zeitalter angehörte. Das weiche, regenwasserartige Glas war nicht wie ein gewöhnliches Glas, und er hatte so etwas noch nie gesehen. Der Gegenstand war durch seine offenbare Nutzlosigkeit doppelt anziehend, obwohl er erraten konnte, daß er vermutlich einmal als Briefbeschwerer gedacht war. Er wog sehr schwer in seiner Tasche, aber zum Glück bauschte er sie nicht sehr auf. Es war auffallend, sogar kompromittierend für ein Parteimitglied, dergleichen in seinem Besitz zu haben. Alles Alte – und damit alles Schöne – war immer ein wenig verdächtig. Der alte Mann war merklich liebenswürdiger geworden, nachdem er die vier Dollar bekommen hatte. Winston wurde klar, daß er sich auch mit drei oder sogar zwei zufriedengegeben hätte.

»Oben ist noch ein anderes Zimmer, das Sie vielleicht gerne besichtigen möchten«, sagte er. »Es steht nicht viel drin. Nur ein paar Möbelstücke. Wenn wir hinaufgehen, wird eine Lampe als Beleuchtung genügen!«

Er zündete eine andere Lampe an und ging mit gebeugtem Rücken voran die steile, ausgetretene Treppe hinauf, und weiter durch einen winzigen Flur in ein Zimmer, das keinen Ausblick auf die Straße, sondern auf einen gepflasterten Hof und einen Wald von Schornsteinen hatte. Winston bemerkte, daß die Möbel noch so aufgestellt waren, als wäre das Zimmer bewohnt. Ein Teppichstreifen lag auf dem Fußboden, ein paar Bilder hingen an den Wänden, und ein tiefer durchgesessener Lehnstuhl war an den offenen Kamin gerückt. Eine altmodische Standuhr unter einem Glassturz und mit einem Zwölferzifferblatt tickte auf dem Kaminsims. Unter dem Fenster stand, fast ein Viertel des Zimmers einnehmend, ein riesiges Bett, auf dem noch die Matratzen lagen.

»Wir wohnten hier, bis meine Frau starb«, sagte der alte Mann, halb um Entschuldigung bittend. »Jetzt verkaufe ich die Möbel eins nach dem anderen. Das hier ist ein prachtvolles Mahagonibett, oder es wäre jedenfalls prächtig, wenn man die Wanzen herausbekommen könnte. Aber Sie werden vermutlich finden, daß es zuviel Platz einnimmt.«

Er hielt die Lampe hoch, um den ganzen Raum zu beleuchten, und in dem warmen, gedämpften Licht sah das Zimmer merkwürdig einladend aus. Durch Winstons Kopf huschte der Gedanke, daß es vermutlich ganz leicht sein würde, das Zimmer für ein paar Dollar die Woche zu mieten, wenn man nur die Gefahr auf sich zu nehmen wagte. Es war ein toller, unmöglicher Einfall, den er gleich darauf wieder fallenließ; aber das Zimmer hatte in ihm so etwas wie Heimweh, eine Art alter Erinnerung, geweckt. Es kam ihm vor, als wüßte er genau, wie man sich fühlte, wenn man in einem solchen Zimmer im Lehnstuhl neben einem offenen Feuer saß, mit den Füßen gegen das Kamingitter und einem Teekessel auf dem Kaminbord: ganz allein, ganz sicher, ohne jemand, der einen beobachten, ohne eine Stimme, die einen verfolgen konnte – kein anderer Laut als das Summen des Kessels und das freundliche Ticken der Uhr.

»Und keinen Televisor«, murmelte er unwillkürlich.

»Oh«, sagte der alte Mann, »ich habe nie eins von diesen Dingen besessen. Zu teuer. Ich habe offenbar auch nie ein Bedürfnis danach verspürt. Dort drüben in der Ecke sehen Sie ein hübsches Klapptischchen. Sie müßten allerdings neue Scharniere anbringen lassen, wenn Sie es aufgeklappt benützen wollen.«

In der anderen Ecke stand ein kleines Bücherregal, auf das Winston bereits losgesteuert war. Es enthielt nichts als Schund. Das Auskämmen und Vernichten der Bücher war in den Proles-Vierteln mit der gleichen Gründlichkeit wie in allen anderen besorgt worden. Es war höchst unwahrscheinlich, daß es irgendwo in Ozeanien noch ein Exemplar eines vor 1960 gedruckten Buches gab. Noch immer die Lampe in den Händen, stand der alte Mann vor einem Bild in einem Rosenholzrahmen, das auf der anderen Seite des Kamins hing, dem Bett gegenüber.

»Falls Sie zufällig Interesse an alten Stichen haben sollten«, fing er vorsichtig an.

Winston trat näher, um das Bild genauer zu betrachten. Es war ein Stahlstich eines ovalen Gebäudes mit rechtwinkeligen Fenstern und einem kleinen Turm in der Mitte. Ein Eisengitter lief um das ganze Gebäude, und im Hintergrund war offenbar eine Art Standbild. Winston betrachtete es einige Augenblicke. Es kam ihm irgendwie bekannt wor, wenn er sich auch an das Standbild nicht erinnern konnte.

»Der Rahmen ist an der Wand befestigt«, sagte der alte Mann, »aber ich kann ihn losschrauben.«

»Ich kenne das Gebäude«, sagte Winston schließlich. »Es ist heute eine Ruine. Es steht mitten auf der Straße vor dem Justizpalast.«

»Stimmt. Beim Großen Gerichtshof. Es wurde zerbombt im

Jahre – ach, vor vielen Jahren. Es ist einmal eine Kirche gewesen. St. Clement's Dane hieß sie.« Er lächelte, wie um Verzeihung heischend, als sei er sich bewußt, etwas leicht Lächerliches zu sagen, und fügte hinzu: »*Oranges and lemons, say the bells of St. Clement's!*«

»Was soll das bedeuten?« fragte Winston.

»Ei nun – ›*Oranges and lemons, say the bells of St. Clement's*‹. Das war ein Abzählreim, den wir sangen, als ich noch ein kleiner Junge war. Wie er weitergeht, erinnere ich mich nicht. Ich weiß nur, daß es am Schluß heißt: ›*Here comes a candle to light you to bed, here comes a chopper to chop off your head.*‹ Es war so eine Art Ringelreihen. Die Kinder hielten die Arme hoch, damit man drunter durchgehen konnte, und wenn man zu ›*Here comes a chopper to chop off your head*‹ kam, ließen sie die Arme sinken, und man war gefangen. Es waren lauter Namen von Kirchen. Alle Londoner Kirchen kamen drin vor – die bekanntesten, meine ich.«

Winston fragte sich, aus welchem Jahrhundert die Kirche stammte. Es war immer schwierig, das Zeitalter eines Londoner Gebäudes zu bestimmen. Alles Große und Eindrucksvolle wurde, wenn es einigermaßen neu aussah, automatisch als ein Neubau der Revolution in Anspruch genommen, während alles, was offenkundig früheren Datums war, einer dunklen unbestimmten Epoche zugeschrieben wurde, die man als Mittelalter bezeichnete. Von den Jahrhunderten des Kapitalismus wurde so getan, als hätten sie nichts von irgendwelchen Werten hervorgebracht. Von der Architektur konnte man ebensowenig Geschichte ablesen wie aus den Büchern. Statuen, Inschriften, Denkmäler, Straßennamen – alles, was Licht auf die Vergangenheit werfen konnte, war systematisch abgeändert worden.

»Ich wußte gar nicht, daß es eine Kirche war«, sagte Winston.

»Es stehen in Wirklichkeit noch eine ganze Menge Kirchen«, sagte der alte Mann, »wenn sie auch anderen Zwecken zugeführt wurden. Wie ging doch jetzt gleich dieser Reim weiter? Ach, ich hab's!

›Oranges and lemons,
Say the bells of St. Clement's,
You owe me three farthings,
Say the bells of St. Martin's...‹

Sehen Sie, soweit bringe ich's zusammen. Ein Farthing war eine kleine Kupfermünze, ungefähr wie ein Cent.«

»Wo stand St. Martin's?« fragte Winston.

»St. Martin's? Es steht noch. Am Victory-Square, neben der Bildergalerie. Ein Gebäude mit einer Art dreieckiger Vorhalle, einem Säulenvorbau und großen, breiten Stufen, die hinaufführen.«

Winston kannte das Gebäude gut. Es war ein Museum für die Ausstellung von verschiedenartigem Propagandamaterial: von verkleinerten Modellen von Raketengeschossen, Schwimmenden Festungen, Wachsnachbildungen feindlicher Greueltaten und dergleichen.

»St. Martin's in the Fields wurde die Kirche damals immer genannt«, ergänzte der alte Mann, »obwohl ich mich an keine Felder in dieser Gegend erinnern kann.«

Winston kaufte das Bild nicht. Es wäre als Besitztum sogar noch belastender gewesen als der gläserne Briefbeschwerer und unmöglich nach Hause zu tragen, wenn man es nicht aus dem Rahmen herauslöste. Aber er blieb noch ein paar Minuten und unterhielt sich mit dem alten Mann, der übrigens, wie er herausfand, nicht Weeks hieß, wie man nach der Aufschrift auf dem Ladenschild hätte annehmen können, sondern Charrington. Herr Charrington, stellte sich heraus, war ein Witwer von dreiundsechzig und hatte dreißig Jahre lang in diesem Laden gewohnt. Diese ganze Zeit über hatte er die Absicht gehabt, den Namen über dem Schaufenster zu ändern, war aber doch nie dazu gekommen. Während ihrer ganzen Unterhaltung wollte Winston der nur halb erinnerte Kinderreim nicht aus dem Kopf gehen. *Oranges and lemons, say the bells of St. Clement's. You owe me three farthings, say the bells of St. Martin's!* Es war seltsam:

Wenn man es vor sich hinsagte, hatte man die Illusion, tatsächlich Glocken läuten zu hören, die Glocken eines verschollenen Londons, das doch noch da oder dort, ganz entstellt und vergessen, vorhanden war. Von einem geisterhaften Kirchturm nach dem andern glaubte er das Geläut zu hören. Dabei hatte er, soviel er sich erinnern konnte, in Wirklichkeit noch nie im Leben Kirchenglocken läuten hören.

Er verabschiedete sich von Herrn Charrington und stieg allein die Treppe hinunter, um den alten Mann nicht merken zu lassen, daß er erst einen forschenden Blick auf die Straße warf, ehe er aus der Tür trat. Er hatte innerlich bereits beschlossen, nach einer entsprechenden Wartezeit – vielleicht nach einem Monat – das Risiko auf sich zu nehmen und den Laden nochmals zu besuchen. Es war vielleicht nicht gefährlicher, als einen Gemeinschaftsabend zu schwänzen. Die eigentliche Tollkühnheit war gewesen, überhaupt noch einmal hierher zu kommen, nachdem er das Diarium gekauft hatte und nicht wissen konnte, ob man dem Ladeneigentümer trauen durfte. Aber sei's drum –!

Ja, er dachte noch einmal, er würde wiederkommen. Er würde andere Reste von schönem Tand kaufen. Er würde den Stich von St. Clement's Dane erstehen, ihn aus dem Rahmen nehmen und unter der Bluse eines Trainingsanzugs versteckt nach Hause tragen. Er würde auch noch die übrigen Strophen dieses Kinderreims aus Herrn Charringtons Gedächtnis herauslocken. Sogar der wahnwitzige Plan, das Zimmer im Obergeschoß zu mieten, durchzuckte für einen Augenblick seinen Kopf. Fünf Sekunden lang vielleicht machte ihn seine Hochstimmung unvorsichtig, und er trat, ohne auch nur vorher zur Sicherung einen Blick durchs Fenster zu werfen, hinaus auf die Straße. Er hatte sogar zu einer improvisierten Melodie zu summen angefangen:

»Oranges and lemons,
Say the bells of St. Clement's,
You owe me three farthings,
Say the –«

Plötzlich erstarrte sein Herz zu Eis, und seine Knie wurden wachsweich. Eine Gestalt im blauen Trainingsanzug kam ihm, keine zehn Meter entfernt, auf der Straße entgegen. Es war das Mädchen der Literaturabteilung, das Mädchen mit dem dunklen Haar. Die Beleuchtung war schlecht, aber er konnte sie ohne weiteres erkennen. Sie blickte ihm gerade ins Gesicht und ging dann rasch weiter, als habe sie ihn nicht bemerkt.

Ein paar Sekunden war Winston wie gelähmt und konnte keinen Fuß vor den anderen setzen. Dann bog er nach rechts ab und schritt rasch aus, ohne im ersten Augenblick zu merken, daß er in der verkehrten Richtung ging. Eines stand jedenfalls fest. Es gab keinen Zweifel mehr, daß das Mädchen ihm nachspionierte. Sie mußte ihn verfolgt haben, denn es war nicht glaubhaft, daß sie aus reinem Zufall am selben Abend durch dieselbe obskure Hintergasse kam, kilometerweit von allen Vierteln entfernt, in denen Parteimitglieder wohnten. Es wäre ein zu großer Zufall gewesen. Ob sie wirklich eine Agentin der Gedankenpolizei oder lediglich ein von übertriebenem Diensteifer inspirierter Amateur-Spitzel war, blieb sich so ziemlich gleich. Es genügte, daß sie ihn beobachtete. Vermutlich hatte sie ihn auch in die Kneipe hineingehen sehen.

Ihm wurde das Gehen schwer. Der gläserne Gegenstand in seiner Tasche schlug bei jedem Schritt an seine Hüfte, und er dachte halb und halb daran, ihn herauszuziehen und wegzuwerfen. Das Schlimmste waren seine Leibschmerzen. Ein paar Augenblicke lang hatte er das Gefühl, er würde sterben, wenn er nicht bald eine Toilette erreichte. Doch in einem solchen Viertel gab es wohl keine öffentlichen Bedürfnisanstalten. Dann lösten sich die Krämpfe und ließen nur einen dumpfen Schmerz zurück.

Die Straße war eine Sackgasse. Winston blieb stehen und überlegte ein paar Sekunden unschlüssig, was er tun sollte. Dann kehrte er um und ging den Weg zurück. Im Kehrtmachen fiel ihm ein, daß das Mädchen erst vor drei Minuten an ihm vorbeigekommen war und er sie laufend vermutlich einholen konnte. Er konnte sich an ihre Fersen heften, bis sie eine verlassene Gegend erreicht hatten, und ihr dann mit einem Pflasterstein den Schädel einschlagen. Der Glasgegenstand in seiner Tasche war schwer genug dazu. Aber er ließ diese Idee sofort wieder fallen, denn schon der Gedanke an irgendeine körperliche Anstrengung war ihm unerträglich. Er brachte es einfach nicht fertig, zu laufen und zu einem Schlag auszuholen. Außerdem war sie jung und kräftig und würde sich verteidigen. Er dachte auch daran, noch zum Gemeinschaftshaus zu eilen und dort bis zur Sperrstunde zu bleiben, um sich wenigstens ein teilweises Alibi für den Abend zu verschaffen. Aber auch das war unmöglich. Eine tödliche Ermattung hatte sich seiner bemächtigt. Er wollte nichts weiter als nach Hause gehen, sich hinsetzen und ausruhen.

Es war nach zweiundzwanzig Uhr, als er seine Wohnung erreichte. Um dreiundzwanzig Uhr dreißig würde der Lichtstrom von der Hauptleitung her abgeschaltet werden. Er ging in die Küche und goß fast eine ganze Teetasse voll Victory-Gin hinunter. Dann ging er zu dem Tisch in der Nische, setzte sich und zog das Tagebuch aus der Schublade. Aber er schlug es nicht sofort auf. Aus dem Televisor kreischte eine blecherne Frauenstimme ein patriotisches Lied. Er saß da und starrte, in dem Versuch, die Stimme aus seinem Bewußtsein auszuschalten, den marmorierten Buchdeckel an.

Nachts holten sie einen, immer in der Nacht. Das Richtige war, sich umzubringen, ehe sie einen abholten. Zweifellos gab es Menschen, die das taten. Viele Fälle von Verschwinden waren in Wirklichkeit Selbstmorde. Aber man brauchte den Mut der Verzweiflung, um sich in einer Welt, in der Feuerwaffen oder ein rasch wirkendes Gift vollkommen unmöglich zu beschaffen waren, selbst zu töten. Er dachte mit Staunen an die biologische Sinnlosigkeit von Schmerz und Angst, an den erbärmlichen Verrat des menschlichen Körpers, der immer genau in dem Augenblick in Schwäche verfällt, in dem man von ihm eine besondere Anstrengung benötigt. Er hätte das dunkelhaarige Mädchen zum Schweigen bringen können, wenn er nur rasch genug gehandelt hätte, aber gerade infolge der Größe der ihm drohenden Gefahr hatte er die Fähigkeit zum Handeln verloren. Es kam ihm zu Bewußtsein, daß man in Momenten höchster Gefahr nie gegen einen von außen kommenden Feind ankämpft, sondern immer nur gegen den eigenen Körper. Sogar jetzt, trotz des Gins, machte der dumpfbohrende Schmerz in seinem Bauch ein zusammenhängendes Denken unmöglich. Und in allen scheinbar heldischen oder tragischen Lagen, erkannte er, ist es das gleiche. Auf dem Schlachtfeld, in der Folterkammer, auf einem untergehenden Schiff werden die entscheidenden Dinge, um derentwillen man kämpft, immer vergessen, weil der Körper sich vordrängt, bis er die ganze Welt ausfüllt. Und selbst wenn man nicht vor Angst gelähmt ist oder nicht vor Schmerzen aufschreit, ist das Leben immer ein Kampf, von einem Augenblick zum andern, gegen Hunger oder Kälte oder Schlaflosigkeit, gegen einen verdorbenen Magen oder einen schmerzenden Zahn.

Er schlug sein Tagebuch auf. Es war wichtig, jetzt etwas niederzuschreiben. Die Frau im Televisor hatte ein neues Lied angestimmt. Ihre Stimme schien sein Gehirn wie zackige Glassplitter zu durchbohren. Er versuchte an O'Brien zu denken, für den, an den er sein Tagebuch geschrieben hatte, aber statt dessen begann er darüber nachzudenken, was mit ihm geschehen würde, nachdem ihn die Gedankenpolizei abgeführt hatte. Es wäre ja nicht so schlimm, wenn sie einen gleich umbrächten. Man war darauf gefaßt, getötet zu werden. Aber vor dem Tod (niemand sprach von diesen Dingen und doch wußte sie jeder) kam erst das unvermeidliche Erpressen von Geständnissen: das Herumkriechen auf dem Boden und das Um-Gnade-Flehen, das Krachen zermalmter Knochen – die eingeschlagenen Zähne und die blutigen Haarbüschel. Warum mußte man das durchmachen, da doch das Ende immer das gleiche war? Warum war es nicht möglich, ein paar Tage oder Wochen aus seinem Leben einfach zu streichen? Niemand entging jemals der Entdeckung, und niemand hatte je verfehlt, ein Bekenntnis abzulegen. Hatte man erst einmal ein Gedankenverbrechen begangen, so war es sicher, daß man nach einer bestimmten Zeit tot war. Warum mußte einen dann dieses

Entsetzliche, das doch nichts änderte, im Schoße der Zukunft erwarten?

Er versuchte, mit ein wenig mehr Erfolg als zuvor, sich das Bild O'Briens vorzustellen. »Wir werden uns wiedersehen, wo keine Dunkelheit herrscht«, hatte O'Brien zu ihm gesagt. Er wußte, was das bedeutete, oder glaubte es zu wissen. Der Ort, an dem keine Dunkelheit herrscht, war die erträumte Zukunft, die man nie erleben würde, deren man aber durch Vorausschau in geheimnisvoller Weise teilhaftig werden konnte. Aber während die Stimme aus dem Televisor ihm die Ohren volldröhnte, konnte er den Gedankengang nicht weiter verfolgen. Er steckte sich eine Zigarette an. Prompt fiel die Hälfte des Tabaks heraus auf seine Zunge, ein bitter schmeckender Staub, der sich nur schwer wieder ausspucken ließ. In Gedanken schwebte ihm das Gesicht des Großen Bruders vor und verdrängte das O'Briens. Genau wie er es vor ein paar Tagen getan hatte, zog er eine Münze aus der Tasche und betrachtete sie. Das Gesicht starrte zu ihm empor, ernst, ruhig, beschützend, doch welches Lächeln mochte sich hinter dem dunklen Schnurrbart verbergen?

KRIEG BEDEUTET FRIEDEN
FREIHEIT IST SKLAVEREI
UNWISSENHEIT IST STÄRKE

Wie Grabgeläute fielen ihm wieder diese Worte ein.

ZWEITER TEIL

I

Es war mitten am Vormittag; Winston hatte seine Arbeitsnische verlassen, um auf die Toilette zu gehen. Da kam eine einzelne Gestalt vom anderen Ende des langen, hellerleuchteten Ganges auf ihn zu. Es war das dunkelhaarige Mädchen.

Vier Tage waren seit dem Abend verstrichen, als sie ihm vor dem Altwarenladen begegnet war. Während sie näher kam, bemerkte er, daß sie den rechten Arm in einer Schlinge trug, die man aus der Entfernung nicht erkennen konnte, weil sie von der gleichen Farbe wie ihr Trainingsanzug war. Vermutlich hatte sie sich die Hand gequetscht bei der Bedienung eines der großen Kaleidoskope, in denen die Grobeinstellung der ersten Fassung von Romanen hergestellt wurde. Das war in der Literaturabteilung ein wohl ziemlich häufiger Arbeitsunfall.

Sie waren vielleicht noch vier Meter voneinander entfernt, als das Mädchen stolperte und fast ihrer ganzen Länge nach hinfiel. Ein schriller Schmerzensschrei entrang sich ihrer Brust. Sie mußte gerade auf den verletzten Arm gefallen sein. Winston blieb stehen.

Das Mädchen hatte sich auf den Knien aufgerichtet. Ihr Gesicht war milchweiß geworden, und der Mund hob sich in lebhafterem Rot als vorher von ihrer Blässe ab. Mit einem flehentlichen Ausdruck, der mehr nach Angst als nach Schmerz aussah, blickten ihre Augen in die seinen.

Ein seltsames Gefühl regte sich in Winstons Herzen. Zu seinen Füßen lag ein Feind, der ihm nach dem Leben trachtete; zugleich aber auch ein Mensch, der von Schmerzen gequält wurde und sich vielleicht einen Knochen gebrochen hatte. Instinktiv war er herbeigeeilt, um ihr zu helfen. In dem Augenblick, als er sie auf den verbundenen Arm fallen sah, war ihm gewesen, als fühle er den Schmerz am eigenen Leibe.

»Haben Sie sich verletzt?« fragte er.

»Es ist nichts. Nur mein Arm. Es wird gleich wieder gut sein.«

Sie sprach, als stocke ihr das Herz. Jedenfalls war sie sehr bleich geworden.

»Sie haben sich hoffentlich nichts gebrochen?«

»Nein, mir fehlt nichts. Es tat einen Augenblick weh, das ist alles.«

Sie streckte ihm ihre freie Hand entgegen, und er half ihr auf. Sie hatte wieder etwas Farbe bekommen und schien sich bedeutend besser zu fühlen.

»Es ist nichts«, wiederholte sie kurz. »Ich verspürte nur einen Stich im Handgelenk. Danke, Genosse!«

Und damit ging sie so unbeschwert in der gleichen Richtung weiter, als sei tatsächlich nichts geschehen. Der ganze Zwischenfall konnte keine halbe Minute gedauert haben. Seine Gefühle durch nichts zu verraten, war für jedermann zu einer Instinkthandlung geworden, und überdies hatten sie gerade vor einem Televisor gestanden, als die Sache passierte. Trotzdem war es Winston nicht leichtgefallen, einen flüchtigen Ausdruck der Überraschung zu unterdrücken, denn in den zwei oder drei Sekunden, in denen er ihr aufhalf, hatte das Mädchen ihm etwas in die Hand gedrückt. Es stand außer Frage, daß sie das absichtlich getan hatte. Es war ein kleiner und flacher Gegenstand. Als er die Toilette betrat, schob er ihn in seine Tasche und befühlte ihn mit den Fingerspitzen. Es war ein viereckig zusammengefaltetes Stückchen Papier.

Während er vor dem Becken stand, gelang es ihm nach einigem Fingern, den Zettel auseinanderzufalten. Offenbar stand eine Nachricht darauf. Einen Augenblick fühlte er sich versucht, ihn in eine der Kabinen mitzunehmen und auf der Stelle zu lesen. Doch das wäre eine unverzeihliche Torheit gewesen, wie er wohl wußte. Es gab kaum einen anderen Ort, an dem man so sicher sein konnte, dauernd durch den Televisor überwacht zu werden.

Er ging an seinen Arbeitsplatz in seine Nische zurück, warf das Zettelchen nachlässig unter die anderen auf dem Schreibtisch liegenden Papiere, setzte sich die Brille auf und zog den Sprechschreiber zu sich heran. »Fünf Minuten«, sagte er zu sich selbst; »mindestens fünf Minuten.« Sein Herz klopfte erschreckend heftig in seiner Brust. Zum Glück war die Arbeit, mit der er gerade beschäftigt war, eine reine Routinesache, die Richtigstellung einer langen Zahlenliste, und erforderte keine angestrengte Aufmerksamkeit.

Was immer auf dem Papier geschrieben stand, mußte eine Art politische Bedeutung haben. Soweit er es beurteilen konnte, gab es zwei Möglichkeiten. Die eine, weit wahrscheinlichere, bestand darin, daß das Mädchen, ganz wie er gefürchtet hatte, eine Agentin der Gedankenpolizei war. Er wußte zwar nicht, warum die Gedankenpolizei gerade diesen Weg wählen sollte, einem ihre Weisungen zugehen zu lassen, aber vielleicht hatte sie ihre Gründe dafür. Auf dem Zettelchen konnte eine Drohung stehen, eine Vorladung, die Aufforderung, Selbstmord zu begehen, es konnte auch irgendeine Falle sein. Aber es gab eine andere, noch tollere Möglichkeit, und sie ließ sich nicht verscheuchen, wenn er auch vergebens versuchte, sie aus seinen Gedanken zu verbannen. Daß nämlich die Nachricht überhaupt nicht von der Gedankenpolizei kam, sondern von einer Art Untergrundbewegung. Vielleicht gab es *»Die Brüderschaft«* doch! Vielleicht gehörte das Mädchen ihr an! Kein Zweifel, der Gedanke war absurd, aber er war ihm sofort durch den Kopf geschossen, als er das Stückchen Papier in seiner Hand spürte. Erst ein paar Minuten später war ihm die andere, wahrscheinlichere Möglichkeit in den Sinn gekommen. Und sogar jetzt noch – wenn ihm auch sein Verstand sagte, daß die Botschaft vermutlich den Tod bedeutete –, sogar jetzt konnte er noch immer nicht daran glauben, und er klammerte sich an eine unvernünftige Hoffnung. Sein Herz klopfte, und nur mühsam konnte er ein Zittern seiner Stimme vermeiden, während er seine Zahlen in den Sprechschreiber hineinmurmelte.

Er rollte den erledigten Stoß Papiere zusammen und steckte

ihn in die Rohrposttrommel. Acht Minuten waren verstrichen. Er schob die Brille auf der Nase zurecht, seufzte und zog das nächste Bündel Akten zu sich heran, auf dem das Zettelchen lag. Er strich es glatt. In einer großen, unbeholfenen Handschrift stand darauf: *Ich liebe Sie.*

Mehrere Sekunden lang war er zu verblüfft, um das belastende Papier in das *Gedächtnisloch* zu werfen. Als er es endlich tat, konnte er – obwohl er sehr gut die Gefahr eines zu lebhaft bekundeten Interesses kannte – nicht der Versuchung widerstehen, es noch einmal zu lesen, nur um sich zu überzeugen, ob diese Worte wahrhaftig dastünden.

Den übrigen Vormittag fiel ihm das Arbeiten sehr schwer. Schwieriger noch, als seine Aufmerksamkeit auf eine Reihe langwieriger Arbeiten zu konzentrieren, war die Notwendigkeit, seine Aufregung vor dem Televisor verbergen zu müssen. Ihm war, als brenne ein Feuer in ihm. Das Mittagessen in der heißen, oft überfüllten, lärmenden Kantine war eine Tortur. Er hatte gehofft, während der Mittagspause ein wenig allein zu sein, aber wie es das Unglück wollte, ließ sich der blonde Parsons neben ihm auf einen Stuhl plumpsen, wobei seine scharfe Schweißausdünstung beinahe den metallenen Eintopfgeruch verdrängte. Er schwatzte unaufhörlich von den Vorbereitungen für die *Haß-Woche.* Er war besonders begeistert über einen zwei Meter breiten Kopf des Großen Bruders aus Papiermaché, der zu der Veranstaltung von dem *Späher*-Fähnlein seiner Tochter angefertigt wurde. Das Lästige war, daß Winston bei dem Stimmengewirr kaum hören konnte, was Parsons sagte, und ihn dauernd bitten mußte, die eine oder andere seiner belanglosen Bemerkungen zu wiederholen. Nur einmal konnte er einen flüchtigen Blick auf das Mädchen werfen, das am anderen Ende des Raumes an einem Tisch mit zwei Kolleginnen saß. Sie schien ihn nicht gesehen zu haben, und er vermied es, nochmals in die gleiche Richtung zu blicken.

Der Nachmittag war erträglicher. Sofort nach dem Essen traf

ein höchst kniffliges Stück Arbeit ein, das mehrere Stunden in Anspruch nahm und es notwendig machte, alles andere beiseite zu legen. Es bestand darin, eine Reihe von zwei Jahre zurückliegenden Produktionsziffern so zu verfälschen, daß ein prominentes Mitglied der Inneren Partei, das gerade in Ungnade gefallen war, dadurch in Mißkredit gebracht wurde. Es war eine Arbeit, in der Winston sich besonderes Geschick erworben hatte, und für über zwei Stunden vermochte er das Mädchen vollständig aus seinem Denken auszuschalten. Dann kehrte die Erinnerung an ihr Gesicht zurück, und mit ihr ein rasendes, schier unerträgliches Verlangen, allein zu sein. Ehe er nicht allein sein konnte, war es unmöglich, über diese neue Wendung der Dinge nachzudenken. Heute war für ihn Pflichtabend im Gemeinschaftshaus. Er schlang in der Kantine eine nach nichts schmeckende Mahlzeit hinunter, eilte dann fort zum Gemeinschaftshaus, nahm an dem feierlichen Unfug einer sogenannten »Diskussionsgruppe« teil, spielte zwei Partien Tischtennis, stürzte mehrere Glas Gin hinunter und ließ eine halbe Stunde einen Vortrag über das Thema *»Engsoz und seine Beziehungen zum Schachspiel«* über sich ergehen. Innerlich wand er sich vor Langeweile, aber zum ersten Male seit einiger Zeit hatte er nicht das Bedürfnis verspürt, den Gemeinschaftsabend zu versäumen. Beim Anblick der drei Worte *»Ich liebe Sie«* war der Wunsch, am Leben zu bleiben, neu in ihm erwacht, und plötzlich schien es töricht, in Kleinigkeiten sich einer Gefahr auszusetzen. Erst um dreiundzwanzig Uhr, als er daheim war und im Bett lag – in der Dunkelheit, in der man sogar vor dem Televisor sicher war, solange man sich still verhielt –, konnte er ungestört nachdenken.

Es galt ein technisches Problem zu lösen: wie konnte er wohl mit dem Mädchen in Verbindung treten und ein Stelldichein mit ihr verabreden? Die Möglichkeit, daß sie ihm nur eine Falle stellen wollte, zog er nicht in Betracht. Er wußte auf Grund ihrer unverkennbaren Aufregung, als sie ihm den Zettel ausgehändigt hatte, daß dem nicht so war. Offensichtlich war sie vor Angst völlig durcheinander gewesen, was durchaus erklärlich war.

Auch kam ihm nicht einen Augenblick lang in den Sinn, ihre Annäherungsversuche zurückzuweisen. Erst vor fünf Nächten wollte er ihr in Gedanken mit einem Pflasterstein den Schädel einschlagen; aber das hatte nichts zu bedeuten. Er dachte an ihren nackten, jugendlichen Körper, wie er ihn in seinem Traum gesehen hatte. Er hatte geglaubt, sie sei wie alle die anderen, den Kopf vollgestopft mit Lügen und Haß, der Leib ein einziger Eisklumpen. Eine Art Fieber befiel ihn bei dem Gedanken, er könnte sie verlieren, der junge weiße Leib könnte sich ihm entziehen. Mehr als alles andere fürchtete er, sie könnte es sich noch einmal überlegen, wenn er nicht rasch mit ihr in Beziehung trat. Aber die technische Schwierigkeit, sie zu treffen, war enorm. Es war, als wollte man beim Schachspiel einen Zug machen, nachdem man bereits matt gesetzt worden war. Wohin man auch den Blick wandte, wurde man vom Televisor beobachtet. Tatsächlich waren ihm schon in den ersten fünf Minuten, nachdem er den Zettel gelesen hatte, alle Möglichkeiten, sich mit ihr in Verbindung zu setzen, durch den Kopf geschossen. Jetzt aber, da er zum Nachdenken Muße hatte, prüfte er sie noch einmal eine nach der anderen, als lege er sich eine Reihe von Instrumenten zurecht.

Offensichtlich konnte eine Verständigung, wie sie heute morgen stattgefunden hatte, nicht wiederholt werden. Hätte sie in der Registraturabteilung gearbeitet, so wäre es verhältnismäßig leicht gewesen; aber er hatte nur eine sehr ungenaue Vorstellung, in welchem Teil des riesigen Gebäudes die Literaturabteilung lag, und erst recht keinen Vorwand, dorthin zu gehen. Hätte er gewußt, wo sie wohnte und um welche Zeit sie ihren Arbeitsplatz verließ, dann hätte er es einrichten können, ihr irgendwo auf dem Heimweg zu begegnen. Aber der Versuch, ihr vom Büro bis zum Haus nachzugehen, war nicht ratsam, denn er hätte ein Herumstehen vor dem Ministerium mit sich gebracht, und das wäre vermutlich aufgefallen. Einen Brief durch die Post zu schicken, kam auch nicht in Frage. Es war ein offenes Geheimnis, daß üblicherweise alle Briefe vor der Zustellung geöffnet wurden. Es schrieben praktisch auch nur wenig Leute Briefe. Für die Mitteilungen, die man sich gelegentlich zu machen hatte, gab es vorgedruckte Postkarten mit einer Anzahl von Sätzen, von denen man die nichtzutreffenden durchstrich. Überdies wußte er ja nicht einmal den Namen des Mädchens, geschweige denn ihre Adresse. Schließlich kam er zu dem Schluß, daß der sicherste Ort die Kantine blieb. Wenn er sie allein an einem Tisch irgendwo in der Mitte des Raumes, nicht zu nahe von einem Televisor und inmitten des alles übertönenden Stimmengewirrs erwischen konnte – und seien diese Vorbedingungen auch nur dreißig Sekunden lang gegeben –, so konnte es möglich sein, ein paar Worte mit ihr zu wechseln.

Während der folgenden Woche war das Leben wie ein quälender Traum. Gleich am Tage darauf erschien sie erst in der Kantine, als er aufbrechen mußte, weil die Sirene bereits ertönte. Vermutlich war sie einer späteren Schicht zugeteilt worden. Sie gingen ohne einen Seitenblick aneinander vorbei. Am nächsten Tage saß sie zu der üblichen Zeit in der Kantine, aber zusammen mit drei anderen Mädchen und unmittelbar unter einem Televisor. Dann erschien sie drei schreckliche Tage lang überhaupt nicht mehr. Winston schien an Körper und Geist von einer unerträglichen Übersensibilität heimgesucht zu werden, er war wie aus Glas, so daß jede Bewegung, jeder Laut, jede Berührung, jedes Wort, das er aussprechen oder anhören mußte, zur Qual wurde. Sogar im Schlaf konnte er sich nicht völlig von ihrem Bild freimachen. Während dieser Tage rührte er sein Tagebuch nicht an. Am ehesten fand er noch eine Erleichterung in seiner Arbeit, bei der er seinen Kummer manchmal für volle zehn Minuten vergessen konnte. Er hatte nicht die leiseste Ahnung, was aus dem Mädchen geworden war. Er konnte keine Erkundigungen nach ihr anstellen. Sie konnte vaporisiert worden sein, konnte Selbstmord verübt haben oder ans andere Ende von Ozeanien versetzt worden sein: Am schlimmsten und wahrscheinlichsten von allem war die Möglichkeit, daß sie es sich vielleicht anders überlegt und beschlossen haben konnte, ihm künftig aus dem Weg zu gehen.

Am folgenden Tag tauchte sie wieder auf. Ihr Arm steckte

nicht mehr in der Schlinge, statt dessen hatte sie einen Pflasterverband um ihr Handgelenk. Seine Erleichterung bei ihrem Anblick war so groß, daß er nicht umhin konnte, sie ein paar Sekunden lang unverwandt anzublicken. Am Tag darauf wäre es ihm um ein Haar gelungen, mit ihr zu sprechen. Als er in die Kantine kam, saß sie ganz allein an einem ziemlich weit von der Wand entfernten Tisch. Es war noch früh und der Raum nicht sehr voll. Die Schlange der Essenfassenden rückte langsam voran, bis Winston fast am Ausgabetisch stand, dann aber geriet sie für zwei Minuten ins Stocken, weil vorne jemand sich darüber beschwerte, seine Sacharintablette nicht erhalten zu haben. Noch aber saß das Mädchen allein, als Winston sein Tablett ergriff und auf ihren Tisch zusteuerte. Er ging wie zufällig auf sie zu, während seine Augen nach einem Platz am Tisch hinter ihr Ausschau hielten. Sie war vielleicht drei Meter von ihm entfernt. Noch zwei Sekunden, und es würde soweit sein. Da rief hinter ihm eine Stimme: »Smith!« Er tat, als höre er nicht. »Smith!« wiederholte die Stimme lauter. Es half nichts. Er mußte sich umdrehen. Ein blondköpfiger, dumm aussehender junger Mann namens Wilsher, den er kannte, forderte ihn mit einem Lächeln auf, sich auf einen freien Platz an seinem Tisch zu setzen. Es war nicht ratsam, die Einladung abzulehnen. Nachdem er einen Bekannten getroffen hatte, konnte er nicht einfach hergehen und sich an einen Tisch mit einem Mädchen ohne Begleitung setzen, das war zu auffallend. Er nahm mit einem freundlichen Lächeln Platz. Das dumme Blondgesicht strahlte ihn an, während Winston sich in Gedanken ausmalte, wie er mit einer Spitzhacke drauf losschlug. Ein paar Minuten später war der Tisch des Mädchens besetzt.

Aber sie mußte bemerkt haben, wie er auf sie zukam, und vielleicht verstand sie den Wink. Am nächsten Tag trug er Sorge, frühzeitig zu kommen. Tatsächlich saß sie an einem Tisch an ungefähr der gleichen Stelle, und wieder allein. Unmittelbar vor ihm in der Schlange stand ein kleiner, zappeliger, käferartiger Mann mit einem flachen Gesicht und winzigen argwöhnischen Augen. Als Winston mit seinem Tablett von der Theke wegging, sah er, daß der kleine Mann geradewegs auf den Tisch des Mädchens zusteuerte. Wieder sank seine Hoffnung. An einem etwas weiter entfernten Tisch war zwar auch noch ein Platz frei, aber der kleine Mann sah nicht so aus, als ob er sich die Bequemlichkeit des nächsten und am wenigsten besetzten Tisches entgehen lassen würde. Mit erstarrtem Herzen ging Winston hinter ihm drein. Es hatte nur Zweck, wenn er das Mädchen allein sprechen konnte. In diesem Augenblick gab es einen scherbenklirrenden Krach. Der kleine Mann lag auf allen vieren, sein Tablett war ihm aus der Hand geglitten, zwei Bäche von Suppe und Kaffee ergossen sich über den Fußboden. Er rappelte sich mit einem bösen Blick auf Winston auf, den er offenbar in Verdacht hatte, ihm ein Bein gestellt zu haben. Aber nichts passierte. Fünf Sekunden später saß Winston mit pochendem Herzen am Tisch des Mädchens.

Er sah sie nicht an. Er stellte sein Tablett ab und begann sofort zu essen. Zwar kam alles darauf an, schnell zu sprechen, ehe jemand anders an den Tisch kam, aber eine schreckliche Beklemmung hatte von ihm Besitz ergriffen. Eine Woche war vergangen, seit sie sich ihm zum erstenmal genähert hatte. Vielleicht hatte sie ihren Sinn geändert. Ja, sie mußte ihn geändert haben! Es war unmöglich, daß diese Geschichte gut ausging; so etwas gab es nicht im wirklichen Leben. Vielleicht hätte er überhaupt kein Wort über die Lippen gebracht, wenn er nicht in diesem Augenblick Ampleforth, den Dichter mit den behaarten Ohren, mit einem Tablett in Händen unbeholfen in dem Lokal herumgehen und nach einem Sitzplatz hätte suchen sehen. In seiner etwas unbestimmten Art war Ampleforth Winston zugetan und würde sicherlich an seinem Tisch Platz nehmen, wenn er ihn erblickte. Es blieb ihm vielleicht nur eine Minute zum Handeln. Beide, Winston und das Mädchen, aßen eifrig weiter. Was sie hinunterschlangen, war ein dünnes Eintopfgericht, eine Bohnensuppe. Mit einem leisen Murmeln begann Winston zu sprechen. Keiner von beiden blickte auf; ohne Unterbrechung löffelten sie das wäßrige Zeug und wechselten zwischendurch mit leiser, gleichförmiger Stimme die nötigsten Worte.

»Wann gehen Sie von der Arbeit weg?«
»Achtzehn Uhr dreißig.«
»Wo können wir uns treffen?«
»Victory-Square, beim Denkmal.«
»Dort wimmelt es von Televisoren.«
»Das macht nichts, bei dem Gedränge.«
»Brauchen wir ein Zeichen?«
»Nein. Kommen Sie erst zu mir herüber, wenn Sie mich mitten in der Menschenmenge sehen. Und sprechen Sie nicht mit mir. Bleiben Sie nur in meiner Nähe.«
»Wann?«
»Neunzehn Uhr.«
»Gut.«

Ampleforth hatte Winston nicht erspäht und setzte sich an einen anderen Tisch. Doch die beiden sprachen nicht mehr miteinander und vermieden es, soweit das für zwei am selben Tisch sich Gegenübersitzende möglich war, einander nochmals anzublikken. Sie beendete rasch ihre Mahlzeit und stand auf, während Winston sitzen blieb, um eine Zigarette zu rauchen.

Winston fand sich vor der verabredeten Zeit am Victory-Square ein. Er ging um den Sockel der riesigen kannelierten Säule herum, auf deren Spitze das Standbild des Großen Bruders gen Süden blickte, wo er die eurasischen Flugzeuge (vor ein paar Jahren waren es die ostasiatischen gewesen) in der Schlacht um den Luftflottenstützpunkt Nr. 1 besiegt hatte. In der Straße gegenüber stand ein Reiterdenkmal, das Oliver Cromwell darstellen sollte. Fünf Minuten nach der vereinbarten Zeit war das Mädchen immer noch nicht erschienen. Wieder befiel Winston die gleiche fürchterliche Angst. Sie würde nicht kommen, sie hatte es sich anders überlegt! Langsam ging er die Nordseite des Platzes hinauf und empfand eine Art wehmütiger Freude beim Anblick der St.-Martins-Kirche, deren Glocken einst, als sie noch Glokken hatte, *»You owe me three farthings«* geläutet hatten. Plötzlich sah er das Mädchen an dem Denkmal stehen, scheinbar in die Lektüre eines Plakates vertieft, das spiralförmig um die Säule herum lief. Ehe sie nicht von mehr Menschen umgeben war, konnte er sich ihr nicht gefahrlos nähern; rund um das Denkmal waren Televisoren angebracht. Aber in diesem Augenblick ertönte von links her lautes Stimmengewirr und das Rattern schwerer Wagen. Plötzlich schien alles über die Straße zu laufen. Das Mädchen bog rasch um die steinernen Löwen am Fuß des Denkmals und lief der Menge nach. Winston folgte ihr. Im Laufen entnahm er einigen Ausrufen, daß ein Transport eurasischer Gefangener auf der anderen Seite des Platzes unter schwerer Bewachung vorübergefahren wurde.

Schon verkeilte eine dichte Menschenmenge die Südseite des Platzes. Winston, der sich normalerweise aus jedem Gedränge herauszuhalten versuchte, stieß und drängte sich seinen Weg durch die Menge. Bald stand er auf Armeslänge von dem Mädchen entfernt, doch war der Weg von einem riesigen Proles und einem fast ebenso riesigen Weibstück, vermutlich seiner Frau, versperrt, die zusammen einen schier undurchdringlichen Fleischwall zu bilden schienen. Winston schob sich weiter seitwärts, und mit einem heftigen Vorstoß gelang es ihm, seine Schulter zwischen die beiden zu zwängen. Einen Augenblick war es, als ob seine Weichteile zwischen zwei muskulösen Hüften zermalmt werden sollten, dann hatte er sich leicht schwitzend durchgearbeitet. Er stand jetzt Schulter an Schulter neben dem Mädchen; beide blickten starr geradeaus.

Eine lange Kolonne Lastwagen, auf denen verteilt Wachmannschaften mit wie aus Holz geschnitzten Gesichtern standen, die Maschinenpistolen griffbereit, rollte langsam die Straße entlang. Drinnen drängten sich eng zusammengepfercht kleine gelbgesichtige Männer in fadenscheinigen graugrünen Uniformen. Ihre traurigen Mongolengesichter blickten völlig teilnahmslos über die Seitenwände der Lastwagen. Gelegentlich hörte man bei einem Ruck des Wagens ein metallisches Klirren: sämtliche Gefangenen waren an den Füßen gefesselt. Eine Wagenladung trauriger Gesichter nach der anderen rollte vorüber. Winston war sich ihrer bewußt, obwohl er sie nur zeitweilig zu sehen bekam. Die

Schulter und der rechte Arm des Mädchens waren an ihn gepreßt. Ihre Wange war ihm fast so nahe, daß er ihre Wärme spüren konnte. Genau wie damals in der Kantine hatte sie sofort die Situation in die Hand genommen. Sie begann zu sprechen, fast ohne die Lippen zu bewegen, mit einem bloßen Murmeln, das in dem Stimmengewirr und dem Geratter der Lastwagen unterging.

»Können Sie mich verstehen?«

»Ja.«

»Können Sie sich am Sonntag nachmittag freimachen?«

»Ja.«

»Dann hören Sie gut zu. Sie müssen es genau behalten. Sie fahren zum Paddington-Bahnhof –«

Mit einer verblüffenden, geradezu militärischen Genauigkeit erklärte sie ihm den Weg, den er einzuschlagen hatte. Eine halbe Stunde Bahnfahrt; wenn er aus dem Bahnhof herauskam, mußte er sich links halten, zwei Kilometer die Straße entlang; dann kam ein Gattertor ohne Oberteil; ein Weg über ein Feld; ein vergraster Pfad; ein Fußweg zwischen Büschen hindurch; ein abgestorbener, moosbewachsener Baum. Es war, als habe sie die ganze Landkarte im Kopf. »Können Sie das alles behalten?« murmelte sie schließlich.

»Ja.«

»Sie gehen nach links, dann rechts, dann wieder links. Und das Tor hat oben keine Balken.«

»Ja. Um welche Zeit?«

»Gegen fünfzehn Uhr. Vielleicht müssen Sie warten. Ich komme auf einem anderen Weg hin. Sind Sie sicher, daß Sie sich an alles erinnern?«

»Ja.«

»Dann gehen Sie so rasch wie möglich von mir weg.«

Das hätte sie ihm nicht zu sagen brauchen. Aber gerade jetzt konnten sie sich nicht aus der Menge herauswinden. Noch immer fuhren die Lastwagen vorbei, während die Menschen noch immer begierig zuschauten. Am Anfang hatte man ein paar Pfui-

und Nieder-Rufe gehört, doch nur von den Parteimitgliedern unter der Menge, und sie hatten bald aufgehört. Das vorherrschende Gefühl war lediglich Neugierde. Ausländer, ob aus Eurasien oder aus Ostasien, waren so etwas wie fremdartige Tiere. Man sah sie buchstäblich nie, außer in der Gestalt von Gefangenen, und sogar als Gefangene bekam man nie mehr als einen flüchtigen Schimmer von ihnen zu Gesicht. Auch wußte man nicht, was aus ihnen wurde, abgesehen von den wenigen, die als Kriegsverbrecher gehängt wurden. Die übrigen verschwanden ganz einfach, vermutlich in Zwangsarbeitslagern. Die runden Mongolengesichter wurden jetzt von schmutzigen, bärtigen, erschöpften Gesichtern mehr europäischen Gepräges abgelöst. Über stoppelige Backenknochen hinweg blickten Winston Augen an, manchmal mit seltsamer Eindringlichkeit, dann waren sie wieder verschwunden. Die unter Bedeckung fahrende Kolonne ging ihrem Ende zu. Im letzten Lastwagen konnte er einen älteren Mann sehen, dessen Gesicht ein einziges Gestrüpp grauer Haare war; er stand aufrecht da, die Hände vor sich verschränkt, als sei er gewohnt, sie in Fesseln zu tragen. Es war höchste Zeit für Winston und das Mädchen, sich zu trennen. Im letzten Augenblick aber, während die Menge sie noch fest eingekeilt hielt, tastete ihre Hand nach der seinigen und gab ihr einen flüchtigen Druck.

Obwohl es nicht länger als zehn Sekunden gedauert haben konnte, schien es eine lange Zeit, daß ihre Hände sich umspannt hielten. Er fand Zeit, jede Einzelheit ihrer Hand in sich aufzunehmen. Er erforschte ihre langen Finger, die schön geformten Nägel, die arbeitsharte Innenfläche mit ihrer Reihe von Schwielen, das weiche Fleisch unter dem Handgelenk. Allein durch Befühlen ihrer Hand hätte er sie wiedererkannt. Gleichzeitig aber fiel ihm ein, daß er nicht wußte, welche Farbe ihre Augen hatten. Vermutlich waren sie braun, aber brünette Menschen hatten manchmal blaue Augen. Den Kopf zu drehen und sie anzusehen, wäre eine unvorstellbare Torheit gewesen. Ihre Hände hielten sich umklammert, ungesehen in dem dichten Gedränge, während sie unentwegt geradeaus starrten, und statt der Augen des Mädchens blickten Winston die Augen des alten Gefangenen traurig aus einem Gewirr grauer Haare an.

II

Winston suchte sich seinen Weg längs des von Licht und Schatten überspielten Fußpfades; jedesmal, wenn die Büsche sich teilten, trat er in ganze Lachen goldenen Lichts. Zur Linken, unter den Bäumen, war der Boden übersät von blauen Glockenblumen. Die Luft berührte die Haut wie ein Kuß. Es war der zweite Tag des Monats Mai. Von irgendwo tiefer im Herzen des Waldes schlug das Gurren der Ringeltauben weich und verschwommen an sein Ohr.

Es war noch ein wenig früh. Die Fahrt war ohne Schwierigkeiten vonstatten gegangen; das Mädchen war so augenscheinlich wohlbeschlagen, daß er weniger Angst empfand, als er normalerweise hätte haben müssen. Vermutlich konnte man sich darauf verlassen, daß sie einen sicheren Ort kannte. Im allgemeinen durfte man nicht annehmen, auf dem Lande sehr viel sicherer als in London selbst zu sein. Freilich gab es in der Natur keine Televisoren, aber es bestand immer die Gefahr verborgener Mikrophone, die eine Stimme auffangen und so zur Feststellung des Sprechers führen konnten; außerdem war es nicht leicht, eine Vergnügungsreise zu machen, ohne Aufmerksamkeit auf sich zu lenken. Für Entfernungen von weniger als hundert Kilometern brauchte man zwar keine besondere Eintragung in seinen Paß, aber manchmal trieben sich auf den Bahnhöfen Streifen herum, die die Papiere jedes aufgegabelten Parteimitglieds prüften und peinliche Fragen stellten. Diesmal aber waren keine Streifen aufgetaucht, und auf dem Weg zum Bahnhof hatte er sich durch vorsichtiges Umblicken überzeugt, daß niemand ihn verfolgte. Der Zug war voller Proles gewesen, dank des sommerlichen Wetters in bester Ferienstimmung. Das Abteil der Holzklasse, in dem er gesessen hatte, war bis zum Bersten von einer einzigen riesigen Familie besetzt, die von einer zahnlosen Urgroßmutter bis zu einem kaum geborenen Wickelkind hinausfuhr, um einen Nachmittag bei Verwandten auf dem Land zu verbringen und, wie sie Winston offenherzig erklärten, etwas Schwarzmarkt-Butter zu hamstern.

Das Gestrüpp lichtete sich, und eine Minute später kam er an den schmalen Weg, von dem sie gesprochen hatte; es war im Grunde nur eine Fährte, die das Vieh zwischen den Sträuchern getreten hatte. Er besaß keine Uhr, aber es konnte noch nicht fünfzehn Uhr sein. Die Glockenblumen standen so dicht, daß man nicht vermeiden konnte, darauf zu treten. Er kniete nieder und begann ein paar zu pflücken, teils um sich die Zeit zu vertreiben, teils aus der undeutlichen Vorstellung heraus, daß es ganz nett wäre, dem Mädchen zur Begrüßung ein paar Blumen anbieten zu können.

Er hatte schon einen großen Strauß zusammengebracht und sog den zarten süßlichen Duft ein, als ihn ein Geräusch in seinem Rücken erstarren ließ: das unverkennbare Knacken von Zweigen unter dem Gewicht einer Schuhsohle. Er pflückte weiter seine Glockenblumen. Es war das Klügste, was er tun konnte. Vielleicht war es das Mädchen, vielleicht aber war er doch verfolgt worden. Sich umzublicken war ein Beweis schlechten Gewissens. Er pflückte Blume um Blume. Dann legte sich eine Hand auf seine linke Schulter.

Er blickte auf. Es war das Mädchen. Sie schüttelte den Kopf, offenbar zum Zeichen, daß er sich still verhalten solle, dann teilte sie die Büsche und schlug rasch den schmalen Pfad ein, der in den Wald hineinführte. Offensichtlich hatte sie diesen Weg schon früher einmal begangen, denn sie wich mit Kennerschaft den morastigen Stellen aus. Winston ging hintendrein, noch immer seinen Blumenstrauß in der Faust. Sein erstes Gefühl war das der

Erleichterung, aber als er den kräftigen, schlanken Leib vor sich hergehen sah, mit der scharlachroten Schärpe geschmückt, die gerade eng genug anlag, um die Rundung ihrer Hüften zu betonen, bedrückte ihn ein Minderwertigkeitsgefühl sehr heftig. Selbst jetzt schien es noch recht wahrscheinlich, daß sie, wenn sie sich umdrehte und ihn ansah, ihren Entschluß ändern würde. Die würzige Luft und das saftige Grün der Blätter schüchterten ihn ein. Schon auf dem Weg vom Bahnhof hatte er sich im Maiensonnenschein schmutzig und bleich wie eine Kellerpflanze gefühlt, wie ein rechter Stubenhocker, die Poren von dem Londoner Staub und Ruß verstopft. Es kam ihm zum Bewußtsein, daß sie ihn bis jetzt noch nie bei hellem Tageslicht unter freiem Himmel gesehen hatte.

Sie kamen jetzt zu dem umgestürzten Baum, der von ihr erwähnt worden war. Das Mädchen sprang darüber hinweg und teilte mit einigem Kräfteaufwand das scheinbar lückenlose Gebüsch. Als Winston ihr nachkam, entdeckte er, daß sie auf einer natürlichen Lichtung standen, einem kleinen, von Tannenbäumchen vollkommen eingeschlossenen Stück Rasen. Das Mädchen blieb stehen und wandte sich um.

»Wir sind da«, sagte sie.

Er blickte sie an, mehrere Schritte von ihr entfernt stehen bleibend. Noch wagte er nicht, näher zu kommen.

»Ich wollte in dem Unterholz nicht sprechen«, fuhr sie fort, »für den Fall, daß dort ein Mikrophon versteckt ist. Ich glaube es zwar nicht, aber es könnte doch sein. Es besteht immer die Möglichkeit, daß einer von diesen Schweinen unsere Stimme erkennt. Hier sind wir geborgen.«

Er hatte noch immer nicht den Mut, näher an sie heranzutreten.

»Ja, sind wir hier geborgen?« wiederholte er töricht.

»Doch, schauen Sie die Bäume an.« Es waren junge Eschen, die vor einiger Zeit abgeholzt waren und jetzt wieder zu einem Wald dünner Stämme ausgeschlagen hatten, von denen keiner stärker war als ein Handgelenk. »Hier ist kein Stamm, der dick genug wäre, um ein Mikrophon darin zu verstecken. Außerdem war ich schon einmal hier.«

Sie machten nur Konversation. Er war ihr jetzt näher gekommen. Sie stand sehr gerade aufgerichtet vor ihm, mit einem leise ironischen Lächeln um die Mundwinkel, als überlege sie, warum er eigentlich so lange brauche, um zur Tat zu schreiten. Die Glockenblumen waren wie von selbst zu Boden gefallen. Er ergriff ihre Hand.

»Würden Sie für möglich halten«, sagte er, »daß ich bis zu diesem Augenblick nicht gewußt habe, welche Farbe Ihre Augen haben?« Sie waren braun, stellte er fest, von einem ziemlich hellen Braun, mit schwarzen Wimpern. »Und können Sie, nachdem Sie gesehen haben, wie ich wirklich ausschaue, meinen Anblick noch ertragen?«

»Ja, ohne weiteres.«

»Ich bin neununddreißig Jahre alt. Ich habe eine Frau, die sich nicht scheiden läßt. Außerdem habe ich Krampfadern. Und fünf falsche Zähne.«

»Das ist mir vollständig egal«, sagte das Mädchen.

Im nächsten Augenblick – und es wäre schwierig gewesen zu sagen, wie es zugegangen war – lag sie in seinen Armen. Anfangs empfand er nichts als reine Ungläubigkeit. Der jugendliche Körper schmiegte sich an seinen, der dichte Schopf ihres dunklen Haares lag vor seinem Gesicht; und nun hatte sie ihm das Gesicht zugewandt, und er küßte ihren üppigen roten Mund. Sie hatte die Arme um seinen Nacken geschlungen, nannte ihn Schatz, Liebling, Geliebter. Er hatte sie zu sich herab auf die Erde gezogen, sie war ganz Hingabe, er konnte mit ihr machen, was er wollte. Aber in Wahrheit hatte er keine körperliche Empfindung, außer der engen Verbundenheit. Alles, was er fühlte, war Staunen und Stolz. Er freute sich über das, was geschah, aber empfand kein körperliches Verlangen. War es, weil es so plötzlich kam, weil ihre Jugend und Anmut ihn erschreckten, weil er zu sehr daran gewöhnt war, ohne Frauen zu leben – er hätte den Grund nicht nennen können. Das Mädchen raffte sich auf und zupfte eine

Glockenblume aus ihrem Haar. Sie setzte sich, eng an ihn geschmiegt, den Arm um seine Hüfte gelegt.

»Mach dir nichts draus, Liebster. Es hat keine Eile. Wir haben den ganzen Nachmittag vor uns. Ist das nicht ein prächtiges Versteck? Ich fand es, als ich mich einmal auf einem Gemeinschaftsausflug verlaufen hatte. Wenn jemand kommen sollte, kann man ihn auf hundert Meter Entfernung hören.«

»Wie heißt du?« fragte Winston.

»Julia. Ich weiß, wie du heißt. Winston – Winston Smith.«

»Wie hast du das herausgefunden?«

»Ich glaube, ich bin in solchen Sachen tüchtiger als du, mein Schatz. Sag mir, was hast du an dem Tag von mir gedacht, als ich dir den Zettel zusteckte?«

Er fühlte sich nicht versucht, ihr etwas vorzulügen. Es war sogar eine Art Liebesbeweis, gleich das Schlimmste zuzugeben.

»Mir war dein Anblick höchst zuwider«, gestand er. »Ich wollte dich am liebsten vergewaltigen und danach ermorden. Noch vor zwei Wochen dachte ich ernstlich daran, dir mit einem Pflasterstein den Schädel einzuschlagen. Wenn ich dir die volle Wahrheit sagen soll: Ich dachte, du seist bei der Gedankenpolizei.«

Das Mädchen lachte belustigt und nahm das offenbar als Kompliment für ihre vorzügliche Tarnung hin.

»Bei der Gedankenpolizei! Das kannst du doch nicht wirklich geglaubt haben?«

»Na, vielleicht nicht gerade das. Aber deiner ganzen Erscheinung nach – bloß weil du jung und frisch und gesund bist, du verstehst doch – dachte ich, daß du vermutlich –«

»Du hast mich also für ein gutes Parteimitglied gehalten. Ohne Fehl, in Wort und Tat. Fahnen, Umzüge, Schlagworte, Sport, Gemeinschaftswanderungen – das ganze Zeug. Und du hast geglaubt, daß ich dich, wenn ich nur die geringste Möglichkeit dazu gehabt hätte, als Gedankenverbrecher denunzieren und umbringen lassen würde?«

»Ja, so etwas Ähnliches. Viele junge Mädchen sind so, weißt du.«

»Dieses elende Ding ist daran schuld«, sagte sie und riß die rote Schärpe der *Jugendliga gegen Sexualität* herunter und schleuderte sie über einen Zweig. Dann, als habe sie das Berühren ihrer Hüften an etwas erinnert, suchte sie in den Taschen ihres Trainingsanzugs und brachte ein Täfelchen Schokolade zum Vorschein. Sie brach es in zwei Hälften und gab Winston ein Stück davon. Schon bevor er es genommen hatte, erkannte er am Geruch, daß es eine sehr ungewöhnliche Schokolade war. Dunkel und glänzend, und in Silberpapier eingewickelt. Schokolade war gewöhnlich ein stumpfbraunes bröseliges Zeug, dessen Geschmack, sofern man ihn überhaupt beschreiben konnte, dem Rauch eines Müllfeuers glich. Früher einmal hatte er allerdings Schokolade gekostet, von der gleichen Art wie das Stück, das sie ihm gab. Der erste Hauch ihres Duftes hatte eine Erinnerung in ihm geweckt, die er nicht festnageln konnte, die aber mächtig und beunruhigend war.

»Wo hast du das her?« fragte er.

»Vom schwarzen Markt«, sagte sie leichthin. »Eigentlich gehöre ich zu der Sorte Mädchen, bei denen der Schein trügt. Ich bin tüchtig im Sport. Ich war Truppenführerin bei den *Spähern.* Ich bin dreimal in der Woche ehrenhalber für die *Jugendliga* tätig. Ich habe Stunden um Stunden damit verbracht, ihre blödsinnigen Anschläge in ganz London anzukleben. Bei Umzügen trage ich ein Ende der Transparente. Ich sehe immer vergnügt aus und drücke mich vor nichts. Immer mit den Wölfen heulen, ist meine Parole. Es ist die einzige Möglichkeit, ungeschoren zu bleiben.«

Das erste Stückchen Schokolade war auf Winstons Zunge zergangen. Es schmeckte vorzüglich. Aber immer noch rumorte an der Oberfläche seines Bewußtseins diese Erinnerung an etwas deutlich Empfundenes und doch nicht genau Umreißbares, wie ein Gegenstand, den man nur mit einem Augenwinkel erfaßt. Er schob diese Erinnerung von sich und war sich nur bewußt, daß sie einem Ereignis galt, das er gerne, doch vergeblich ungeschehen gemacht hätte.

»Du bist sehr jung«, sagte er. »Du bist zehn oder fünfzehn Jahre jünger als ich. Was hat dich nur an einem Mann wie mich anziehen können?«

»Es war etwas in deinem Gesicht. Ich dachte, ich sollte es wagen. Ich habe einen guten Blick dafür, wer nicht dazugehört. Sobald ich dich sah, wußte ich, daß du gegen *sie* bist.«

Sie, stellte sich heraus, bedeutete in ihrem Munde die Partei und vor allem die Innere Partei, über die sie mit einem unumwunden höhnischen Haß sprach, der Winston ganz unsicher machte, obwohl er wußte, daß sie hier noch am ehesten in Sicherheit waren. Was ihn bei ihr verblüffte, war die Derbheit ihrer Sprache. Von Parteimitgliedern wurde erwartet, daß sie keine Flüche gebrauchten, und Winston selbst fluchte sehr selten, wenigstens nicht laut. Julia jedoch schien die Partei, und besonders die Innere Partei, nicht erwähnen zu können, ohne Worte von der Sorte zu gebrauchen, die man an modrigen Gassenmauern mit Kreide angeschrieben findet. Das war ihm nicht unangenehm. Es war lediglich ein Symptom ihrer Auflehnung gegen die Partei und entsprach ihrer ganzen Art; irgendwie schien es natürlich und gesund, wie das Schnauben eines Pferdes, das den Geruch von schlechtem Heu in die Nüstern bekommt. Sie hatten die Lichtung verlassen und wanderten wieder durch den von der Sonne gefleckten Schatten, die Arme umeinander gelegt, sooft der Weg breit genug war, um Seite an Seite zu gehen. Er merkte, wie viel weicher ihre Hüfte sich anzufühlen schien, seitdem die Schärpe fort war. Sie unterhielten sich nicht lauter als im Flüsterton. Außerhalb der Lichtung, sagte Julia, wäre es besser, beim Gehen zu schweigen. Nun waren sie an den Rand des Gehölzes gekommen. Sie blieb stehen.

»Geh nicht aus der Deckung hinaus. Jemand könnte uns beobachten. Wir sind gut aufgehoben, solange wir hinter den Büschen bleiben.«

Sie standen im Schatten von Haselnußsträuchern. Das durch die Blätter filternde Sonnenlicht war noch warm auf ihren Gesichtern. Winston blickte auf das drüben liegende Feld, und ein seltsames, leises Erschrecken des Wiedererkennens durchzuckte ihn. Er kannte es vom Sehen. Ein altes, abgemähtes Weideland mit einem Fußpfad, der quer hindurchführte, und da und dort ein Maulwurfshügel. In der unregelmäßigen Hecke an der anderen Seite wiegten sich die Zweige der Ulmen gerade noch wahrnehmbar in der leichten Brise, und ihre Blätter flirrten leise in dichten Büscheln wie Frauenhaar. Sicherlich mußte irgendwo in der Nähe, aber außer Sichtweite, ein Bach mit grünen Gumpen sein, in dem sich Weißfische tummelten.

»Gibt es hier nicht einen Bach in der Nähe?« flüsterte er.

»Stimmt, ein Bach ist da. Er fließt am Rande des nächsten Feldes. Es sind Fische darin, große, fette Kerle. Man kann sie in den Gumpen unter den Weiden schwimmen sehen, wie sie mit ihren Flossen rudern.«

»Es ist beinahe wie das Goldene Land«, murmelte er.

»Welches Goldene Land?«

»Kein bestimmtes. Eine Landschaft, die ich manchmal im Traum gesehen habe.«

»Schau!« flüsterte Julia.

Eine Drossel hatte sich keine fünf Meter entfernt von ihnen auf einem Ast fast in ihrer Augenhöhe niedergelassen. Vielleicht hatte sie die beiden nicht bemerkt. Sie war in der Sonne, während die beiden im Schatten standen. Sie spreitete die Flügel, legte sie sorgfältig wieder zurecht, duckte einen Augenblick den Kopf, als machte sie der Sonne eine Verbeugung, und begann dann ihren Jubelgesang hinauszuschmettern. In der Nachmittagsstille war die Kraft der Stimme geradezu verblüffend. Winston und Julia standen bezaubert Arm in Arm. Der Gesang ging weiter, Minute auf Minute, mit erstaunlichen Variationen, ohne sich ein einziges Mal zu wiederholen, fast als wollte der Vogel ihnen seine Virtuosität beweisen. Manchmal verstummte er für ein paar Sekunden, spreitete von neuem sein Gefieder und faltete es wieder zusammen; dann blähte er seine gesprenkelte Brust und stimmte von neuem sein Lied an. Winston beobachtete ihn mit heimlicher Bewunderung. Wem zuliebe, für welchen Zweck, sang dieser

Vogel? Kein Weibchen, kein Nebenbuhler beobachtete ihn. Was veranlaßte ihn, sich am Rande des einsamen Wäldchens niederzulassen und seine Musik ins Nichts zu schmettern? Er fragte sich, ob vielleicht doch irgendwo in der Nähe ein Mikrophon verborgen war. Er und Julia hatten nur im Flüsterton gesprochen, ihre Worte würde es nicht auffangen, sondern nur den Gesang der Drossel. Vielleicht lauschte am anderen Ende des Apparates ein kleiner, käferartiger Mann aufmerksam – lauschte gerade auf *das* hier. Aber langsam vertrieb die Flut der Musik alle Grübeleien aus seinem Denken. Es war, als ergösse sie sich wie eine flüssige Masse über ihn und verschmölze mit dem durch das Blattwerk sickernden Sonnenlicht. Er hörte zu denken auf und überließ sich ganz seinen Empfindungen. Der Mädchenleib in seinem Arm fühlte sich weich und warm an. Er zog sie an sich, so daß sie Brust an Brust lagen; ihr Körper schien mit dem seinen zu verschmelzen. Wo immer seine Hand hintastete, war alles weich und nachgiebig wie Wasser. Ihre Lippen fanden sich; es war ganz anders als die harten, festen Küsse, die sie vorher getauscht hatten. Als ihre Gesichter wieder voneinander abließen, seufzten beide tief. Der Vogel erschrak und flog mit einem Flügelschwirren davon.

Winston legte die Lippen an ihr Ohr. »Komm!« flüsterte er.

»Nicht hier«, flüsterte sie zurück. »Gehen wir wieder in die Lichtung zurück. Dort ist es sicherer.«

Rasch bahnten sie sich, während die Zweige hin und wieder knackten, ihren Weg zu der Lichtung zurück. Sobald sie in dem von Tannenbäumchen umgebenen Rund angelangt waren, drehte sie sich um und sah ihn an. Beide atmeten heftig, aber das Lächeln um ihre Mundwinkel war wieder erschienen. Sie stand da und sah ihn einen Augenblick an, dann tastete sie nach dem Reißverschluß des Trainingsanzuges. Und wahrhaftig – es war fast wie ein Traum! Fast ebenso schnell wie in seiner Phantasie hatte sie sich die Kleider vom Leibe gerissen und schleuderte sie beiseite, mit der gleichen herrlichen Bewegung, als ob damit eine ganze Zivilisation weggewischt zu werden schien. Ihr Körper schimmerte weiß in der Sonne. Doch einen Augenblick lang blickte er nicht auf ihren Körper; seine Augen waren von dem sommersprossigen Gesicht mit seinem leisen, kecken Lächeln gefangen. Er kniete vor ihr nieder und nahm ihre Hände in seine.

»Hast du das schon früher getan?«

»Natürlich. Schon hundertmal – oder jedenfalls sehr oft.«

»Mit Parteiangehörigen?«

»Ja, immer mit Parteiangehörigen.«

»Mit Leuten aus der Inneren Partei?«

»Nein, nicht mit diesen Schweinen. Trotzdem gibt es natürlich viele, die das möchten, wenn sich ihnen nur halbwegs eine Möglichkeit bieten würde. Sie sind nicht so heilig, wie sie tun.«

Sein Herz jubelte. Sie hatte es schon so oft getan; er wünschte sich, es wäre hundert- oder tausendmal gewesen. Alles, was auf Verderbtheit hinwies, erfüllte ihn immer wieder mit einer wilden Hoffnung. Wer weiß, vielleicht war die Partei unter ihrer Oberfläche faul und angekränkelt, vielleicht war ihr Kult von Tüchtigkeit und Selbstkasteiung einfach ein Schwindel, hinter dem sich das Laster verbarg. Was hätte er darum gegeben, die ganze Bande mit Lepra oder Syphilis anzustecken! Alles, was zur Verrottung beitrug, was schwächte, unterminierte! Er zog sie zu sich herunter, so daß sie von Angesicht zu Angesicht knieten.

»Hör zu. Je mehr von ihnen du gehabt hast, desto mehr liebe ich dich. Begreifst du das?«

»Vollkommen.«

»Ich hasse die Unschuld, ich hasse das Bravsein! Ich will nicht, daß es noch irgendwo eine Tugend gibt. Ich will, daß alle Leute bis ins Mark verderbt sind.«

»Nun, dann dürfte ich die Richtige für dich sein, Liebling. Ich bin bis ins Mark verderbt.«

»Tust du es gerne? Ich meine, nicht nur mit mir: sondern einfach die Sache an sich?«

»Ich finde es herrlich.«

Das wollte er vor allem hören. Nicht nur die Liebe zu einem Menschen, sondern der animalische Trieb, die einfache, blinde

Begierde: Das war die Kraft, die die Partei in Stücke sprengen würde. Er zog sie ins Gras, zwischen die herabgefallenen Glokkenblumen. Diesmal stand keine Hemmung im Wege. Dann verlangsamte sich das Auf und Ab ihrer Brust zu normalem Rhythmus, und in seliger Hilflosigkeit sanken sie auseinander. Die Sonne schien heißer geworden. Sie waren beide schläfrig. Er streckte die Hand nach dem abgeworfenen Trainingsanzug aus und deckte sie, so gut es ging, damit zu. Fast gleich darauf schlummerten sie ein und lagen etwa eine halbe Stunde lang im Schlaf.

Winston erwachte zuerst. Er setzte sich auf und betrachtete das sommersprossige Gesicht, das noch friedlich schlafend auf ihren Handteller gebettet dalag. Von ihrem Mund abgesehen, konnte man Julia eigentlich nicht schön nennen. Um die Augen herum waren ein oder zwei Krähenfüße, wenn man genau hinsah. Das kurze dunkle Haar war ungewöhnlich dicht und weich. Es fiel ihm ein, daß er noch immer nicht ihren Nachnamen und ihre Adresse wußte.

Der junge, kräftige Körper, der jetzt im Schlaf so hilflos dalag, weckte in ihm ein mitleidiges Beschützergefühl. Aber die unbewußte Zärtlichkeit, die er unter dem Haselnußstrauch, beim Lied der Drossel empfunden hatte, wollte sich nicht wieder genauso einstellen. Er schob den Trainingsanzug beiseite und betrachtete nachdenklich ihren weißen, weichen Leib. Früher, mußte er denken, sah ein Mann den Leib eines Mädchens an und fand ihn begehrenswert, und damit Schluß! Aber heutzutage gab es so etwas wie eine reine Liebe oder reine Lust überhaupt nicht mehr. Keine Gefühlsregung war ungebrochen, denn alles war mit Angst und Haß durchsetzt. Ihre Umarmung war ein Kampf gewesen, der Höhepunkt ein Sieg. Es war ein gegen die Partei geführter Schlag. Ein politischer Akt.

III

»Wir können noch einmal hierherkommen«, meinte Julia. »Im allgemeinen darf man es riskieren, ein Versteck zweimal zu benutzen. Aber natürlich nicht in den nächsten ein oder zwei Monaten.«

Sobald sie aufgewacht war, hatte sich ihr Benehmen geändert. Sie wurde flink und sachlich, zog ihre Kleider an, schlang sich die scharlachrote Schärpe um die Hüften und begann die Einzelheiten für die Rückfahrt zu besprechen. Ihr das zu überlassen, erschien einem ganz natürlich. Sie besaß offenbar eine praktische Geschicklichkeit, die Winston fehlte, und anscheinend auch eine umfassende Kenntnis der ländlichen Umgebung Londons, die sie auf zahllosen Gemeinschaftswanderungen gesammelt hatte. Der Weg, den sie ihm für die Rückkehr empfahl, war ein ganz anderer als der, auf dem er hergekommen war, und ließ ihn an einer anderen Bahnstation herauskommen. »Fahre nie auf dem gleichen Weg nach Hause, auf dem du hergekommen bist«, riet sie ihm, als verkünde sie einen wichtigen, allgemein gültigen Lehrsatz. Sie würde als erste aufbrechen, und Winston sollte eine halbe Stunde warten, ehe er ihr nachkam.

Sie hatte ihm einen Ort genannt, an dem sie sich vier Tage später abends nach der Arbeit treffen konnten. Es war eine Straße in einem der ärmeren Viertel, in der es einen sogenannten Freien Markt gab, auf dem gewöhnlich Lärm und Gedränge herrschte. Sie würde sich dort zwischen den Verkaufsständen herumtreiben und so tun, als suche sie nach Schnürsenkeln oder Nähgarn. Wenn sie die Luft für rein hielt, würde sie sich bei seinem Kommen die Nase schneuzen; andernfalls sollte er, als kenne er sie nicht, an ihr vorübergehen. Doch mit ein wenig Glück würde es im Gedränge gefahrlos sein, eine Viertelstunde miteinander zu sprechen und eine neue Verabredung zu treffen.

»Und jetzt muß ich gehen«, sagte sie, sobald er die ihm gegebenen Weisungen memoriert hatte. »Ich muß um 19.30 Uhr zurück sein. Ich muß zwei Stunden für die *Jugendliga gegen Sexualität* opfern – Handzettel verteilen oder so was Ähnliches. Ist es nicht eine Schande? Bürste mich mal ab, ja, sei so gut! Hab' ich auch keine Zweige im Haar? Bist du auch sicher? Dann leb wohl, Liebling, auf Wiedersehen!«

Sie warf sich in seine Arme, küßte ihn leidenschaftlich und bahnte sich einen Augenblick später ihren Weg durch das Tannengestrüpp, worauf sie ganz lautlos im Wald verschwand. Noch immer hatte er weder ihren Namen noch ihre Adresse in Erfahrung gebracht. Aber das machte nichts, denn es war sowieso undenkbar, daß sie sich jemals unter einem Dach begegnen oder eine schriftliche Mitteilung miteinander austauschen würden.

Es ergab sich jedoch, daß sie nie zu der Waldlichtung zurückkehrten. Im Laufe des Mais fanden sie nur noch ein einziges Mal Gelegenheit zu einem intimen Beisammensein. Das war in einem anderen Versteck, das Julia kannte, dem Glockenturm einer Kirchenruine, die in einer fast völlig verlassenen Gegend lag, wo vor dreißig Jahren eine Atombombe niedergegangen war. Aber der Weg dorthin war sehr gefährlich. Die übrige Zeit konnten sie sich nur auf der Straße treffen, jeden Abend an einer anderen Stelle und nie für länger als für eine halbe Stunde. Auf der Straße war es gewöhnlich möglich, miteinander zu sprechen, wenn man ein bestimmtes Verfahren einhielt. Während sie durch das Gedränge gingen, niemals dicht nebeneinander und ohne jemals einander anzusehen, führten sie eine merkwürdige, bruchstückweise Unterhaltung, die wie die Strahlen eines Leuchtturms aufzuckte und erlosch, beim Auftauchen einer Parteiuniform oder eines Televisors jäh ins Stocken geriet, dann Minuten später mitten in einem Satz wiederaufgenommen und ebenso plötzlich unterbrochen wurde, wenn sie an der vereinbarten Stelle auseinandergingen, um am nächsten Tag fast ohne Überleitung weitergeführt zu werden. Julia schien ganz an diese Art Unterhaltung gewöhnt zu sein, die sie das »Abzahlungssystem« nannte. Sie war auch erstaunlich geschickt darin, ganz ohne Lippenbewegung zu sprechen. Nur ein einziges Mal während eines Monats abendlicher Zusammenkünfte sollte es ihnen gelingen, einen Kuß zu tauschen. Sie gingen gerade wortlos durch eine Nebenstraße (Julia sprach niemals in Nebenstraßen), als ein betäubender Krach ertönte, die Erde barst und der Himmel sich verfinsterte; Winston fand sich zerschunden und erschrocken auf dem Boden liegen. Eine Raketenbombe mußte in nächster Nähe niedergegangen sein. Plötzlich sah er nur wenige Zentimeter entfernt das Gesicht Julias, totenblaß, weiß wie Kalk. Sogar ihre Lippen waren vollkommen weiß. Sie war tot! Erst als er sie an sich preßte, entdeckte er, daß er ein lebenswarmes Gesicht küßte und nur eine puderartige, bröselige Staubschicht seinen Lippen im Weg war. Ihre Gesichter waren dicht mit Mörtel überzogen.

An manchen Abenden kamen sie an ihren Treffpunkt und mußten ohne ein Zeichen hintereinander hergehen, weil gerade eine Streife um die Ecke gebogen kam oder ein Helikopter über ihnen schwebte. Aber auch wenn es weniger gefährlich gewesen wäre, bestanden noch genug Schwierigkeiten, die Zeit für ein Rendezvous zu erübrigen. Winstons Arbeitswoche hatte sechzig Stunden, und Julias war sogar noch länger; ihre freien Tage schwankten je nach der Dringlichkeit der Arbeit und deckten sich selten. Julia jedenfalls hatte kaum einen Abend ganz für sich. Sie verwandte erstaunlich viel Zeit auf den Besuch von Vorträgen und die Teilnahme an Demonstrationen, teilte Flugschriften für die *Jugendliga gegen Sexualität* aus, nähte Fahnen für die *Haß-Woche,* sammelte für den Sparfeldzug und dergleichen mehr. So etwas machte sich bezahlt, meinte sie; es war die beste Tarnung. Wenn man die kleinen Gesetze einhielt, konnte man gegen die großen verstoßen. Sie veranlaßte Winston sogar, noch einen seiner freien Abende zu opfern, indem er sich als Helfer bei der Munitionsstückarbeit verpflichtete, die von den eifrigen Parteimitgliedern freiwillig verrichtet wurde. So verbrachte Winston an einem Abend jeder Woche vier fürchterlich langweilige Stunden mit dem Zusammenschrauben von Metallstückchen, die vermutlich Bestandteile von Bombenzündern waren – in einer zugigen, schlecht beleuchteten Werkstatt, wo das Hämmern sich trostlos mit der Musik aus den Televisoren vermischte.

Als sie sich in einem Glockenstuhl des Kirchturms trafen, ergänzten sie die Lücken ihrer bruchstückweisen Unterhaltungen. Es war ein glühendheißer Nachmittag. Die Luft in dem kleinen, viereckigen Raum über den Glocken war drückend und erstikkend und roch durchdringend nach Taubenmist. Sie saßen stundenlang auf dem staubigen, mit schmutzigem Reisig bedeckten Fußboden und plauderten; von Zeit zu Zeit stand einer von ihnen auf und warf einen Blick durch die Schießscharten, um sich zu überzeugen, daß niemand kam.

Julia war sechsundzwanzig Jahre alt. Sie wohnte in einem Heim mit dreißig anderen jungen Mädchen zusammen. (»Immer in dem Weibergestank! Wie ich die Frauen hasse!«) Und sie war, wie er vermutet hatte, an den Romanschreibemaschinen in der Literaturabteilung beschäftigt. Sie liebte ihre Arbeit, die in der Hauptsache in der Handhabung und Bedienung eines starken, aber sehr komplizierten Elektromotors bestand. Sie war nicht besonders intelligent, aber manuell geschickt und gut mit dem Maschinellen vertraut. Sie konnte den ganzen Arbeitsgang der Zusammenstellung eines Romans beschreiben, angefangen von den durch das Planungskomitee herausgegebenen Richtlinien bis zu den letzten, von der Umschreibe-Gruppe aufgesetzten Glanzlichtern. Aber sie hatte kein Interesse an dem Endprodukt. »Ich mache mir nicht viel aus Büchern«, sagte sie. Sie waren ein Artikel, der hergestellt werden mußte, wie Marmelade oder Schuhbänder.

Sie hatte keinerlei Erinnerung an die Zeit vor den sechziger Jahren; der einzige Mensch in ihrem Umkreis, der häufig von der Zeit vor der Revolution gesprochen hatte, war ein Großvater, der verschwunden war, als sie acht Jahre alt wurde. In der Schule war sie Anführerin der Hockeymannschaft gewesen und hatte zwei Jahre hintereinander den Leichtathletikpreis gewonnen. Sie war Truppführerin bei den *Spähern* und Hilfssekretärin bei der *Kinderliga* gewesen, bevor sie in die *Jugendliga gegen Sexualität* eintrat. Ihr Führungszeugnis war immer vorzüglich gewesen. Sie war sogar dazu ausersehen worden – und das war ein untrügliches Zeugnis für eine gute Führung –, in der Unterabteilung der Literatur-Abteilung zu arbeiten, die billige pornographische Erzeugnisse zum Verkauf bei den Proles herstellte. Dort war sie ein Jahr geblieben und hatte in Zellophan gewickelte Broschüren mit Titeln wie *»Liebe und Hiebe«* oder *»Eine Nacht in einem Mädchenpensionat«* produzieren helfen, die heimlich von Jugendlichen aus dem Proletariat gekauft wurden, armen Ahnungslosen, die damit etwas gesetzlich streng Verbotenes und im geheimen Hergestelltes zu erstehen glaubten.

»Was sind das für Bücher?« fragte Winston neugierig.

»Ach, wüster Schund. Sie sind eigentlich sehr langweilig. Es gibt nur sechs mögliche Verwicklungen in der Handlung, die immer nur ein bißchen abgeändert werden. Ich war natürlich nur an den Kaleidoskopen beschäftigt. Nie bei der Umschreibegruppe. Ich bin nicht literarisch genug, mein Lieber – nicht einmal dazu würde es reichen.«

Mit Erstaunen erfuhr er, daß in der Pornoabteilung außer dem Leiter der Abteilung nur Mädchen beschäftigt wurden. Man ging davon aus, daß die Männer, die sich erotisch nicht so leicht beherrschen konnten wie Frauen, größere Gefahr liefen, durch den Schmutz, mit dem sie sich abgeben mußten, verdorben zu werden.

»Sie nehmen dort nicht einmal gern verheiratete Frauen an«, fügte Julia hinzu. »Bei Mädchen wird immer vorausgesetzt, daß sie rein sind. Na, ich bin es jedenfalls nicht.«

Sie hatte als Sechzehnjährige ihre erste Liebesaffäre mit einem sechzig Jahre alten Parteimitglied gehabt, einem Mann, der später Selbstmord beging, um der Verhaftung zu entgehen. »Und das war ein Glück«, fügte Julia hinzu, »sonst hätten sie meinen Namen von ihm herausbekommen, wenn er gestanden hätte.« Ihm waren zahlreiche andere gefolgt. In ihren Augen stellte sich das Leben sehr einfach dar. Man wollte es sich selbst so angenehm wie möglich machen; »sie«, das heißt die Partei, wollte einen daran hindern; also übertrat man die Gesetze, wo man nur konnte. Julia schien es ebenso natürlich zu finden, daß *»sie«* einem alles Vergnügen rauben wollte, wie daß man selbst versuchte, sich nicht erwischen zu lassen. Sie haßte die Partei und sprach das in den derbsten Worten aus, aber sie übte generell keine Kritik an ihr. Von den Punkten abgesehen, wo ihr eigenes Leben damit in Konflikt kam, hatte sie keinerlei Interesse an den Doktrinen der Partei. Winston bemerkte, daß sie niemals Neusprachworte benutzte, außer den wenigen, die in die Umgangssprache eingegangen waren. Sie hatte nie etwas von der *»Brüderschaft«* gehört und lehnte es auch ab, an ihr Vorhandensein zu glauben. Jede Art organisierter Auflehnung gegen die Partei, die ja notwendigerweise fehlschlagen mußte, hielt sie für dumm. Gegen die Gesetze zu verstoßen und dabei selbst am Leben zu bleiben – darauf kam es an. Er fragte sich mit einem unbestimmten Gefühl, wie viele Menschen ihres Typus es wohl unter der jüngeren Generation geben mochte – Menschen, die in die Welt der Revolution hineingewachsen waren und nichts anderes kannten, die die Partei als etwas so Unabänderliches wie den Himmel zu ihren Häupten hinnahmen, ohne sich gegen ihre Autorität aufzulehnen, sondern ihr einfach auswichen, wie ein Hase hakenschlagend einem Hunde zu entkommen sucht.

Sie sprachen nicht über die Möglichkeit einer Heirat. Sie lag zu fern, um sich überhaupt damit zu beschäftigen. Man konnte sich keinen Prüfungsausschuß vorstellen, der eine solche Verbindung jemals genehmigen würde, selbst wenn Winston seine Frau Katherine irgendwie hätte loswerden können. Es war zwecklos, sich das auch nur auszumalen.

»Wie war eigentlich deine Frau?« fragte Julia.

»Sie war – kennst du das Neusprachwort *gutdenkvoll?* Es bedeutet: von Natur aus orthodox, unfähig, einen unvorschriftsmäßigen Gedanken auch nur zu fassen.«

»Nein, ich kannte das Wort nicht. Aber diese Sorte Menschen kenne ich nur zu gut.«

Er begann ihr die Geschichte seiner Ehe zu erzählen, aber seltsamerweise schien sie das Wesentliche davon bereits zu kennen.

Sie beschrieb ihm, als habe sie es selber miterlebt oder gefühlt, wie Katherines Körper erstarrte, sobald er sie nur berührte, und wie sie ihn selbst dann noch mit ihrer ganzen Kraft von sich wegzustoßen schien, wenn ihre Arme eng um ihn geschlungen waren. Es bereitete ihm keine Schwierigkeit, mit Julia über solche Dinge zu sprechen: Katherine war jedenfalls längst keine schmerzliche Erinnerung mehr, sondern nur noch eine unangenehme.

»Ich hätte es noch aushalten können, wenn nicht eine Sache gewesen wäre«, sagte er. Und er erzähte ihr von der frigiden kleinen Zeremonie, die ihn Katherine gezwungen hatte, allwöchentlich in der gleichen Nacht auszuführen. »Es war ihr greulich, aber nichts in der Welt hätte sie dazu bringen können, es bleiben zu lassen. Sie nannte es immer – aber das errätst du nie.«

»Unsere Pflicht gegenüber der Partei«, sagte Julia prompt.

»Woher weißt du das?«

»Ich war schließlich auch in der Schule, mein Lieber. Aufklärungsunterricht für junge Mädchen über sechzehn, einmal im Monat. In der Jugendbewegung desgleichen. Sie trichtern einem das Jahre hindurch ein. Und ich kann wohl behaupten, daß sie in vielen Fällen Erfolg damit haben. Aber man weiß es natürlich nie; die Menschen sind so scheinheilig.«

Und sie begann sich weiter über das Thema auszulassen. Bei Julia drehte sich alles um ihre eigene Sinnlichkeit. Sobald diese irgendwie im Spiel war, konnte sie außerordentlich scharfsinnig sein. Im Gegensatz zu Winston war ihr ein Licht über den eigentlichen Zweck der strengen Parteidoktrin in sexuellen Dingen aufgegangen. Sie wurde aufrechterhalten, nicht nur weil die Sexualität sich eine Welt für sich zu schaffen verstand, die außerhalb der Kontrolle der Partei lag, so daß sie nach Möglichkeit unterdrückt werden mußte, sondern vor allen Dingen, weil die sexuelle Enthaltsamkeit zur Hysterie führte und damit ein erstrebenswertes Ziel erreicht wurde, denn diese Hysterie konnte in Kriegsbegeisterung und Führerverehrung umgewandelt werden. Julia drückte das folgendermaßen aus:

»Beim Liebesspiel verbraucht man Energie, und hinterher fühlt man sich glücklich und pfeift auf alles andere. Das können sie nicht ertragen. Sie wollen, daß man ständig zum Platzen mit Energie geladen ist. Dies ganze Auf- und Abmarschieren, Hurra-Brüllen und Fahnenschwenken ist weiter nichts als sauer gewordene Sinnlichkeit. Wenn man innerlich glücklich ist, kann man weder über den Großen Bruder noch den Drei-Jahres-Plan, die Zwei-Minuten-Haß-Sendung und den ganzen übrigen Schwindel in Begeisterung geraten!«

Das war sehr richtig, dachte Winston. Es bestand ein unmittelbarer, enger Zusammenhang zwischen Enthaltsamkeit und politischer Strenggläubigkeit. Hätte man sonst Furcht, Haß und fanatischen Glauben, wie sie die Partei bei ihren Mitgliedern voraussetzte, in der richtigen Weißglut erhalten können, wenn man nicht einen mächtigen Urtrieb auf Flaschen zog, um ihn als Treibstoff zu benutzen? Der Sexualtrieb war für die Partei gefährlich, und sie hatte gelernt, ihn in ihren Dienst zu spannen. Ähnlich war man mit dem Familiensinn verfahren. Die Familie konnte zwar nicht völlig abgeschafft werden, ja, man ermutigte die Leute sogar, in einer fast altmodischen Weise an ihren Kindern zu hängen. Die Kinder dagegen wurden systematisch gegen ihre Eltern aufgehetzt; man brachte ihnen bei, sie zu bespitzeln und jeden ihrer Verstöße gegen die Disziplin zu melden. Das Familienleben war in Wirklichkeit zu einer Erweiterung der Gedankenpolizei geworden, zu einem Mittel, um jedermann Tag und Nacht von intim vertrauten Angebern bespitzeln zu lassen.

Er mußte wieder an Katherine denken. Sie hätte ihn fraglos bei der Gedankenpolizei denunziert, wenn sie nicht zu dumm gewesen wäre, um an seinen Ansichten etwas Unorthodoxes zu bemerken. Was sie ihm in diesem Augenblick ins Gedächtnis zurückrief, war die erstickende Schwüle des Nachmittags, die ihm den Schweiß auf die Stirn getrieben hatte. Er begann Julia zu erzählen, was sich vor elf Jahren an einem ähnlichen drückend heißen Sommertag ereignet hatte.

Es hatte sich drei oder vier Monate nach ihrer Heirat zugetragen. Katherine und er hatten sich auf einer Gemeinschaftswanderung im Herzen von Kent verlaufen. Sie waren nur ein paar Minuten hinter den anderen zurückgeblieben, hatten dann aber eine falsche Richtung eingeschlagen und fanden sich plötzlich am Rand einer aufgelassenen Kalkgrube stehen. Der Boden stürzte jäh zu einer Tiefe von zehn oder zwanzig Meter ab; unten lagen große Felsentrümmer. Weit und breit war kein Mensch zu sehen, den sie nach dem Weg hätten fragen können. Sobald Katherine merkte, daß sie den Weg verloren hatten, wurde sie sehr unruhig. Auch nur für einen Augenblick vom lärmenden Haufen der anderen Ausflügler getrennt zu sein, gab ihr das Gefühl, ein Unrecht zu begehen. Sie wollte auf dem Weg, den sie gekommen waren, zurücklaufen und in der anderen Richtung ihr Glück versuchen. Aber in diesem Augenblick entdeckte Winston ein paar Stauden Pfennigkraut, die in den Vorsprüngen des Gesteins unter ihnen Wurzel geschlagen hatten. Eine von den Stauden war zweifarbig, sie trug offenbar violette und ziegelrote Blüten am selben Stamm. Er hatte noch nie vorher etwas Derartiges gesehen und rief Katherine herbei, um sich das anzusehen.

»Schau, Katherine. Schau mal diese Blumen. Diese Staude da, fast unten auf dem Grund. Sie hat zwei verschiedene Farben, siehst du es?«

Sie hatte sich bereits zum Gehen gewandt, kam aber ziemlich verdrießlich für einen Augenblick zurück. Sie beugte sich sogar über den Rand der Grube, um zu sehen, worauf er deutete. Er stand ein wenig hinter ihr und hielt sie, um ihr Halt zu geben, am Gürtel fest. In diesem Augenblick kam ihm plötzlich zum Bewußtsein, wie vollkommen allein sie waren. Nirgends eine Menschenseele, kein Blatt regte sich, nicht einmal ein Vogel war zu sehen. An einem solchen Ort war die Gefahr eines irgendwo verborgenen Mikrophons sehr gering, und selbst wenn es installiert wäre, würde es nur ein Geräusch verzeichnen. Es war um die heißeste, schläfrigste Nachmittagsstunde. Die Sonne brannte auf sie herunter, der Schweiß kitzelte sein Gesicht. Da war ihm der Gedanke gekommen...

»Warum hast du ihr nicht einen tüchtigen Stoß versetzt?« sagte Julia. »Ich hätte es getan.«

»Ja, Liebling, du schon. Ich hätte es auch getan, wenn ich derselbe Mensch gewesen wäre wie heute. Das heißt, vielleicht hätte ich es getan – ich bin mir nicht sicher.«

»Tut es dir leid, daß du es nicht getan hast?«

»Ja. Im Grunde bedaure ich es.«

Sie saßen Seite an Seite auf dem staubigen Fußboden. Er zog sie an sich. Ihr Kopf lag auf seiner Schulter, der angenehme Duft ihres Haares übertäubte den Geruch nach Taubenmist. Sie war sehr jung, dachte er, sie erwartete noch etwas vom Leben, sie begriff nicht, daß es nichts hilft, einen unbequemen Menschen in einen Abgrund zu stoßen.

»In Wirklichkeit hätte es nichts geändert«, sagte er.

»Warum bedauerst du dann, es nicht getan zu haben?«

»Nur weil mir das Handeln lieber geworden ist als das Herumsitzen mit Händen im Schoß. Doch bei dem Spiel, das wir spielen, können wir nicht gewinnen. Die eine Art von Fehlschlägen ist besser als die andere, das ist alles.«

Er fühlte ein Zucken des Widerspruchs in ihren Schultern. Sie widersprach ihm immer, wenn er etwas Derartiges sagte. Sie wollte es nicht als ein Naturgesetz hinnehmen, daß der einzelne immer unterliegt. Einesteils war ihr bewußt, daß sie zum Untergang verurteilt war, daß früher oder später die Gedankenpolizei sie verhaften und töten würde, doch mit einem anderen Teil ihres Denkens hielt sie es irgendwie für möglich, eine geheime Welt aufzubauen, in der man leben konnte, wie es einem gefiel. Dazu brauchte man nur Glück, Schlauheit und Dreistigkeit. Sie begriff nicht, daß es so etwas wie Glück nicht gab, daß der einzige Sieg in der fernen Zukunft lag, lange nachdem man gestorben war, daß man von dem Augenblick an, in dem man der Partei den Kampf ansagte, besser daran tat, sich als Leiche zu betrachten.

»Wir sind die Toten«, sagte er.

»Wir sind doch noch nicht tot«, meinte Julia nüchtern.

»Noch nicht körperlich. Aber in sechs Monaten, einem Jahr –

möglicherweise fünf Jahren. Ich habe Angst vor dem Tod. Du bist noch jung, also fürchtest du ihn vermutlich noch mehr als ich. Begreiflicherweise werden wir ihn so lange wie möglich hinausschieben. Aber es ist nur ein sehr geringer Unterschied. Solange wir Menschen Menschen sind, bleiben sich Tod und Leben gleich.«

»Ach, Unsinn! Mit wem möchtest du lieber ins Bett gehen, mit mir oder einem Skelett? Bist du nicht froh, daß du lebst? Fühlst du nicht gerne: Das bin ich, das ist meine Hand, das ist mein Bein, ich bin wirklich, bin greifbar, ich lebe! Liebst du *das* nicht?«

Sie warf sich herum und preßte ihren Busen gegen ihn. Er konnte ihre reifen, festen Brüste durch ihren Trainingsanzug hindurch spüren. Ihr Körper schien etwas von seiner Jugendfrische und Lebenskraft an ihn abzugeben.

»Doch, das liebe ich«, sagte er.

»Dann hör auf, vom Sterben zu reden. Und jetzt paß auf, Liebster, wir müssen unser nächstes Wiedersehen vereinbaren. Wir können ebensogut wieder zu der Stelle im Wald gehen. Wir haben lange genug pausiert. Aber diesmal mußt du auf einem anderen Weg hingehen. Ich habe mir alles ausgedacht. Du fährst mit dem Zug – aber schau her, ich werde es dir aufzeichnen.«

In ihrer praktischen Art scharrte sie den Staub zu einem kleinen Quadrat zusammen und begann mit einem Zweig aus einem der Taubennester eine Landkarte auf den Boden zu zeichnen.

IV

Winston blickte sich in dem schäbigen kleinen Zimmer über Mr. Charringtons Laden um. Neben dem Fenster war das riesige Bett mit zerrissenen Wolldecken und einem unbezogenen Kopfkissen aufgemacht. Die altmodische Uhr mit dem Zwölferzifferblatt tickte auf dem Kaminsims. In der Ecke, auf dem Klapptischchen, schimmerte der Glasbriefbeschwerer, den er bei seinem letzten Besuch gekauft hatte, sanft aus dem Halbdunkel hervor.

Auf dem Kaminvorsatz standen ein zerbeulter Blechpetroleumkocher, ein Kessel und zwei Tassen, die Mr. Charrington zur Verfügung gestellt hatte. Winston zündete den Kocher an und setzte Wasser auf. Er hatte einen Briefumschlag voll Victory-Kaffee und ein paar Sacharintabletten mitgebracht. Die Zeiger zeigten auf zwanzig nach sieben: demnach war es also in Wirklichkeit 19.20 Uhr. Um 19.30 Uhr wollte sie kommen.

Verrückt, verrückt, hämmerte sein Herz unaufhörlich: Es war eine bewußte, unverantwortliche, selbstmörderische Verrücktheit. Von allen Verbrechen, die ein Parteimitglied begehen konnte, war keines so unmöglich geheimzuhalten wie dieses. Genaugenommen war ihm der Gedanke zum erstenmal wie eine Vision durch den Sinn gegangen, als er den Briefbeschwerer sich in der Platte des Klapptisches spiegeln sah. Wie vorausgesehen, hatte Mr. Charrington keine Schwierigkeiten beim Vermieten des Zimmers gemacht. Er war offensichtlich erfreut über die paar Dollar, die ihm das einbringen würde. Auch nahm er keinen Anstoß daran, noch wurde er unangenehm vertraulich, als sich herausstellte, daß Winston das Zimmer für ein Liebesabenteuer benötigte. Statt dessen blickte er unbestimmt vor sich hin und sprach in allgemeinen Wendungen mit einer so zurückhaltenden Miene, daß man das Gefühl hatte, er sei überhaupt so gut wie unsichtbar geworden. Unter sich zu sein, meinte er, sei etwas sehr Schätzenswertes. Jeder Mensch sollte ein Plätzchen haben, wo er gelegentlich zu zweit allein sein könne. Und wenn der Betreffende ein solches Plätzchen gefunden habe, so sei es nur eine ganz gewöhnliche Anstandspflicht jedes anderen, sein Wissen darüber für sich zu behalten. Er fügte sogar hinzu – und dabei schien er sich vollends in nichts aufzulösen –, daß das Haus zwei Eingänge habe, von denen einer durch den Hinterhof hinaus auf ein Seitengäßchen führe.

Draußen vor dem Fenster sang jemand. Winston lugte unter dem Schutz des Musselinvorhangs hinaus. Die Junisonne stand noch hoch am Himmel, und drunten auf dem besonnten Hof stapfte ein Monstrum von Frau, wuchtig wie eine romanische Säule, mit stämmigen roten Unterarmen und einer um ihre Taille gebundenen Sackleinwandschürze, zwischen einem Waschfaß und einer Wäscheleine hin und her, auf der sie eine Reihe viereckiger weißer Dinger aufhängte, die Winston als Kinderwindeln erkannte. So oft ihr Mund nicht durch Wäscheklammern verschlossen war, sang sie mit mächtiger, tiefer Altstimme:

»Es war nur ein tiefer Traum,
Ging wie ein Apriltag vorbei-ei,
Aber sein Blick war leerer Schaum,
Brach mir das Herz entzwei-ei!«

Das Lied wurde während der letzten Wochen von ganz London geträllert. Es war einer von zahlreichen Schlagern, die für die Proles von einer Unterabteilung der Fachgruppe Musik herausgegeben wurden. Der Wortlaut dieser Lieder wurde ohne jedes menschliche Zutun von einem sogenannten »Versificator« zusammengestellt. Aber die Frau sang so melodiös, daß aus dem fürchterlichen Blödsinn beinahe ein hübsches Liedchen wurde. Er konnte den Gesang der Frau und das Scharren ihrer Schuhe auf den Steinplatten hören, die Rufe der Kinder auf der Straße und irgendwo in weiter Ferne das leise Dröhnen des Verkehrs; und doch schien ihm das Zimmer merkwürdig still, weil es keinen Televisor enthielt.

Verrückt, verrückt, dachte er von neuem. Es war unvorstellbar, daß sie diesen Treffpunkt länger als ein paar Wochen benutzen konnten, ohne ertappt zu werden. Aber die Versuchung, einen Unterschlupf zu haben, der wirklich ihnen gehörte, unter einem festen Dach und leicht erreichbar, war für sie beide zu groß gewesen. Nach ihrem letzten Treffen im Glockenturm ließ sich eine Zeitlang kein Stelldichein ermöglichen. Die Zahl der

Arbeitsstunden war im Hinblick auf die kommende *Haß-Woche* radikal heraufgesetzt worden. Sie fand erst in mehr als einem Monat statt, aber die damit verbundenen umfangreichen und vielfältigen Vorbereitungen bürdeten jedermann Sonderarbeit auf. Endlich gelang es den beiden, sich am selben Tag einen freien Nachmittag zu verschaffen. Sie waren übereingekommen, wieder zu der Waldlichtung zu gehen. Am Abend vorher trafen sie sich kurz auf der Straße. Wie gewöhnlich sah Winston Julia kaum an, als sie in der Menge aufeinander zusteuerten, aber nach dem kurzen Blick, den er ihr zuwarf, kam es ihm so vor, als sei sie bleicher als gewöhnlich.

»Es ist nichts damit«, murmelte sie, sobald sie es für ungefährlich hielt, zu sprechen. »Mit morgen, meine ich.«

»Wieso?«

»Morgen nachmittag. Ich kann nicht kommen.«

»Warum nicht?«

»Das übliche. Es ist diesmal zu früh losgegangen.«

Einen Augenblick lang packte ihn heftiger Ärger. Während der Monate ihrer Bekanntschaft hatte sich seine Einstellung zu ihr geändert. Anfangs hatte nur wenig echte Sinnlichkeit mitgespielt. Ihr erstes intimes Beisammensein war für ihn lediglich eine Willensanstrengung gewesen. Aber nach dem zweiten Mal war es anders geworden. Der Duft ihres Haares, der Geschmack ihres Mundes, die Berührung ihrer Haut schienen ihn ganz und gar, ja selbst die ihn umgebende Atmosphäre durchdrungen zu haben. Sie war für ihn ein körperliches Bedürfnis geworden, etwas, das er nicht nur brauchte, sondern worauf er ein Recht zu haben meinte. Als sie nun sagte, sie könne nicht kommen, hatte er das Gefühl, von ihr betrogen zu werden. Aber gerade in diesem Augenblick wurden sie im Gedränge aneinandergepreßt, und ihre Hände fanden sich wie zufällig. Sie versetzte seinen Fingerspitzen einen raschen Druck, der nicht um Begehren, sondern um Liebe bat. Ihm wurde bewußt, daß eine solche Enttäuschung beim Zusammenleben mit einer Frau eine normale, immer wiederkehrende Erscheinung sein mußte. Und plötzlich empfand er eine tiefe Zärtlichkeit, wie er sie vorher nicht für sie gefühlt hatte. Er wünschte, sie wären ein altes, seit zehn Jahren verheiratetes Ehepaar. Er wünschte, er ginge mit ihr wie eben jetzt durch die Straßen, aber offen und ohne Angst, um sich dabei über alltägliche Dinge zu unterhalten und alles mögliche für den Haushalt einzukaufen. Vor allem aber wünschte er, sie hätten ein Fleckchen Erde, wo sie allein miteinander sein konnten, ohne die Verpflichtung zu fühlen, bei jedem Zusammensein gleich ins Bett gehen zu müssen. Nicht gerade in diesem Augenblick, aber irgendwann im Laufe des folgenden Tages war ihm der Gedanke gekommen, Mr. Charringtons Zimmer zu mieten. Als er Julia diesen Vorschlag machte, hatte sie mit unerwarteter Bereitwilligkeit zugestimmt. Sie wußten beide, daß es ein Wahnsinn war. Es war, als täten sie beide absichtlich einen Schritt näher an ihr Grab heran. Während er wartend auf dem Bettrand saß, dachte er von neuem an die Kellergewölbe des Liebesministeriums. Es war merkwürdig, wie einem dies unausweichliche Schicksal immer wieder zum Bewußtsein kam. Da lag es nun auf der Lauer als sichere Vorbestimmung, ein Vorspiel des Todes, auf das man mit neunundneunzig Prozent Wahrscheinlichkeit rechnen konnte. Man konnte ihm nicht entrinnen, aber man konnte es vielleicht hinausschieben: und doch legte man es statt dessen immer wieder darauf an, durch eine bewußt gewollte Handlung den Aufschub zu verkürzen.

In diesem Augenblick vernahm man einen raschen Schritt auf der Treppe. Julia kam ins Zimmer gestürzt. Sie trug eine Werkzeugtasche aus derbem braunem Segeltuch, mit der er sie manchmal im Ministerium hatte hin und her laufen sehen. Er sprang auf, um sie in seine Arme zu schließen, aber sie befreite sich ziemlich hastig, zum Teil wohl, weil sie noch immer die Werkzeugtasche hielt.

»Nur eine Sekunde«, sagte sie. »Laß dir nur eben zeigen, was ich mitgebracht habe. Hast du was von diesem schauerlichen Victory-Kaffee mitgebracht? Das dachte ich mir. Du kannst ihn wegschmeißen, denn wir brauchen ihn nicht. Da, schau her.«

Sie ließ sich auf die Knie nieder, klappte die Tasche auf und warf ein paar Schraubenschlüssel heraus, die obenauf lagen. Darunter kam eine Anzahl säuberlich in Papier gewickelter Päckchen zum Vorschein. Das erste Päckchen, das sie Winston reichte, fühlte sich merkwürdig und doch irgendwie bekannt an. Es war mit einer schweren, feinkörnigen Masse angefüllt, die bei der Berührung jedem Druck nachgab.

»Doch nicht etwa Zucker?« fragte er.

»Echter Zucker. Kein Sacharin, sondern Zucker. Und hier ist ein Laib Brot – richtiges Weißbrot, nicht unser elender Dreck – und ein Töpfchen Marmelade. Und da ist eine Dose Milch – aber jetzt paß auf! Darauf bin ich wirklich stolz. Ich mußte es in ein Stück Sackleinwand einwickeln, weil –«

Aber sie brauchte ihm nicht zu sagen, warum sie es eingewikkelt hatte. Der Duft erfüllte bereits das Zimmer, ein reicher, würziger Duft, der wie ein Hauch aus seiner Kindheit war, dem man aber auch heute noch begegnete, wenn er manchmal durch eine Gasse zog, ehe irgendeine Tür ins Schloß fiel, oder in einer verkehrsreichen Straße in der Luft hing, einem einen Augenblick in die Nase stieg und sich dann wieder verflüchtigte.

»Kaffee«, murmelte er, »echter Kaffee.«

»Es ist Kaffee für die Innere Partei. Ich habe ein ganzes Kilo davon mit«, sagte sie.

»Wie bist du zu all diesen Dingen gekommen?«

»Es sind alles Sachen für die Innere Partei. Es gibt nichts, was diese Schweine nicht haben; einfach nichts. Aber natürlich klauen die Kellner, die Dienstboten und die Angestellten, und ... schau her, ich habe auch ein Päckchen Tee.«

Winston hatte sich eben niedergehockt. Er riß eine Ecke des Päckchens auf.

»Echter Tee! Keine Brombeerblätter!«

»Es gab in letzter Zeit haufenweise Tee. Sie haben Indien erobert oder so etwas Ähnliches«, sagte sie beiläufig. »Aber hör zu, Liebster. Tu mir den Gefallen und dreh dich drei Minuten um. Geh und setz dich auf die andere Seite vom Bett. Tritt nicht zu nah ans Fenster. Und dreh dich nicht um, ehe ich dir's nicht sage.«

Winston starrte versunken durch den Musselinvorhang hindurch. Unten im Hof ging die Frau mit den geröteten Armen noch immer zwischen dem Waschzuber und der Wäscheleine hin und her. Sie nahm gerade wieder zwei Klammern aus dem Mund und sang mit gefühlvoller Stimme:

»Man sagt, die Zeit heile alles,
Es heißt, man kann alles vergessen,
Aber vom Schmerz meines Falles,
Von dem bleib' ich ewig besessen!«

Sie schien das ganze törichte Lied auswendig zu können. Ihre Stimme schwebte sehr melodisch mit dem lauen Sommerlüftchen daher, von einer Art glücklicher Melancholie erfüllt. Man hatte das Gefühl, es hätte der Frau nichts ausgemacht, wenn der Juniabend nie ein Ende gehabt und der Wäschevorrat unerschöpflich gewesen wäre, und wenn sie tausend Jahre so weitermachen konnte: Kinderwindeln aufhängen und kitschige Lieder dabei singen. Dabei fiel ihm ein, daß er merkwürdigerweise nie ein Parteimitglied allein und spontan hatte singen hören. Es hätte sogar ein wenig unorthodox, wie eine gefährliche Schrullenhaftigkeit gewirkt, so als ob man Selbstgespräche führte. Vielleicht mußten die Menschen erst nahe am Verhungern sein, um für sich allein singen zu können.

»Jetzt darfst du dich umdrehen«, sagte Julia.

Er drehte sich um und hätte sie eine Sekunde lang fast nicht erkannt. Eigentlich hatte er erwartet, sie nackt vor sich zu sehen. Aber sie war nicht nackt. Ihre Verwandlung war viel erstaunlicher. Sie hatte sich geschminkt.

Sie mußte in einen Laden in den Prolesvierteln geschlüpft sein und eine ganze Ausrüstung von Toilettenartikeln gekauft haben. Ihre Lippen waren tiefrot; sogar unter die Augen war irgend etwas getupft, aber Winstons Ansprüche in diesen Dingen waren keineswegs hochgeschraubt. Er hatte nie zuvor ein weibliches Parteimitglied geschminkt gesehen oder es sich auch nur geschminkt vorstellen können. Julias Erscheinung hatte sich in verblüffender Weise verschönt. Mit nur wenigen Farbstrichen an den richtigen Stellen war sie nicht nur sehr viel hübscher, sondern vor allem viel weiblicher geworden. Ihr kurzes Haar und der knabenhafte Trainingsanzug erhöhten nur die Wirkung. Als er sie in seine Arme schloß, stieg ihm eine Welle synthetischen Veilchendufts in die Nase. Er erinnerte sich an das Halbdunkel einer Wohnküche im Erdgeschoß und an die schwarze Mundhöhle einer Frau. Genau das gleiche Parfüm hatte sie benutzt; aber im Augenblick schien das nichts auszumachen.

»Parfüm auch!« rief er aus.

»Ja, Liebster, auch Parfüm. Und weißt du, was ich als nächstes mache? Ich versuche, irgendwo einen richtigen Frauenrock aufzutreiben, und ziehe ihn mir anstatt dieser scheußlichen Hosen an. Ich werde seidene Strümpfe tragen und Schuhe mit hohen Absätzen! In diesem Zimmer will ich eine Frau sein, keine Parteigenossin.«

Sie streiften ihre Kleider ab und stiegen in das riesige Mahagonibett. Er zog sich zum erstenmal in ihrer Gegenwart ganz aus. Bisher hatte er sich zu sehr seines bleichen, mageren Körpers mit den an den Waden hervortretenden Krampfadern und dem entfärbten Fleck über seinem Fußknöchel geschämt. Das Bett hatte kein Laken, aber die Wolldecke, auf der sie lagen, war dünn und weich, und die Größe und Federung des Bettes erstaunte sie beide. »Es wimmelt sicher von Wanzen, aber wen kümmert das schon?« sagte Julia. Man sah heutzutage nirgendwo Doppelbetten, außer in den Wohnungen der Proles. Winston hatte in seiner Knabenzeit gelegentlich in einem geschlafen; Julia hatte noch nie zuvor in einem gelegen, soweit sie sich erinnern konnte.

Sie sanken gleich für eine Weile in Schlummer. Als Winston aufwachte, waren die Zeiger seiner Uhr bis fast auf neun vorgerückt. Er rührte sich nicht, denn Julia schlief noch, ihren Kopf in die Biegung seines Armes gebettet. Der größte Teil der Schminke hatte sich auf sein Gesicht und das Kissen übertragen, aber ein zarter roter Fleck betonte noch immer die Schönheit ihrer Wange. Ein goldgelber Strahl der untergehenden Sonne glitt über das Bettende und fiel auf den Kocher, auf dem das Wasser lebhaft sprudelte. Unten im Hof hatte die Frau zu singen aufgehört, aber gedämpfte Kinderrufe drangen von der Straße herein. Er fragte sich verschwommen, ob es wohl in der verpönten Vergangenheit ein normales Ereignis gewesen war, als Mann und Frau so in der Kühle des Sommerabends unbekleidet im Bett zu liegen, der Liebe zu frönen, wenn man Lust dazu verspürte, zu sprechen, was einem gerade einfiel, nicht zum Aufstehen gezwungen zu sein, sondern einfach dazuliegen und den friedvollen Geräuschen von draußen zu lauschen. Konnte es einmal eine Zeit gegeben haben, wo das selbstverständlich schien? Julia erwachte, rieb sich die Augen und richtete sich auf den Ellenbogen auf, um nach dem Petroleumkocher zu sehen.

»Das halbe Wasser ist verkocht«, sagte sie. »Ich stehe gleich auf und mache Kaffee. Wir haben noch eine Stunde Zeit. Wann wird in eurem Block das Licht ausgeschaltet?«

»Um dreiundzwanzig Uhr dreißig.«

»Im Heim um dreiundzwanzig Uhr. Aber man muß schon früher zu Hause sei, weil... Huch! Mach, daß du wegkommst, du Biest!«

Sie machte plötzlich eine Drehung im Bett, hob einen Schuh vom Boden auf und warf ihn wuchtig mit einer jungenhaften Armbewegung in die Ecke, mit der gleichen Bewegung, mit der er sie an jenem Vormittag während der *Zwei-Minuten-Haß-Sendung* das Wörterbuch nach Goldstein hatte schleudern sehen.

»Was ist los?« fragte er erstaunt.

»Eine Ratte. Ich sah, wie sie ihre ekelhafte Schnauze hinter der Holzleiste hervorstreckte. Dort drüben ist ein Loch. Jedenfalls habe ich ihr einen tüchtigen Schrecken eingejagt.«

»Ratten!« murmelte Winston. »In diesem Zimmer!«

»Sie treiben sich überall herum«, sagte Julia gleichgültig, während sie sich wieder hinlegte. »Im Heim haben wir sogar welche in der Küche. In manchen Teilen Londons wimmelt es von ihnen. Wußtest du, daß sie an kleine Kinder herangehen? Doch, bestimmt, das tun sie. In manchen von diesen Straßen wagen die Frauen ihre Kinder nicht zwei Minuten allein zu lassen. Die großen braunen machen das. Und das Scheußlichste ist, daß die Biester...«

»Hör auf!« sagte Winston, die Augen fest geschlossen.

»Liebster! Du bist ja ganz blaß geworden. Was fehlt dir? Wird dir von ihnen schlecht?«

»Von allen Scheußlichkeiten der Welt sind Ratten...«

Sie preßte sich eng an ihn und umschlang ihn mit ihren Gliedern, wie um ihn mit der Wärme ihres Körpers zu beruhigen. Er öffnete die Augen nicht gleich wieder. Ein Paar Augenblicke lang hatte er das Gefühl gehabt, von neuem in den Angsttraum versetzt zu werden, der ihn sein ganzes Leben hindurch von Zeit zu Zeit verfolgt hatte. Es war immer so ziemlich dasselbe. Er stand vor einer Mauer aus Dunkelheit, jenseits der etwas Unerträgliches lauerte, etwas, das zu schrecklich war, um seinen Anblick noch erträglich sein zu lassen. Im Traum war dabei sein tiefstes Gefühl immer, daß er sich etwas vormachte, daß er in Wirklichkeit genau wußte, was hinter der dunklen Mauer war. Mit einer unerhörten Anstrengung, als reiße er sich ein Stück aus dem eigenen Gehirn, hätte er das Verborgene sogar ans Licht zerren können. Er wachte immer auf, ohne zu erfahren, was es eigentlich war: aber irgendwie hing es damit zusammen, wovon Julia gesprochen hatte, als er sie unterbrach.

»Verzeih«, sagte er, »es ist nichts. Ich kann nun einmal Ratten nicht ausstehen, das ist alles.«

»Mach dir keine Sorgen, Liebster, wir werden die elenden Biester hier nicht hereinlassen. Ich werde das Loch mit etwas Sackleinen zustopfen, bevor wir gehen. Und wenn wir das nächste Mal herkommen, bring ich Gips mit und schmiere es ordentlich zu.«

Schon war der dunkle Augenblick der Panik halb vergessen. Etwas beschämt über sich selbst setzte er sich auf, gegen das

Kopfteil des Bettes gestützt. Julia stand auf, zog ihren Trainingsanzug an und machte den Kaffee. Der aus dem Topf aufsteigende Duft war so stark und betäubend, daß sie die Fenster schlossen, damit niemand draußen es merken und vielleicht neugierig werden konnte. Doch fast noch besser als der Geschmack des Kaffees war die seidige Weiche, die ihm der Zucker verlieh, etwas, das Winston nach Jahren des Sacharins nahezu vergessen hatte. Eine Hand in der Tasche, in der anderen ein Marmeladebrot, ging Julia im Zimmer umher, betrachtete gleichgültig das Büchergestell, zeigte ihm, wie man den Klapptisch am besten reparieren könnte, ließ sich in den abgenutzten Lehnstuhl fallen, um zu sehen, ob er bequem war, und untersuchte mit einem nachsichtigen Lächeln die komische zwölfziffrige Uhr. Sie brachte den gläsernen Briefbeschwerer herüber ans Bett, um ihn bei besserem Licht betrachten zu können. Er nahm ihn ihr aus der Hand, wie immer fasziniert von der gedämpften, regenwasserartigen Beschaffenheit des Glases.

»Wozu ist das deiner Ansicht nach?« fragte Julia.

»Ich glaube, es hat kein ›Wozu‹ – ich meine, ich glaube nicht, daß es jemals einem Zweck gedient hat. Das mag ich so gerne daran. Es ist ein Stückchen Geschichte, das sie zu verfälschen vergessen haben. Es ist, wenn man sie zu lesen versteht, eine Botschaft aus der Zeit vor hundert Jahren.«

»Und dieses Bild dort drüben« – sie deutete mit dem Kopf nach dem Stich an der gegenüberliegenden Wand –, »ist das auch hundert Jahre alt?«

»Noch mehr. Zweihundert würde ich sagen. Man weiß es nicht. Man kann heutzutage unmöglich das Alter irgendeiner Sache feststellen.« Sie ging hinüber, um es näher zu betrachten. »Da hat das Biest seine Nase herausgestreckt«, sagte sie dabei und versetzte gerade unter dem Bild der Holzleiste einen Tritt. »Was ist das für ein Gebäude? Ich habe es schon irgendwo gesehen.«

»Eine Kirche – jedenfalls war es früher eine. St. Clement's Dane hieß sie.« Die Verszeile, die Mr. Charrington ihn gelehrt hatte, fiel ihm wieder ein, und er fügte halb sehnsüchtig hinzu:

»Oranges and lemons, say the bells of St. Clement's!«

Zu seinem Erstaunen ergänzte sie den Reim:

»›You owe me three farthings,
Say the bells of St. Martin's,
When will you pay me?
Say the bells of Old Bailey –‹

Ich weiß nicht, wie es danach weitergeht. Aber jedenfalls erinnere ich mich, wie es schließt: *›Here comes a candle to light you to bed, here comes a chopper to chop off your head!‹«*

Es war wie die zwei Stichworte eines Erkennungszeichens. Aber es mußte nach *»the bells of Old Bailey«* noch ein anderer Vers kommen. Vielleicht konnte man ihn aus Mr. Charringtons Erinnerung ausgraben, wenn er gerade in der richtigen Stimmung war.

»Wer hat dir das beigebracht?« fragte er.

»Mein Großvater. Er sagte es mir immer vor, als ich ein kleines Mädchen war. Er wurde vaporisiert, als ich acht Jahre alt war – jedenfalls verschwand er spurlos. Ich würde gern wissen, was eine Zitrone ist«, fügte sie sprunghaft hinzu. »Orangen habe ich gesehen. Es sind so runde gelbe Früchte mit einer dikken Schale.«

»Ich kann mich auch noch auf Zitronen besinnen«, sagte Winston. »Sie waren in den fünfziger Jahren etwas ganz Gewöhnliches. Sie waren so sauer, daß schon allein beim Riechen der Mund zusammengezogen wurde.«

»Ich wette, hinter diesem Bild sind Wanzen«, sagte Julia. »Ich werde es gelegentlich herunternehmen und tüchtig saubermachen. Ich glaube, es ist langsam Zeit zum Aufbrechen. Ich muß anfangen, mir diese Schminke abzuwaschen. Wie schade! Hinterher werde ich dir den Lippenstift vom Gesicht abwischen.«

Winston blieb noch ein paar Minuten länger liegen. Im Zimmer wurde es immer dunkler. Er drehte sich dem Lichte zu und starrte auf den gläsernen Briefbeschwerer. Das unerschöpflich Interessante daran war nicht so sehr das Stück Koralle als das Innere des Glases selbst. Es hatte eine solche Tiefe, dabei war es fast so durchsichtig wie Luft. Es war, als sei die Oberfläche des Glases die Himmelskuppel, die eine winzige Welt mit ihrer ganzen Atmosphäre einschloß. Er hatte das Gefühl, als könnte er in sie hineintreten, ja, als lebe er in Wirklichkeit darin, zusammen mit dem Mahagonibett und dem Klapptisch, der Uhr, dem Stahlstich und dem Briefbeschwerer selbst. So glich der Briefbeschwerer dem Zimmer, in dem er sich befand, und die Koralle seinem Leben und dem Julias, das im Herzen des Kristalls gleichsam wie für die Ewigkeit im Panzer lag.

V

Syme war plötzlich verschwunden. Eines Morgens fehlte er bei der Arbeit: ein paar gedankenlose Leute sprachen über sein Fortbleiben, doch am nächsten Tag erwähnte ihn niemand mehr. Drei Tage später ging Winston in die Vorhalle seiner Abteilung, um auf dem Anschlagbrett etwas nachzusehen. Einer der Anschläge bestand aus einer gedruckten Liste des Schachkomitees, dem Syme angehört hatte. Sie sah fast genauso aus wie vorher – keine Zeile war durchgestrichen –, aber sie war um einen Namen kürzer geworden. Das genügte. Syme hatte aufgehört zu existieren oder richtiger: Er hatte nie existiert.

Das Wetter war von einer Backofenhitze. Im Labyrinth des Ministeriums zwar behielten die fensterlosen Räume ihre automatisch geregelte Normaltemperatur bei, draußen aber versengte einem das Pflaster beinahe die Schuhsohlen, und während der Hauptverkehrsstunden war in der Untergrundbahn die Stickluft grauenhaft. Die Vorbereitungen für die *Haß-Woche* waren in vollem Gange, und die Belegschaften aller Ministerien machten Überstunden. Umzüge, Versammlungen, Paraden, Vorträge, Ausstellungen, Filmvorführungen, Fernsehprogramme – alles das mußte vorbereitet, Tribünen mußten erbaut, Bilder zur öffentlichen Verbrennung hergestellt, Parolen geprägt, Lieder verfaßt, Gerüchte in Umlauf gesetzt und Fotografien gefälscht werden. Julias Gruppe in der Literaturabteilung war von der Romanproduktion abgezogen worden und arbeitete mit Hochdruck an der Fertigstellung einer Serie von Greuelflugschriften. Winston verwandte neben seiner sonstigen Arbeit täglich viele Stunden darauf, im Archiv aufbewahrte frühere Nummern der *Times* nachzuprüfen und Angaben darin abzuändern und zurechtzufrisieren, die in Reden zitiert werden sollten. Spät in der Nacht, während Scharen lärmender Proles die Straßen bevölkerten, hing eine merkwürdige fieberhafte Stimmung über der Stadt. Raketenbomben krachten öfter als je zuvor, und manchmal erfolgten in weiter Ferne riesige Explosionen, die sich niemand erklären konnte und über die wilde Gerüchte im Umlauf waren.

Das neue Lied, das zum Hauptschlager der *Haß-Woche* bestimmt war (es hieß schlechthin »Der Haßgesang«), war bereits fertig und wurde unablässig aus den Televisoren geschmettert. Es hatte einen wilden, kläffenden Rhythmus, der nicht eigentlich als Musik bezeichnet werden konnte, sondern nur wie Trommelschläge klang. Von Hunderten von Stimmen zum Gleichschritt marschierender Füße gebrüllt, klang es wahrhaft erschreckend. Doch die Proles hatten Gefallen daran gefunden, und auf den mitternächtlichen Straßen machte es dem noch immer populären *»Man sagt, die Zeit heile alles«* starke Konkurrenz. Die Parsonskinder bliesen es zu allen Tag- und Nachtzeiten bis zum Auswachsen auf einem Kamm und einem Blatt Toilettenpapier. Winstons Abende waren ausgefüllter denn je. Von Parsons zusammengetrommelte Freiwilligentrupps schmückten die Straße für die *Haß-Woche*, nähten Fahnen, malten Plakate, richteten Fahnenstangen auf den Dächern auf und spannten unter Lebensgefahr Seile für Spruchbänder und Wimpel über die Straße. Parsons brüstete sich, allein am Victory-Block würden vierhundert Meter Fahnentuch flattern. Er war ganz in seinem Element und glücklich wie ein Fisch im Wasser. Die Hitze und die körperliche Arbeit hatten ihm einen Vorwand geliefert, des Abends wieder zur Tracht der kurzen Hose und des offenen Hemdes zurückzukehren. Er war überall gleichzeitig, zog, schob, sägte, hämmerte, legte mit Hand an und ermunterte jedermann mit kleinen Witzchen und kameradschaftlichen Ermahnungen, während aus jeder Falte seines Körpers der scharfe Geruch eines scheinbar unerschöpflichen Schweißvorrats strömte.

Ein neues Plakat war plötzlich in London aufgetaucht. Es hatte keinen Begleittext, sondern stellte nur die drei oder vier Meter hohe, erschreckende Gestalt eines eurasischen Soldaten dar, der mit ausdruckslosem Mongolengesicht und riesigen Stiefeln, eine Maschinenpistole im Anschlag, auf den Beschauer zumarschierte. Die Mündung des perspektivisch verkürzten Laufes schien, aus welchem Gesichtswinkel man das Plakat auch betrachtete, immer geradewegs auf den Beschauer gerichtet. Das Plakat war an jeder freien Mauer angeklebt, so daß es sogar die Bilder des Großen Bruders an Zahl übertraf. Die Proles, die gewöhnlich dem Krieg gleichgültig gegenüberstanden, wurden dadurch in einen ihrer periodischen Ausbrüche von Patriotismus versetzt. Die Raketenbomben hatten, als wollten sie hinter der allgemeinen Stimmungsmache nicht zurückstehen, mehr Menschen als sonst getötet. Eine fiel auf ein vollbesetztes Kino im Stadtteil Stephney, wobei mehrere hundert Opfer unter den Trümmern verbrannten. Die gesamte Bevölkerung der Umgegend nahm an der umständlichen, gründlich organisierten Beisetzung teil, die Stunden dauerte und eine wahre Protestkundgebung war. Eine andere Bombe fiel auf ein unbebautes Terrain, das als Spielplatz diente, und riß mehrere Dutzend Kinder in Stücke. Erneute Protestkundgebungen fanden statt, ein Bildnis Goldsteins wurde symbolisch verbrannt, viele hundert Plakate mit dem eurasischen Soldaten wurden spontan abgerissen und in die Flammen geworfen, und eine Anzahl Läden wurde in dem Tumult geplündert. Dann verbreitete sich ein Gerücht, daß Spione die Salven der Raketenbomben mit Hilfe von Radiowellen lenkten, worauf das Haus eines alten Ehepaars, das man ausländischer Abstammung verdächtigte, in Brand gesteckt wurde und die beiden in den Flammen umkamen.

Jetzt, seit Winston einen sicheren Unterschlupf, fast ein Zuhause hatte, schien es kaum noch eine so große Unbequemlichkeit, daß sie sich nur selten und immer nur für ein paar Stunden treffen konnten. Wichtig war allein, daß es das Zimmer über dem Altwarenladen überhaupt gab. Zu wissen, daß es unversehrt auf sie wartete, war fast so gut, wie sich darin aufzuhalten. Das Zimmer war eine Welt für sich, ein Schlupfwinkel der Vergangenheit, in dem sich längst ausgestorbene Tiere tummeln konnten. Mr. Charrington, dachte Winston, war auch so ein ausgestorbenes Tier. Bevor er ins obere Stockwerk hinaufging, blieb Winston gewöhnlich stehen, um ein paar Minuten mit Mr. Charrington zu plaudern. Der alte Mann schien selten oder nie aus dem Haus zu gehen und andererseits so gut wie keine Kunden zu haben. Er führte ein gespenstisches Leben zwischen dem winzigen, dunklen Laden und einer noch winzigeren, nach dem Hof hinaus gelegenen Küche, wo er seine Mahlzeiten zubereitete und wo es unter anderem ein unglaublich altes Grammophon mit einem riesigen Schalltrichter gab. Er schien sich über die Gelegenheit zu einer Unterhaltung zu freuen. Wenn er zwischen seinen wertlosen Trödlerwaren mit seiner langen Nase, der dicken Brille und den gebeugten Schultern in seiner Samtjacke umherging, sah er eher wie ein Sammler als wie ein Händler aus. Mit einer etwas matten Leidenschaft fingerte er an diesem oder jenem Stück seines alten Krimskrams herum – einem Flaschenstöpsel aus Porzellan, dem bemalten Deckel einer zerbrochenen Schnupftabakdose, einem unechten Medaillon mit der Haarlocke eines längst verstorbenen Kindes –, ohne Winston jemals zum Kauf, sondern nur zur Bewunderung aufzufordern. Wenn man mit ihm sprach, war es, als lausche man dem Zirpen einer ausgeleierten Spieldose.

Er hatte aus den Winkeln seines Gedächtnisses noch ein paar Zeilen aus vergessenen Reimen hervorgeholt. »Mir kam nur eben der Gedanke, es könnte Sie vielleicht interessieren«, pflegte er mit einem um Verzeihung heischenden, kurzen Lachen zu sagen, wenn er eine neue Verszeile aufsagte. Aber er konnte sich nie an mehr als an ein Zeilenpaar mit einem Reim erinnern.

Winston und Julia wußten – und in gewisser Weise verließ sie dieses Bewußtsein nie –, daß ihr Treiben hier nicht lange dauern konnte. Es gab Zeiten, in denen die über ihnen hängende Todesdrohung so greifbar schien wie das Bett, auf dem sie lagen, dann klammerten sie sich mit einer verzweifelten Sinnlichkeit aneinander, wie eine verdammte Seele nach dem letzten Strohhalm der Lust greift, wenn in fünf Minuten ihr letztes Stündlein schlägt. Aber es gab auch Zeiten, in denen sie sich nicht nur in Sicherheit wiegten, sondern sich auch ganz der Illusion hingaben, daß ihr Zustand von Dauer sei. Solange sie sich in diesem Zimmer aufhielten, konnte ihnen – so fühlten beide – nichts Schlimmes widerfahren. Der Anmarschweg war zwar schwierig und gefährlich, aber das Zimmer selbst war eine Freistatt. Es war für Winston, als ob er in das Innere seines Briefbeschwerers geblickt hätte, mit dem Gefühl, es sei möglich, in diese gläserne Welt einzudringen und dann, wenn man erst einmal darin war, der Zeit Einhalt zu gebieten. Oft überließen sie sich Wunschträumen von einer Flucht. Ihr Glück würde ewig währen, und sie würden ganz einfach für den Rest des ihnen zugemessenen Lebens einander weiter lieben wie bisher. Oder Katherine würde sterben und ihnen würde durch vorsichtiges Manövrieren gelingen, sich zu heiraten. Oder sie würden gemeinsam Selbstmord begehen; oder von der Bildfläche verschwinden, ihr Äußeres bis zur Unkenntlichkeit verändern, im Dialekt der Proles sprechen lernen, in einer Fabrik arbeiten und ihr Leben unentdeckt in irgendeiner Hintergasse zu Ende leben. All das war, wie sie sehr wohl wußten, barer Unsinn. In Wirklichkeit gab es kein Entrinnen. Sogar den einzig durchführbaren Plan, nämlich Selbstmord zu verüben, beabsichtigten sie nicht wirklich auszuführen. Von Tag zu

Tag und von Woche zu Woche weiterzumachen, eine Gegenwart zu genießen, die keine Zukunft hatte, schien ein unüberwindlicher Instinkt zu fordern, genauso wie die Lungen eines Menschen immer weiter atmen, solange noch Luft da ist.

Manchmal sprachen sie davon, sich offen gegen die Partei aufzulehnen, ohne jedoch eine Ahnung zu haben, wie der erste Schritt dabei aussehen sollte. Sogar wenn es die legendäre *»Brüderschaft«* in Wirklichkeit gab, blieb doch die Schwierigkeit, den Weg zu ihr zu finden. Er erzählte ihr von dem seltsamen Einverständnis, das zwischen ihm und O'Brien herrschte oder vielmehr zu herrschen schien, und von dem Verlangen, das er manchmal verspürte, ganz einfach vor O'Brien hinzutreten, ihm zu gestehen, daß er ein Feind der Partei sei, und ihn um seine Hilfe zu bitten. Merkwürdigerweise kam das Julia nicht als ein vorschneller Schritt vor. Sie pflegte die Menschen nach ihrem Gesicht zu beurteilen, und es schien ihr natürlich, daß Winston auf Grund eines einzigen Blickwechsels O'Brien für vertrauenswürdig hielt. Außerdem nahm sie als sicher an, daß jeder – oder doch fast jeder – die Partei insgeheim haßte und gegen die Gesetze verstieß, sobald er glaubte, das ungestraft tun zu können. Aber sie bezweifelte entschieden, daß es eine weitverzweigte, organisierte Gegenbewegung gab oder geben konnte. Die Geschichten von Goldstein und seiner Untergrundbewegung, meinte sie, wären völliger Unsinn, den die Partei zu ihren Zwecken erfunden hatte und von dem man nur so tun mußte, als glaubte man ihn. Unzählige Male hatte sie bei Parteiversammlungen und spontanen Kundgebungen mit vollem Stimmenaufwand die Hinrichtung von Menschen gefordert, deren Namen sie nie zuvor gehört hatte und an deren angebliche Verbrechen sie nicht im entferntesten glaubte. Wenn Schauprozesse stattfanden, hatte sie ihren Platz unter der Abordnung der *Jugendliga* eingenommen, die von morgens bis abends vor dem Gerichtsgebäude Stellung bezog und in Abständen in den Ruf ausbrach: »Tod den Verrätern!« Während der *Zwei-Minuten-Haß-Sendung* tat sie sich immer vor allen anderen darin hervor, Verwünschungen gegen Goldstein auszustoßen. Trotzdem hatte sie nur ganz unklare Vorstellungen davon, wer Goldstein überhaupt war und welche Doktrin er angeblich vertrat. Sie war nach der Revolution aufgewachsen und zu jung, um sich noch an die ideologischen Kämpfe der fünfziger und sechziger Jahre zu erinnern. So etwas wie eine unabhängige politische Bewegung ging über ihr Vorstellungsvermögen hinaus: Die Partei blieb ein für allemal unbesieglich. Sie würde immer da sein, und alles würde immer so bleiben, wie es war. Man konnte sich nur durch geheimen Ungehorsam dagegen auflehnen oder höchstens durch einzelne Terrorakte – indem man jemand umbrachte oder etwas in die Luft sprengte.

In mancher Beziehung sah sie viel klarer als Winston und war weit weniger für Parteipropaganda empfänglich. Als er einmal zufällig in irgendeinem Zusammenhang die Rede auf den Krieg gegen Eurasien brachte, verblüffte sie ihn, indem sie ganz beiläufig sagte, ihrer Meinung nach gebe es diesen Krieg überhaupt nicht. Die täglich in London einschlagenden Raketenbomben würden vermutlich von der Regierung Ozeaniens selbst abgefeuert, »nur um die Leute in Furcht und Schrecken zu halten«. Das war ein Gedanke, der ihm buchstäblich noch nie in den Sinn gekommen war. Sie weckte auch so etwas wie Neid in ihm durch ihre Bemerkung, sie habe alle Mühe, während der *Zwei-Minuten-Haß-Sendung* nicht lachend herauszuplatzen. Sie stellte aber die Parteidoktrin nur in Frage, wenn sie irgendwie ihr eigenes Leben berührte. Oft nahm sie die amtliche Phantasiedarstellung einfach deshalb bereitwillig hin, weil ihr der Unterschied zwischen Wahrheit und Lüge ganz unwichtig schien. Sie glaubte zum Beispiel, wie man es ihr in der Schule beigebracht hatte, daß die Partei das Flugzeug erfunden habe. (Während seiner eigenen Schulzeit Ende der fünfziger Jahre, erinnerte sich Winston, hatte die Partei nur Anspruch auf die Erfindung des Helikopters erhoben; eine Generation später würde sie auch noch die Dampfmaschine als ihre Erfindung beanspruchen.) Und als er ihr erzählte, es habe schon vor seiner Geburt und lange vor der Revolution Flugzeuge gegeben, war ihr diese Tatsache völlig uninteressant.

Was lag im Grunde schon daran, wer das Flugzeug erfunden hatte? Fast noch größer war die Enttäuschung für ihn, als er auf Grund einer zufälligen Bemerkung feststellte, daß sie sich nicht erinnerte, daß Ozeanien vor vier Jahren Krieg mit Ostasien und Frieden mit Eurasien gehabt hatte. Sie betrachtete zwar den ganzen Krieg als fingiert, hatte aber offenbar überhaupt nicht bemerkt, daß der Name des Feindes sich geändert hatte. »Ich dachte, wir hätten immer mit Eurasien Krieg gehabt«, sagte sie leichthin. Es erschreckte ihn ein wenig. Die Erfindung des Flugzeugs datierte lange vor ihrer Geburt, aber die Verlagerung des Krieges hatte erst vor vier Jahren stattgefunden, geraume Zeit nachdem sie erwachsen war. Er rechnete ihr das etwa eine Viertelstunde lang vor. Zum Schluß gelang es ihm, ihr Erinnerungsvermögen soweit zu wecken, bis sie sich undeutlich entsann, daß einmal Ostasien und nicht Eurasien der Feind gewesen war. Aber diese Feststellung kam ihr noch immer unwichtig vor. »Was liegt schon daran?« sagte sie ungeduldig. »Immer ist es ein blöder Kieg nach dem anderen, und man weiß, daß die Berichte sowieso alle erlogen sind.«

Manchmal sprach er mit ihr über die Registraturabteilung und die schamlosen Fälschungen, die er dort beging. Solche Dinge schienen sie nicht zu entsetzen. Sie fühlte bei der Vorstellung, wie Lügen zu Wahrheit wurden, nicht den Abgrund, der sich damit vor ihren Füßen auftat. Er erzählte ihr die Geschichte von Jones, Aaronson und Rutherford und dem bedeutungsvollen Zeitungsausschnitt, den er in Händen gehalten hatte. Sie machte keinen großen Eindruck auf sie. Zuerst entging ihr sogar der springende Punkt der ganzen Geschichte.

»Waren es Freunde von dir?« fragte sie.

»Nein, ich habe sie nie gekannt. Sie waren Mitglieder der Inneren Partei. Übrigens viel ältere Männer als ich. Sie gehörten noch der alten Zeit an, der Zeit vor der Revolution. Ich kannte sie kaum vom Sehen.«

»Warum machst du dir dann Gedanken darüber? Die ganze Zeit werden doch Menschen umgebracht, oder nicht?«

Er versuchte, es ihr begreiflich zu machen. »Hier handelt es sich um einen besonderen Fall. Es handelt sich nicht nur darum, daß irgendeiner umgebracht wurde. Bist du dir bewußt, daß die Vergangenheit, vom gestrigen Tage angefangen, tatsächlich ausgelöscht ist? Wenn sie noch irgendwo fortbesteht, so nur in ein paar leblosen Gegenständen, die den Mund nicht auftun können, wie dieses Stück Glas dort. Buchstäblich wissen wir bereits so gut wie nichts von der Revolution und den Jahren vor der Revolution. Jede Aufzeichnung wurde vernichtet oder verfälscht, jedes Buch überholt, jedes Bild übermalt, jedes Denkmal, jede Straße und jedes Gebäude umbenannt, jedes Datum geändert. Und dieses Verfahren geht von Tag zu Tag und von Minute zu Minute weiter. Die geschichtliche Entwicklung hat aufgehört. Es gibt nur noch eine unabsehbare Gegenwart, in der die Partei immer recht behält. Freilich weiß ich, daß die Vergangenheit gefälscht ist, aber ich könnte es niemals beweisen, sogar in den Fällen, wo ich die Fälschung selbst vorgenommen habe. Nachdem die Sache einmal getan ist, bleibt nie ein Beweisstück zurück. Der einzige Beweis lebt in meinem Geist, und ich habe nicht die geringste Gewißheit, daß auch nur ein einziger Mensch auf der Welt die gleiche Erinnerung hat. Nur in diesem einen Fall habe ich einen wirklichen handgreiflichen Beweis *nach* dem Geschehnis besessen, und zwar zwei Jahre danach.«

»Und wozu war das gut?«

»Zu nichts, denn ich warf ihn ein paar Minuten später fort. Aber wenn mir dasselbe heute passierte, würde ich ihn aufbewahren.«

»Ich nicht«, meinte Julia. »Ich bin zwar durchaus bereit, ein Risiko einzugehen, aber nur wenn es sich lohnt, nicht für einen Ausschnitt aus einer alten Zeitung. Was hättest du schon damit anfangen können, selbst wenn du es behalten hättest?«

»Vielleicht nicht viel. Aber es war ein Beweisstück. Es hätte vielleicht da und dort einige Zweifel geweckt, falls ich gewagt hätte, es jemandem zu zeigen. Wenn ich mir auch nicht vorstellen kann, daß wir zu unseren Lebzeiten etwas ändern können, so kann man sich doch denken, daß da und dort kleine Widerstandsgruppen entstehen – kleine Gruppen von ein paar Menschen, die sich zusammenschließen und die dann langsam größer werden und sogar ein paar Aufzeichnungen hinterlassen, so daß die nächste Generation da weitermachen kann, wo wir aufgehört haben.«

»Die nächste Generation geht mich nichts an, mein Lieber. Mich interessieren nur *wir.*«

»Du bist eine Revolutionärin von der Taille abwärts«, sagte Winston.

Sie fand das ungemein witzig und warf ihm entzückt die Arme um den Nacken.

Die Spitzfindigkeiten der Parteidoktrin interessierten sie nicht im geringsten. Wenn er von den Grundgesetzen des *Engsoz,* dem Zwiedenken, der Wandelbarkeit der Vergangenheit, der Leugnung einer objektiven Wirklichkeit sprach und Neusprachworte zu verwenden begann, wurde sie gelangweilt und verwirrt und sagte, sie kümmere sich nie um solche Dinge. Man wisse doch, daß das alles Unsinn sei, warum sich also den Kopf damit beschweren? Sie wußte, wann man »Hurra« und wann man »Nieder« schreien mußte, und das sei alles, was man brauche. Wenn er darauf bestand, weiter über diese Themen zu sprechen, hatte sie die aufreizende Gewohnheit, jedesmal einzuschlafen. Sie gehörte zu den Menschen, die zu jeder Tages- und Nachtzeit und in jeder Lage schlafen können. Während er so mit ihr sprach, wurde er sich bewußt, wie leicht es war, sich den Anschein der Strenggläubigkeit zu geben und dabei nicht die leiseste Ahnung zu haben, was Strenggläubigkeit überhaupt bedeutete. In gewisser Weise ließen sich diejenigen am leichtesten von der Parteidoktrin überzeugen, die ganz außerstande waren, sie zu verstehen. Diese Menschen konnte man leicht dazu bringen, die offenkundigsten Vergewaltigungen der Wirklichkeit hinzunehmen, da sie nie ganz die Ungeheuerlichkeit des von ihnen Geforderten begriffen und überhaupt nicht genügend an politischen Fragen interessiert waren, um zu merken, was gespielt wurde. Dank ihrer Unfähigkeit, zu begreifen, blieben sie ganz unbeschadet. Sie schluckten einfach alles, und das Geschluckte schadete ihnen nichts weiter und ließ nichts zurück, genau wie ein Getreidekorn unverdaut durch den Magen eines Vogels hindurchgeht.

VI

Endlich war es soweit. Die erwartete Botschaft war gekommen. Sein ganzes Leben lang, schien es ihm, hatte er darauf gewartet. Er ging den langen Gang im Ministerium hinunter und war beinahe gerade an der Stelle angekommen, an der Julia ihm den Zettel in die Hand gedrückt hatte, als er merkte, daß jemand von größerer Statur unmittelbar hinter ihm herging. Der Betreffende, wer immer es sein mochte, ließ ein leises Hüsteln hören, offenbar als Einleitung zu einem Gespräch. Winston blieb unvermittelt stehen. Es war O'Brien.

Endlich standen sie sich von Angesicht zu Angesicht gegenüber, und sein erster Impuls war davonzulaufen. Sein Herz klopfte heftig. Er hätte kein Wort hervorbringen können. O'Brien jedoch war ruhig weitergegangen, er legte einen Augenblick freundlich die Hand auf Winstons Arm, so daß sie jetzt nebeneinander hergingen. Er begann mit der eigentümlich ernsten Liebenswürdigkeit zu sprechen, die ihn von der Mehrzahl der Inneren Parteimitglieder unterschied.

»Ich hatte schon immer auf eine Möglichkeit gehofft, mit Ihnen zu sprechen«, sagte er. »Ich las kürzlich einen Ihrer Neusprachartikel in der *Times*. Sie haben ein lebhaftes wissenschaftliches Interesse für die Neusprache, wie ich wohl annehmen darf?«

Winston hatte sich wieder einigermaßen in der Gewalt. »Nicht so sehr ein wissenschaftliches«, sagte er. »Ich bin nur ein Amateur. Es ist nicht mein Fach. Ich hatte nie etwas mit der eigentlichen Gestaltung der Sprache zu tun.«

»Aber Sie schreiben sehr gewählt«, sagte O'Brien. »Das ist nicht nur meine Meinung. Ich sprach unlängst mit einem Ihrer Freunde darüber, der zweifellos ein Fachmann ist. Sein Name ist mir im Augenblick entfallen.«

Wieder gab es Winston einen schmerzlichen Stich im Herzen. Unmöglich konnte es sich hier um etwas anderes handeln als um eine Anspielung auf Syme. Aber Syme war nicht nur tot, er war vollkommen beseitigt worden, eine *Unperson*. Jede deutliche Anspielung auf ihn wäre lebensgefährlich gewesen. O'Briens Bemerkung mußte offensichtlich als Zeichen, als ein Stichwort gemeint gewesen sein. Indem sie so gemeinsam ein kleines Gedankenverbrechen begingen, hatte er sie beide zu Komplizen gemacht. Sie waren langsam weiter den Gang hinuntergeschlendert, jetzt aber blieb O'Brien stehen. Mit der merkwürdigen, entwaffnenden Freundlichkeit rückte er seine Brille zurecht. Dann fuhr er fort:

»Was ich eigentlich sagen wollte, war, daß ich in Ihrem Artikel auf zwei Worte gestoßen bin, die außer Kurs gesetzt worden sind, doch erst seit ganz kurzer Zeit. Haben Sie die zehnte Ausgabe des Neusprach-Wörterbuches gesehen?«

»Nein«, antwortete Winston. »Ich dachte, sie ist noch nicht erschienen. Wir in der Registratur benutzen noch immer die neunte.«

»Die zehnte Ausgabe soll meines Wissens auch erst in einigen Monaten erscheinen. Aber ein paar Exemplare wurden bereits verteilt. Ich besitze selbst eines. Es interessiert Sie vielleicht, es einmal anzusehen?«

»Sehr sogar«, sagte Winston und erkannte sofort, worauf das hinauswollte.

»Manche Neuerungen sind höchst genial. Zum Beispiel die Verminderung der Zeitwörter – das wird Ihnen, glaube ich, besonders gefallen. Passen Sie auf, soll ich einen Boten mit dem Wörterbuch zu Ihnen schicken? Aber ich fürchte, ich vergesse das wieder. Vielleicht könnten Sie es zu einer Ihnen passenden Zeit in meiner Wohnung abholen? Warten Sie, ich gebe Ihnen meine Adresse.«

Sie standen vor einem Televisor. Etwas zerstreut tastete O'Brien zwei seiner Taschen ab und zog dann ein kleines ledergebundenes Notizbuch und einen goldenen Tintenstift hervor. Unmittelbar unter dem Televisor, so daß jeder Beobachter am anderen Ende des Apparates sehen konnte, was er schrieb, kritzelte er eine Adresse, riß das Blatt heraus und überreichte es Winston.

»Ich bin an den Abenden gewöhnlich zu Hause«, sagte er. »Wenn nicht, gibt Ihnen mein Diener das Wörterbuch.«

Er war gegangen, während Winston stehenblieb, das Blatt Papier in den Händen, das diesmal nicht versteckt zu werden brauchte. Trotzdem prägte er sich sorgfältig das darauf Geschriebene ein und warf es ein paar Stunden später mit lauter anderen Papieren in das *Gedächtnis-Loch.*

Sie hatten sich allerhöchstens zwei Minuten miteinander unterhalten. Es gab nur eine Interpretation für diese Begegnung. Sie war in die Wege geleitet worden, um Winston die Adresse O'Briens wissen zu lassen. Das war notwendig, denn nur durch direktes Befragen konnte man herausfinden, wo jemand wohnte. Es gab keine Adreßbücher irgendwelcher Art. »Sollten Sie mich einmal sprechen wollen, so bin ich dort zu finden«, hatte O'Brien zu ihm gesagt. Vielleicht war sogar irgendwo in dem Wörterbuch eine Mitteilung versteckt. Aber eines war jedenfalls gewiß. Es gab die Verschwörung, von der er geträumt hatte, und er war mit ihren Ausläufern in Berührung gekommen.

Er wußte, daß er früher oder später O'Briens Aufforderung nachkommen würde. Jedenfalls hatte eine vor Jahren begonnene Entwicklung nunmehr Gestalt angenommen. Der erste Schritt war ein geheimer, ungewollter Gedanke gewesen, der zweite der Beginn des Tagebuchs. Er war von Gedanken zu Worten geschritten, und jetzt von Worten zu Taten. Die letzte Episode würde sich im Liebesministerium abspielen. Er hatte sich damit abgefunden. Das Ende lag schon im Anfang beschlossen. Aber es war etwas Erschreckendes, oder, genauer gesagt, es war wie ein Vorgeschmack des Todes – so als wäre man schon etwas weniger lebendig. Sogar während er mit O'Brien sprach, hatte seinen Körper ein eisiger Schauer überrieselt, als ihm die Bedeutung der Worte zum Bewußtsein gekommen war. Er hatte das Gefühl, in ein dumpfes Grab hinabzusteigen; und es wurde ihm dadurch nicht viel leichter gemacht, daß er schon immer gewußt hatte, das Grab sei da und warte auf ihn.

VII

Winston war mit tränennassen Augen aufgewacht. Julia schmiegte sich schlaftrunken an ihn und murmelte etwas wie: »Was ist los?«

»Ich habe geträumt...«, begann er und stockte. Es war zu verworren, um es in Worte zu kleiden. Da war einerseits der eigentliche Traum, damit aber war eine Erinnerung verknüpft, die ihm in den paar Sekunden nach dem Erwachen nicht aus dem Kopf gehen wollte.

Er legte sich mit geschlossenen Augen zurück, noch immer in der Atmosphäre des Traumes befangen. Es war ein weitläufiger, leuchtender Traum, in dem sein ganzes Leben vor ihm ausgebreitet zu sein schien, wie eine Landschaft an einem Sommerabend nach dem Regen. Alles hatte sich im Innern des gläsernen Briefbeschwerers abgespielt, aber die Oberfläche des Glases war die Himmelskuppel, und innerhalb der Kuppel war alles von klarem sanftem Licht durchflutet, in dem man in endlose Fernen blicken konnte. Im Traum war auch die Armbewegung vorgekommen – ja, sie spielte in gewissem Sinne die Hauptrolle darin –, die seine Mutter und dreißig Jahre später die jüdische Frau in der Wochenschau gemacht hatte, die Armbewegung, mit der sie den kleinen Jungen vor den Kugeln zu schützen versuchte, ehe die Helikopter sie beide in Fetzen schossen.

»Weißt du«, sagte er, »daß ich bis zu diesem Augenblick geglaubt habe, meine Mutter ermordet zu haben?«

»Warum hast du sie ermordet?« sagte Julia, noch aus dem Schlaf heraus.

»Ich habe sie nicht ermordet. Nicht wirklich.«

In dem Traum hatte er sich an das flüchtige Bild seiner Mutter erinnert, wie er sie zuletzt gesehen hatte, und während der paar Augenblicke des Erwachens waren ihm alle die kleinen damit zusammenhängenden Begleitumstände wieder eingefallen. Es war eine Erinnerung, die er viele Jahre sorgfältig aus seinem Bewußtsein verbannt haben mußte. Er konnte das Datum nicht genau bestimmen, aber er mußte damals schon zehn, zwölf Jahre alt gewesen sein.

Sein Vater war zu einem früheren Zeitpunkt verschwunden; wieviel früher, konnte er sich nicht mehr erinnern. Deutlicher entsann er sich der ungeordneten, unsicheren Lebensumstände der damaligen Zeit: der immer wiederkehrenden Paniken bei Luftangriffen und der Flucht in die Untergrundbahnhöfe, der überall herumliegenden Schutt- und Trümmerhaufen, der an den Straßenecken angeschlagenen unverständlichen Proklamationen, der Umzüge von Jugendlichen, die alle mit gleichfarbigen Hemden bekleidet waren, der riesigen Menschenschlangen vor den Bäckerläden, des abgehackten Knatterns der Maschinengewehre in der Ferne – vor allem aber der Tatsache, daß es niemals genug zu essen gab. Er entsann sich der langen Nachmittage, die er mit anderen Jungen damit verbracht hatte, die Mülltonnen und Abfallhalden zu durchsuchen, um Kohlstrünke, Kartoffelschalen und manchmal sogar vertrocknete Brotkrusten herauszuklauben, von denen sie sorgfältig die Kohlenasche abschabten. Und auch, wie sie auf das Vorbeikommen von Lastautos gewartet hatten, die gewisse Fernfahrten machten und von denen man wußte, daß sie Viehfutter geladen hatten; manchmal fielen, wenn sie an schlechten Stellen über die Straßenlöcher holperten, ein paar Ölkuchenbrocken herunter.

Als sein Vater verschwand, war seiner Mutter weder Erstaunen noch Kummer anzumerken, es ging lediglich eine plötzliche Verwandlung mit ihr vor. Sie schien völlig erloschen. Sogar für Winston war es offensichtlich, daß sie auf ein Ereignis gefaßt war, das nach ihrer Meinung unausweichlich kommen mußte. Sie tat alles Notwendige – kochte, wusch, nähte, machte die Betten, fegte den Fußboden, staubte den Kaminsims ab – immer sehr langsam und unter Vermeidung jeder überflüssigen Bewegung, wie eine zum Leben erwachte Gliederpuppe. Ihr großer wohlgestalteter Körper schien ganz natürlich in Ruhestellung zu fallen. Stundenlang saß sie beinahe regungslos auf dem Bett und streichelte seine kleine Schwester, ein winziges, kränkliches, sehr stilles Kind von zwei oder drei Jahren, mit einem vor Magerkeit affenähnlichen Gesicht. Nur manchmal schloß sie Winston in ihre Arme und preßte ihn lange Zeit wortlos an sich. Er merkte trotz seiner Jugend und seiner Selbstsucht, daß dies etwas mit dem nie ausgesprochenen Ereignis zu tun hatte, das früher oder später eintreten mußte.

Er erinnerte sich an das Zimmer, in dem sie wohnten, einen dunklen, dumpfigen Raum, der zur Hälfte von einem Bett mit einer hellen Steppdecke ausgefüllt schien. In der Wandnische war ein Gaskocher und darüber ein Brett, auf dem Nahrungsmittel lagen, und draußen auf dem Flur gab es ein Ausgußbekken aus braunem Steingut, das mehrere Mieter gemeinsam benützten. Er sah noch den statuenhaften Körper seiner Mutter vor sich, wie er sich über den Kocher beugte, um etwas in einem Kochtopf umzurühren. Vor allem erinnerte er sich an seinen ständigen Hunger und die erbitterten selbstsüchtigen Kämpfe bei den Mahlzeiten. Er pflegte seine Mutter immer wieder vorwurfsvoll zu fragen, warum es denn nicht mehr zu essen gab, er schrie sie an (er erinnerte sich sogar noch an den Klang seiner Stimme, die vorzeitig zu mutieren begann und sich manchmal merkwürdig überschlug) oder versuchte es mit einem weinerlichen Tonfall, um mehr als den ihm zustehenden Anteil zu erhalten. Seine Mutter war gerne bereit, ihm mehr als seinen Anteil zu geben. Sie fand es selbstverständlich, daß »der Junge« die größte Portion bekommen sollte; aber soviel sie ihm auch gab, er verlangte unabänderlich nach mehr. Bei jeder Mahlzeit flehte sie ihn an, nicht egoistisch zu sein und daran zu denken, daß sein Schwesterchen krank sei und auch etwas zu essen brauche, aber es half nichts. Er schrie zornig, wenn sie ihm nichts mehr austeilte, er versuchte, ihr die Schüssel und den Löffel aus der Hand zu reißen, er holte sich einzelne Bissen vom Teller seiner Schwester. Er wußte, daß er die beiden anderen damit zum Verhungern verurteilte, aber es war nichts dagegen zu machen; er hatte sogar das Gefühl, er habe ein Recht dazu. Der nagende Hunger in seiner Magengrube schien ihm eine hinreichende Rechtfertigung. Und wenn seine Mutter nicht aufpaßte, stahl er zwischen den Mahlzeiten von den armseligen Lebensmittelvorräten auf dem Wandbrett.

Eines Tages wurde eine Schokoladeration verteilt. Seit Wochen oder Monaten hatte es keine Zuteilung mehr gegeben. Sie erhielten zu dritt ein Täfelchen im Gewicht von zwei Unzen (damals rechnete man noch nach Unzen), das offensichtlich in drei gleiche Teile geteilt werden sollte. Plötzlich hörte sich Winston, als vernehme er die Stimme eines fremden Menschen, mit schallender Stimme fordern, man solle ihm das ganze Stück geben. Seine Mutter ermahnte ihn, nicht so habgierig zu sein. Ein langes, nicht endenwollendes Hin und Her mit Geschrei, Gejammer, Tränen, Vorwürfen und Feilschen war die Folge. Seine winzige Schwester, die sich genau wie ein kleines Äffchen mit beiden Ärmchen an seine Mutter klammerte, saß dabei und sah ihn über deren Schulter hinweg mit großen traurigen Augen an. Schließlich brach seine Mutter drei Viertel von der Schokolade ab, gab sie Winston und das letzte Viertel seiner Schwester. Das Kind nahm es und sah es mit müdem Blick an; vielleicht wußte es gar nicht, was es war. Winston stand dabei und beobachtete es einen Augenblick. Dann riß er mit einem plötzlichen raschen Sprung seiner Schwester die Schokolade aus der Hand und suchte die Tür zu erreichen.

»Winston! Winston!« rief ihm seine Mutter nach. »Komm her! Gib deiner Schwester die Schokolade zurück!«

Er blieb stehen, kam aber nicht zurück. Die ängstlichen Augen der Mutter waren auf sein Gesicht gerichtet. Sogar in diesem Moment noch dachte sie an das bewußte Ereignis, das bald eintreten mußte und das ihm rätselhaft war. Da seine Schwester gemerkt hatte, daß man ihr etwas weggenommen hatte, war sie in ein schwaches Wehklagen ausgebrochen. Seine Mutter legte den Arm um das Kind und preßte sein Gesicht an ihre Brust. Etwas an dieser Gebärde sagte ihm, daß seine Schwester bald sterben müsse. Er machte kehrt und rannte die Treppe hinunter, in der Hand die sich auflösende Schokolade.

Er sollte seine Mutter nie wiedersehen. Nachdem er die Schokolade verschlungen hatte, schämte er sich ein wenig vor sich selber und trieb sich mehrere Stunden auf der Straße herum, bis ihn der Hunger heimtrieb. Als er nach Hause kam, war seine Mutter verschwunden. Das war zu jener Zeit bereits Normalzustand geworden. Außer seiner Mutter und Schwester fehlte nichts im Zimmer. Sie hatten keine Kleider mitgenommen, nicht einmal den Mantel seiner Mutter. Bis zum heutigen Tag hatte er keine Gewißheit, ob seine Mutter tot war. Es war durchaus möglich, daß sie nur in ein Zwangsarbeitslager verschickt worden war. Was seine Schwester anbetraf, so konnte sie, wie Winston selbst, in ein Heim für elternlose Kinder (Auffanglager zur Ertüchtigung wurden sie genannt) gesteckt worden sein, die als eine Folge des Bürgerkriegs entstanden waren; vielleicht war sie auch zusammen mit der Mutter in ein Arbeitslager verschickt oder einfach irgendwo sich selbst und dem Tod überlassen worden.

Sein Traum stand noch ganz frisch in seinem Gedächtnis, vor allem die einhüllende, schützende Armbewegung, in der die tiefere Bedeutung enthalten zu sein schien. Es fiel ihm ein anderer Traum ein, den er vor zwei Monaten gehabt hatte. Darin hatte seine Mutter genau wie hier mit dem fest an sie geklammerten

Kind auf dem armseligen Bett mit der weißen Decke, tief unter ihm, und mit jedem Augenblick noch tiefer versinkend, in einem untergehenden Schiff gesessen und ihn unverwandt durch das immer dunkler werdende Wasser angeblickt.

Er erzählte Julia die Geschichte von dem Verschwinden seiner Mutter. Ohne die Augen aufzumachen, wälzte sie sich in eine bequemere Lage.

»Vermutlich warst du damals ein widerliches kleines Miststück«, sagte sie ausdruckslos. »Alle Kinder sind Miststücke.«

»Ja, aber der springende Punkt an der Geschichte...«

An ihren Atemzügen war zu merken, daß sie wieder im Begriff war einzuschlafen. Er hätte gerne weiter von seiner Mutter gesprochen. Nach allem, was er von ihr behalten konnte, nahm er nicht an, daß sie eine ungewöhnliche, geschweige denn eine besonders intelligente Frau gewesen war. Und doch war an ihr etwas Edles, eine Art von Lauterkeit, ganz einfach, weil sie sich selber treu geblieben war. Ihre Gefühle kamen tief aus ihrem Inneren und konnten nicht von außen her verändert werden. Es wäre ihr nie in den Sinn gekommen, eine Handlung für bedeutungslos zu halten, weil sie keinen praktischen Zweck hatte. Wenn man jemanden liebte, so liebte man ihn, und wenn man ihm schon nichts anderes zu geben hatte, so schenkte man ihm seine Liebe. Als das letzte Stückchen Schokolade fort war, hatte seine Mutter das Kind in ihre Arme geschlossen. Das hatte keinen Zweck, änderte nichts, schaffte nicht mehr Schokolade herbei, konnte weder den Tod des Kindes noch ihren eigenen verhindern. Aber ihr schien es das Natürliche, so zu handeln. Die Flüchtlingsfrau in dem Boot hatte auch den kleinen Jungen mit ihren Armen gegen den Kugelregen abgeschirmt, was nicht mehr ausrichten konnte als ein Blatt Papier. Die Partei aber suchte einem mit teuflischer Gewalt einzureden, bloße Regungen des Gefühls seien ohne Bedeutung, während sie einen gleichzeitig aller materiellen Freuden des Lebens beraubte. War man erst einmal in ihren Klauen, so bestand buchstäblich kein Unterschied mehr, ob man etwas fühlte oder nicht fühlte, was man tat oder was man unterließ. Was auch geschehen war, eines Tages verschwand man von der Bildfläche, und weder von dem einzelnen Menschen noch von dem, was er getan, war jemals wieder etwas zu hören. Man wurde einfach aus der Geschichte gestrichen. Zwei Generationen früher wäre das dem Menschen nicht so ungeheuer wichtig vorgekommen, denn damals versuchten sie nicht, die Geschichte zu ändern. Sie ließen sich durch selbstauferlegte Sittengesetze lenken, die von ihnen nicht in Frage gestellt wurden. Wichtig waren nur menschliche Beziehungen: eine vollkommen zweckfreie Tat, eine Umarmung, eine Träne, ein zu einem Sterbenden gesprochenes Trostwort konnten an sich wertvoll sein. Die Proles, kam ihm plötzlich zum Bewußtsein, hatten sich diesen Zustand bewahrt. Sie waren nicht einer Partei oder einem Land oder einer Idee ergeben, sondern sich selber treu. Zum erstenmal in seinem Leben verachtete er die Proles nicht, dachte an sie nicht lediglich als an eine dumpfe Kraft, die eines Tages erwachen und die Welt erneuern würde. Die Proles waren menschlich geblieben. Sie waren nicht innerlich verhärtet. Sie hatten sich die primitiven Gefühle erhalten, die er mit bewußtem Bemühen wiedererlernen mußte. Und bei diesen Überlegungen fiel ihm ohne erkennbaren Zusammenhang ein, wie er vor ein paar Wochen eine abgerissene Hand auf dem Pflaster liegen gesehen und sie mit einem Fußtritt in den Rinnstein geschleudert hatte, als sei es ein Kohlstrunk.

»Die Proles sind Menschen«, sagte er laut. »Wir sind keine Menschen.«

»Warum nicht?« fragte Julia, die wieder aufgewacht war.

Er dachte eine Weile nach. »Ist dir je bewußt geworden«, sagte er, »daß es für uns das beste wäre, einfach hier wegzugehen, bevor es zu spät ist, und einander nie mehr wiederzusehen?«

»Ja, Lieber, ich habe manchmal daran gedacht. Aber trotzdem tue ich es nicht.«

»Wir hatten bis jetzt Glück, aber es kann nicht mehr lange so weitergehen. Du bist jung. Du siehst vorschriftsmäßig und harmlos aus. Wenn du Menschen wie mir aus dem Wege gehst, bleibst du vielleicht noch fünfzig Jahre am Leben.«

»Nein. Ich habe mir alles überlegt. Was du tust, das tue ich auch. Und sieh bitte nicht zu schwarz. Ich bin recht geschickt darin, am Leben zu bleiben.«

»Wir können vielleicht noch weitere sechs Monate – vielleicht noch ein Jahr – beisammen bleiben, man kann es nicht wissen. Zum Schluß werden wir mit Gewißheit getrennt. Bist du dir bewußt, wie schrecklich allein wir sein werden? Wenn sie uns erst einmal in den Klauen haben, gibt es nichts, buchstäblich nichts, was wir füreinander tun könnten. Wenn ich ein Geständnis ablege, erschießen sie dich, und wenn ich mich zu gestehen weigere, erschießen sie dich genauso. Nichts, was ich mir zu tun oder zu sagen oder zu verschweigen vornehmen kann, kann deinen Tod auch nur um fünf Minuten hinausschieben. Wir werden nicht einmal voneinander wissen, ob wir noch leben oder schon tot sind. Wir werden vollkommen machtlos sein. Wenn auch selbst das nicht den geringsten Unterschied ausmacht, so kommt es doch einzig und allein darauf an, daß wir einander nicht verraten.«

»Wenn du damit das Geständnis meinst«, sagte sie, »so werden wir es nur allzu bald ablegen. Alle gestehen sie. Man kann nichts dagegen machen. Sie foltern einen.«

»Ich meine nicht: gestehen. Ein Geständnis ist kein Verrat. Was man sagt oder tut, ist nicht wichtig: es kommt darauf an, was man fühlt. Wenn sie mich soweit brächten, dich nicht mehr zu lieben – das wäre wirklicher Verrat.«

Sie überlegte. »Das bringen sie nicht fertig«, sagte sie schließlich. »Das ist das einzige, was sie nicht können. Sie können dich zwingen, alles zu sagen – *alles* –, aber sie können dich nicht zwingen, es zu glauben. Sie haben keine Macht über dein Inneres.«

»Nein«, gab er ein wenig hoffnungsvoller zu, »nein, das ist wirklich wahr. Sie haben keine Macht über dein Inneres. Wenn du *fühlen* kannst, daß es sich lohnt, ein Mensch zu bleiben, sogar wenn damit praktisch nichts erreicht wird, hast du ihnen doch ein Schnippchen geschlagen.«

Er dachte an den Televisor mit seinem nimmer ruhenden Ohr. Sie konnten einen Tag und Nacht bespitzeln, aber wenn man auf seiner Hut war, konnte man sie überlisten. Bei all ihrer Schlauheit hatten sie doch nicht das Geheimnis gelöst, die Gedanken eines anderen aufzuspüren. Vielleicht war es anders, wenn man ihnen tatsächlich in die Hände gefallen war. Man wußte nicht, was innerhalb des Liebesministeriums vor sich ging, aber man konnte es erraten: Folterungen, Drohungen, hochempfindliche Apparate, um die Reaktion der Nerven zu registrieren, langsames Mürbemachen durch Schlafentzug, Einzelhaft und Dauerverhöre. Tatsachen jedenfalls konnte man nicht geheimhalten. Sie konnten durch Nachforschungen festgestellt, konnten durch Foltern aus einem herausgepreßt werden. Wenn es aber darum ging, nicht etwa am Leben, sondern ein Mensch zu bleiben, welchen Unterschied machte das dann letzten Endes aus? Sie konnten die Gefühle eines Menschen nicht ändern; ja, man konnte sie nicht einmal selbst ändern, sogar wenn man es wollte. Sie konnten bis zur letzten Einzelheit alles aufdecken, was man getan, gesagt oder gedacht hatte. Aber die innerste Kammer des Herzens, deren Regungen sogar für einen selbst ein Geheimnis waren, blieb unbezwinglich.

VIII

Sie hatten es getan, sie hatten es endlich getan!

Das Zimmer, in dem sie standen, war länglich und sanft beleuchtet. Der Televisor war zu einem leisen Gemurmel gedämpft; die Üppigkeit des dunkelblauen Teppichs erweckte in einem den Eindruck, als trete man auf Samt. Am anderen Ende des Raumes saß O'Brien an einem Tisch unter einer grün abgeschirmten Lampe, mit einer Menge Papiere zu beiden Seiten vor sich. Er hatte nicht einmal aufgeblickt, als der Diener Julia und Winston hereinführte.

Winstons Herz klopfte so heftig, daß er zweifelte, ob er würde sprechen können. Sie hatten es getan, sie hatten es endlich getan – war alles, was er denken konnte. Es war ein waghalsiges Unternehmen gewesen, auch nur herzukommen, und reiner Wahnsinn, gemeinsam zu kommen, wenn sie auch getrennte Wege eingeschlagen und sich erst vor O'Briens Haustür getroffen hatten. Aber allein schon an einen solchen Ort zu gehen, erforderte den Mut der Verzweiflung. Nur bei höchst seltenen Gelegenheiten konnte man einen Blick in die Wohnungen der Inneren-Partei-Mitglieder werfen oder auch nur einen Fuß in das Stadtviertel setzen, in dem sie wohnten. Die ganze Atmosphäre des riesigen Wohnblocks, die Pracht und die Ausmaße von allem, die ungewohnten Gerüche nach gutem Essen und gutem Tabak, die geräuschlosen und unglaublich rasch auf und ab gleitenden Aufzüge – alles das war einschüchternd. Obwohl er einen triftigen Vorwand für sein Kommen hatte, wurde er bei jedem Schritt von der Furcht verfolgt, ein schwarz uniformierter Wachposten könnte plötzlich um die Ecke biegen, seinen Ausweis verlangen und ihn hinausweisen. O'Briens Bedienter hatte jedoch die beiden ohne weitere Umstände hereingelassen. Er war ein kleiner, dunkelhaariger Mann in weißer Jacke, mit einem rautenförmigen, vollkommen ausdruckslosen Gesicht, das einem Chinesen hätte gehören können. Der Korridor, durch den er sie führte, war mit einem weichen Läufer belegt, die Wände waren cremefarben tapeziert und weiß getäfelt, alles glänzte vor makelloser Sauberkeit. Auch das war einschüchternd. Winston konnte sich nicht erinnern, jemals einen Flur gesehen zu haben, dessen Wände nicht durch die Berührung menschlicher Körper verschmutzt waren.

O'Brien hielt einen Zettel in Händen und schien ihn aufmerksam zu studieren. Sein massiges Gesicht, das heruntergebeugt war, so daß man die Nasenlinie nicht sehen konnte, sah zugleich furchteinflößend und klug aus. Vielleicht zwanzig Sekunden lang saß er unbeweglich da. Dann zog er den Sprechschreiber zu sich heran und machte in dem hybriden Jargon der Ministerien eine Durchsage:

»Punkt eins Komma fünf Komma sieben vollweise gebilligt Stop Vorschlag von Punkt sechs doppelplus lächerlich betreffs Denkverbrechen streicht Stop unsofort plusvoll Unterlagen abwartweise Maschinerie oben Stop Ende.«

Er erhob sich bedächtig von seinem Stuhl und kam über den lautlosen Teppich auf sie zu. Ein wenig von der Beamtenatmosphäre schien mit den Neusprachworten von ihm abgefallen zu sein, aber sein Gesichtsausdruck war finsterer als gewöhnlich, so als wäre es ihm nicht erwünscht, gestört zu werden. Zu der Furcht, die bereits von Winston Besitz ergriffen hatte, kam plötzlich noch so etwas wie ganz gewöhnliche Verlegenheit hinzu. Es schien ihm durchaus möglich, daß er ganz einfach einen dummen Irrtum begangen hatte. Denn welchen Beweis hatte er in Wirklichkeit, daß O'Brien ein politischer Verschwörer war? Nur einen getauschten Blick und eine einzige zweideutige Bemerkung: darüber hinaus lediglich seine eigenen, auf einen Traum gestützten Hoffnungen. Er konnte nicht einmal zu dem Vorwand Zuflucht nehmen, gekommen zu sein, um das Wörterbuch zu entlehnen, denn in diesem Fall war es unmöglich, Julias Anwesenheit zu erklären. Als O'Brien am Televisor vorbeikam, schien ihm etwas einzufallen. Er blieb stehen, machte einen Schritt zur Seite und drehte an einem an der Wand angebrachten Knopf. Man hörte ein kurzes Knacken. Die Stimme war verstummt.

Julia stieß einen kurzen Laut, eine Art überraschtes Quieken aus. Trotz all seiner Ängste war Winston zu verblüfft, um den Mund halten zu können.

»Sie können ihn ja abstellen!« sagte er.

»Ja«, sagte O'Brien, »wir können ihn abstellen. Wir haben dieses Vorrecht.«

Er stand jetzt vor ihnen. Seine mächtige Erscheinung überragte die beiden, und der Ausdruck seines Gesichts war noch immer undurchdringlich. Er wartete, ein wenig streng, daß Winston sprechen sollte, aber was sollte dieser schon sagen? Sogar jetzt noch war es undenkbar, daß der andere nur ein vielbeschäftigter Mann war, der sich ärgerlich fragte, warum man ihn gestört hatte. Niemand sprach. Nachdem der Televisor abgestellt war, schien in dem Zimmer eine tödliche Stille zu herrschen. Mit erdrückender Langsamkeit verstrichen die Sekunden. Krampfhaft hielt Winston seinen Blick weiter in den O'Briens gerichtet. Dann verzog sich das grimmige Gesicht plötzlich zu dem, was man den Anflug eines Lächelns hätte nennen können. Mit seiner charakteristischen Bewegung rückte O'Brien seine Brille auf der Nase zurecht.

»Soll ich es sagen oder wollen Sie?« sagte er.

»Ich will es aussprechen«, sagte Winston sofort. »Das Ding dort ist auch wirklich abgestellt?«

»Ja, alles ist abgeschaltet. Wir sind allein.«

»Wir sind hierhergekommen, weil –«

Er hielt inne, da er sich zum erstenmal der Unklarheit seiner Beweggründe bewußt wurde. Da er nicht wirklich wußte, in welcher Form er Unterstützung von O'Brien erwartete, war es nicht leicht zu sagen, warum er hergekommen war. Er fuhr fort, wobei er sich bewußt war, daß seine Worte sowohl schwach als auch bombastisch klingen mußten:

»Wir glauben, daß es eine Verschwörung, eine Art Geheimorganisation, die gegen die Partei tätig ist, gibt und daß Sie damit zu tun haben. Wir wollen ihr beitreten und für sie arbeiten. Wir sind Feinde der Partei. Wir glauben nicht an die Doktrin von Engsoz. Wir sind Gedankenverbrecher. Wir sind auch Ehefrevler. Wir sagen Ihnen das, weil wir uns Ihnen ganz auf Gnade oder Ungnade ausliefern wollen. Wenn Sie wünschen, daß wir uns noch auf irgendeine andere Art und Weise belasten, sind wir auch dazu bereit.«

Er stockte und warf einen Blick über die Schulter aus dem Gefühl heraus, die Tür habe sich geöffnet. Richtig, der kleine, gelbgesichtige Diener war, ohne anzuklopfen, hereingekommen.

Winston sah, daß er ein Tablett mit einer Karaffe und Gläsern trug.

»Martin ist einer von den unsrigen«, sagte O'Brien gelassen. »Bringen Sie die Gläser hierher, Martin. Stellen Sie sie auf den runden Tisch. Haben wir genügend Stühle? Dann können wir uns ebensogut setzen und gemütlich reden. Holen Sie sich auch einen Stuhl für sich selbst, Martin. Hier handelt es sich um Geschäftliches. Betrachten Sie sich die nächsten zehn Minuten nicht als Diener.«

Der kleine Mann setzte sich und machte sich's einigermaßen bequem, aber doch in einer bedientenhaften Art, der Art eines Kammerdieners, dem ein Vorrecht eingeräumt wird. Winston betrachtete ihn von der Seite. Es kam ihm zum Bewußtsein, daß das ganze Leben dieses Mannes Schauspielerei war und er es als gefährlich empfand, auch nur einen Augenblick aus der Rolle zu fallen. O'Brien ergriff die Karaffe am Halse und füllte die Gläser mit einer dunkelroten Flüssigkeit. Sie weckte in Winston dunkle Erinnerungen an etwas vor langer Zeit an einer Hauswand oder einer Reklamefläche Gesehenes – eine riesige, aus elektrischen Glühbirnen zusammengesetzte Flasche, die sich zu neigen und aufzurichten und ihren Inhalt in ein Glas zu leeren schien. Von oben gesehen, sah das Getränk fast schwarz aus, aber in der Karaffe schimmerte es rot wie ein Rubin. Es hatte einen sauersüßen Geruch. Er sah, wie Julia ihr Glas ergriff und mit offen eingestandener Neugier daran schnupperte.

»Man nennt es Wein«, erklärte O'Brien mit einem leisen Lächeln. »Sie haben sicherlich schon davon in Büchern gelesen. Nicht viel davon sickert bis zur Äußeren Partei durch, fürchte ich.« Sein Gesicht wurde wieder ernst, und er hob sein Glas: »Ich glaube, es ist wohl angebracht, daß wir damit beginnen, miteinander anzustoßen. Auf das Wohl unseres Führers: Hoch lebe Immanuel Goldstein!«

Winston hob sein Glas mit einer gewissen Ungeduld. Wein war etwas, von dem er gelesen und geträumt hatte. Wie der gläserne Briefbeschwerer oder Mr. Charringtons halberinnerte

Reime gehörte er der ausgetilgten romantischen Vergangenheit an, der guten alten Zeit, wie er sie in seinen geheimen Gedanken zu nennen pflegte. Aus irgendeinem Grunde hatte er immer geglaubt, Wein habe einen äußerst süßen Geschmack, ähnlich wie Brombeermarmelade, und eine unmittelbar berauschende Wirkung. In Wirklichkeit war das Getränk, als er es nun schluckte, ausgesprochen enttäuschend. In Wahrheit hinterließ es, nach Jahren des Gin-Trinkens, kaum einen Geschmack auf seiner Zunge. Er stellte das geleerte Glas hin.

»Es gibt also einen Menschen wie Goldstein?« sagte er.

»Ja, diesen Menschen gibt es, und er lebt. Wo, weiß ich nicht.«

»Und die Verschwörung – die Organisation? Besteht sie wirklich? Ist sie nicht nur eine Erfindung der Gedankenpolizei?«

»Nein, sie besteht wirklich. Die Brüderschaft wird sie von uns genannt. Sie werden nie sehr viel mehr von der Brüderschaft erfahren, als daß es sie gibt und daß Sie ihr angehören. Ich werde gleich darauf zurückkommen.« Er sah auf seine Armbanduhr. »Es ist unklug, sogar für Mitglieder der Inneren Partei, den Televisor länger als eine halbe Stunde abzustellen. Sie hätten nicht zusammen herkommen sollen, und Sie müssen getrennt fortgehen. Sie, Genossin« – und er nickte Julia mit dem Kopf zu –, »gehen zuerst. Wir haben noch etwa zwanzig Minuten zur Verfügung. Sie werden verstehen, daß ich damit beginnen muß, Ihnen gewisse Fragen zu stellen. Um es kurz zu machen: Was sind Sie bereit zu unternehmen?«

»Alles, wozu wir imstande sind«, sagte Winston.

O'Brien hatte eine kleine Drehung auf seinem Stuhl gemacht, so daß er jetzt Winston vor sich hatte. Er ließ Julia fast unbeachtet und schien es als selbstverständlich anzunehmen, daß Winston auch in ihrem Namen sprechen konnte. Einen Augenblick klappten die Lider über seine Augen. Er fing an, seine Fragen mit langsamer, ausdrucksloser Stimme zu stellen, so, als handle es sich um eine Schablone, eine Art Abhören aus dem Katechismus, bei dem er die meisten Antworten schon im voraus kannte.

»Sie sind bereit, Ihr Leben zu opfern?«

»Ja.«

»Sabotageakte zu begehen, die vielleicht den Tod von Hunderten von unschuldigen Menschen herbeiführen?«

»Ja.«

»Ihr Land an Feindmächte zu verraten?«

»Ja.«

»Sie sind bereit, zu betrügen, zu fälschen, zu erpressen, die Gesinnung von Kindern zu verderben, süchtigmachende Rauschgifte unter die Leute zu bringen, die Prostitution zu ermutigen, Geschlechtskrankheiten zu verbreiten – alles zu tun, was dazu angetan ist, einen Verfall herbeizuführen und die Macht der Partei zu untergraben?«

»Ja.«

»Wenn es zum Beispiel irgendwie unseren Interessen dienlich sein sollte, einem Kind Schwefelsäure ins Gesicht zu schütten – sind Sie dazu bereit?«

»Ja.«

»Sie sind dazu bereit, Ihre bisherige Persönlichkeit aufzugeben und für den Rest Ihres Lebens als Kellner oder Hafenarbeiter durchs Leben zu gehen?«

»Ja.«

»Sie sind bereit, Selbstmord zu verüben, wenn und wann wir Ihnen das befehlen?«

»Ja.«

»Sie sind also beide bereit, sich zu trennen und einander nie wiederzusehen?«

»Nein!« fiel Julia ein.

Es kam Winston vor, als sei eine lange Zeit verstrichen, ehe er antwortete. Einen Augenblick schien er sogar der Sprache beraubt gewesen zu sein. Seine Zunge brachte keinen Laut hervor, während sie immer wieder die Anfangssilben erst des einen, dann des anderen Wortes zu formen versuchte. Ehe er es nicht ausgesprochen hatte, wußte er nicht, welches Wort er sagen würde. »Nein«, sagte er schließlich.

»Sie taten gut daran, mir das zu sagen«, sagte O'Brien. »Es ist notwendig für uns, alles zu wissen.«

Er wandte sich Julia zu und fügte mit einer ein wenig ausdrucksvolleren Stimme hinzu:

»Begreifen Sie auch, daß er, selbst wenn er am Leben bleibt, das möglicherweise als ein ganz anderer Mensch tut? Wir könnten gezwungen sein, einen völlig anderen Menschen aus ihm zu machen. Sein Gesicht, seine Art, sich zu bewegen, die Form seiner Hände, die Farbe seiner Haare – ja sogar seine Stimme wären anders. Und auch Sie selbst könnten ein anderer Mensch geworden sein. Unsere Chirurgen können einen Menschen bis zum Nichtwiedererkennen verändern! Manchmal ist das nötig. Manchmal amputieren wir sogar ein Glied.«

Winston konnte nicht umhin, noch einmal einen verstohlenen Blick auf Martins Mongolengesicht zu werfen. Er konnte keine Operationsnarben darauf entdecken. Julia war um eine Schattierung bleicher geworden, so daß die Sommersprossen hervortraten, aber sie sah O'Brien tapfer an. Sie murmelte etwas, das wie Zustimmung klang.

»Gut. Dann wäre das in Ordnung.«

Eine silberne Zigarettendose stand auf dem Tisch. Mit einer etwas zerstreuten Miene schob O'Brien sie den anderen hin, nahm selbst eine Zigarette, stand dann auf und begann langsam hin und her zu gehen, so, als könnte er stehend besser denken. Es waren sehr gute Zigaretten, prall gefüllt, mit einem ungewohnten feinen Papier. O'Brien blickte wieder auf seine Armbanduhr.

»Sie gehen jetzt besser zu Ihrer Arbeit, Martin«, sagte er. »In einer Viertelstunde schalte ich ein. Sehen Sie sich die Gesichter dieser Genossen an, bevor Sie gehen. Sie werden sie wiedersehen. Ich vielleicht nicht.«

Genauso, wie sie es vorher an der Eingangstür getan hatten, huschten die schwarzen Augen des kleinen Mannes über ihre Gesichter. Keine Spur von Freundlichkeit sprach aus seiner Art. Er prägte sich ihre Erscheinung ein, aber er empfand kein Interesse für sie, so wenig wie er sich anmerken ließ, daß er keines empfand. Der Gedanke schoß Winston durch den Kopf, daß ein künstlich zusammengenähtes Gesicht vielleicht seinen Ausdruck verändern konnte. Ohne ein Wort oder einen Gruß ging Martin hinaus, indem er leise die Tür hinter sich schloß. O'Brien schlenderte auf und ab, eine Hand in der Tasche seines schwarzen Trainingsanzugs, in der anderen die Zigarette.

»Sie werden verstehen, daß Sie im Dunkeln kämpfen werden. Sie werden immer im Dunkeln sein. Sie erhalten Befehle und haben ihnen zu gehorchen, ohne das Warum zu wissen. Später werde ich Ihnen ein Buch senden, aus dem Sie die wahre Natur der Gesellschaftsordnung, in der wir leben, und die strategischen Maßnahmen, durch die wir sie zerstören wollen, kennenlernen. Wenn Sie das Buch gelesen haben, sind Sie in die Brüderschaft als Mitglied aufgenommen. Aber abgesehen von den allgemeinen Zielen, für die wir kämpfen, und den jeweiligen augenblicklichen Aufgaben, werden Sie nie etwas wissen. Ich sage Ihnen, daß die Brüderschaft existiert, aber ich kann Ihnen nicht sagen, ob ihre Mitgliederzahl hundert oder zehn Millionen beträgt. Aus Ihrem persönlichen Wissen heraus werden Sie nie imstande sein zu sagen, ob sie auch nur ein Dutzend Anhänger hat. Sie werden drei oder vier Mittelsmänner kennen, die von Zeit zu Zeit ersetzt werden, je nachdem sie verschwinden. Da ich der erste bin, mit dem Sie in Berührung kamen, bleibt es dabei. Wenn Sie Befehle erhalten, kommen sie von mir. Wenn wir es für nötig befinden, uns mit Ihnen in Verbindung zu setzen, so geschieht das durch Martin. Wenn Sie zu guter Letzt erwischt werden, dann werden Sie gestehen. Dagegen läßt sich nichts machen. Aber Sie werden sehr wenig anderes zu gestehen haben als das, was Sie selbst getan haben. Sie werden nicht imstande sein, mehr als ein halbes Dutzend unwichtiger Menschen zu verraten. Vermutlich werden Sie nicht einmal mich verraten. Wenn es soweit ist, bin ich vielleicht tot oder ein anderer Mensch mit einem anderen Gesicht geworden.«

Er fuhr fort, über den weichen Teppich hin und her zu gehen. Trotz der Schwere seines Körpers bewegte er sich mit einer auffallenden Grazie. Sie äußerte sich sogar in der Bewegung, mit der er seine Hand in die Tasche steckte oder seine Zigarette hielt. Mehr noch als den der Kraft erweckte er einen Eindruck der Vertrauenswürdigkeit und eines leise mit Ironie gefärbten Verständnisses. Wie ernst er sich auch geben mochte, so haftete ihm doch nichts von der sturen Unentwegtheit des Fanatikers an. Wenn er von Mord, Selbstmord, Geschlechtskrankheit, amputierten Gliedmaßen und veränderten Gesichtern sprach, so geschah es mit einem leisen Unterton von Spott. »Das läßt sich nicht vermeiden«, schien seine Stimme zu sagen, »das müssen wir unerbittlich tun. Aber wir tun es nicht mehr, wenn erst das Leben wieder lebenswert sein wird.«

Eine Welle der Bewunderung, fast der Verehrung, wallte in Winston für O'Brien auf. Für einen Augenblick hatte er die Schattengestalt Goldsteins vergessen. Wenn man O'Briens mächtige Schultern und sein derbgeschnittenes, unschönes und doch so gewinnendes Gesicht ansah, konnte man sich unmöglich vorstellen, er könnte jemals eine Niederlage erleiden. Es gab keine Kriegslist, der er nicht gewachsen war, keine Gefahr, die er nicht vorhersah. Sogar Julia schien beeindruckt. Sie hatte ihre Zigarette ausgehen lassen und lauschte gespannt. O'Brien fuhr fort:

»Sie werden Gerüchte vom Vorhandensein der Brüderschaft gehört haben. Zweifellos haben Sie sich Ihr eigenes Bild von ihr gemacht. Sie haben sich vermutlich eine weitverzweigte Untergrundbewegung von Verschwörern vorgestellt, die sich heimlich in Kellern treffen, Mitteilungen an Häusermauern kritzeln und einander an Losungsworten oder einem besonderen Händedruck erkennen. Nichts dergleichen gibt es. Die Mitglieder der Brüderschaft haben keine Mittel, einander zu erkennen, und es besteht keine Möglichkeit, daß ein Mitglied mehr als ein paar sehr wenige als ihm persönlich bekannt nennen könnte. Goldstein selbst könnte der Gedankenpolizei, wenn er ihr in die Hände fiele, keine vollständige Mitgliederliste oder sonst einen Hinweis geben, auf Grund dessen sie sich eine vollständige Liste beschaffen könnte. Eine solche Liste existiert nicht. Die Brüderschaft kann nicht ausgerottet werden, weil sie keine Organisation im üblichen Sinne ist. Nichts als eine unaustilgbare Idee hält sie zusammen. Sie werden nie etwas anderes zu Ihrer Stütze haben als die Idee. Ihnen wird keine Kameradschaft und keine Ermutigung zuteil. Wenn Sie schließlich erwischt werden, erfahren Sie keine Hilfe. Wir helfen unseren Mitgliedern nie. Höchstens, wenn es unumgänglich ist, daß einer zum Schweigen gebracht wird, können wir gelegentlich eine Rasierklinge in eine Gefängniszelle einschmuggeln. Sie werden sich daran gewöhnen müssen, ohne sichtbare Ergebnisse und ohne Hoffnung zu leben. Sie werden eine Weile tätig sein, dann werden Sie verhaftet werden, gestehen und sterben. Das sind die einzigen für Sie greifbaren Ergebnisse. Es besteht keine Möglichkeit, daß zu unseren Lebzeiten eine sichtbare Veränderung eintritt. Wir sind die Toten. Unser einziges wirkliches Leben liegt in der Zukunft. Wir werden daran teilhaben als ein Häuflein Staub und verwester Gebeine. Aber in wie weiter Ferne diese Zukunft liegt, weiß niemand. Es kann in tausend Jahren sein. In der Gegenwart ist nichts anderes möglich, als den Bereich der Gesundung Schritt um Schritt zu vergrößern. Wir können nicht als Gesamtheit vorgehen. Wir können nur unsere Erkenntnisse von Mensch zu Mensch, von Generation zu Generation weitergeben. In Anbetracht der Gedankenpolizei gibt es keinen anderen Weg.«

Er hielt inne und blickte zum drittenmal auf seine Armbanduhr.

»Es ist nachgerade an der Zeit für Sie zu gehen, Genossin«, sagte er zu Julia. »Warten Sie. Die Karaffe ist noch halbvoll.«

Er füllte die Gläser und hob sein eigenes Glas am Stiel.

»Auf was soll es diesmal sein?« sagte er, noch immer mit dem gleichen leisen Anflug von Ironie. »Auf den Untergang der Gedankenpolizei? Auf den Tod des Großen Bruders? Auf die Menschheit? Auf die Zukunft?«

»Auf die Vergangenheit«, sagte Winston.

»Die Vergangenheit ist wichtiger«, pflichtete O'Brien ernst bei. Sie leerten ihre Gläser, und einen Augenblick später stand Julia auf, um zu gehen. O'Brien nahm eine kleine Schachtel von einem Schränkchen herunter und reichte ihr eine flache weiße Tablette, die er sie auf die Zunge zu legen aufforderte. Es war wichtig, meinte er, nicht nach Wein zu riechen, wenn man hinausging: die Fahrstuhlführer waren sehr aufmerksame Beobachter. Sobald sich die Tür hinter ihr geschlossen hatte, schien er ihr Vorhandensein vergessen zu haben. Er ging noch ein- oder zweimal im Zimmer hin und her, dann blieb er stehen.

»Es gibt noch Einzelheiten zu besprechen«, sagte er. »Ich nehme an, Sie haben irgendein Versteck?«

Winston berichtete von dem Zimmer über Mr. Charringtons Laden.

»Das wird für den Augenblick genügen. Später werden wir etwas anderes für Sie finden. Es ist wichtig, sein Versteck häufig zu wechseln. Inzwischen sende ich Ihnen ein Exemplar von *dem Buch*« – sogar O'Brien, bemerkte Winston, schien die Worte so auszusprechen, als wären sie in Kursivschrift geschrieben –, »von Goldsteins Buch, Sie verstehen, so bald wie möglich. Es kann ein paar Tage dauern, ehe ich eines in die Hände bekommen kann. Es gibt nicht viele Exemplare, wie Sie sich wohl denken können. Die Gedankenpolizei macht Jagd darauf und vernichtet sie fast ebenso rasch, wie wir sie drucken können. Das hilft ihr aber nur sehr wenig. Das Buch ist unvernichtbar. Wäre auch das letzte Exemplar verlorengegangen, so könnten wir den Inhalt doch Wort für Wort wiedergeben. Haben Sie eine Mappe bei sich, wenn Sie an Ihre Arbeit gehen?« fügte er hinzu.

»In der Regel, ja.«

»Wie sieht sie aus?«

»Schwarz, sehr schäbig. Mit zwei Tragriemen.«

»Schwarz, zwei Tragriemen, sehr schäbig – gut. An einem der nächsten Tage – ich kann kein genaues Datum angeben – wird eine der Mitteilungen unter Ihren Vormittagsarbeiten ein verdrucktes Wort enthalten, und Sie müssen um eine Richtigstellung bitten. Am nächsten Tag gehen Sie dann ohne Ihre Mappe an die Arbeit. Im Laufe des Tages wird Sie auf der Straße ein Mann am Arm berühren und sagen: ›Ich glaube, Sie haben Ihre

Mappe fallen lassen.‹ Die Mappe, die er Ihnen dann gibt, wird ein Exemplar von Goldsteins Buch enthalten. Sie geben es binnen vierzehn Tagen zurück.«

Sie schwiegen einen Augenblick.

»Es bleiben nur noch zwei Minuten, ehe Sie gehen müssen«, sagte O'Brien. »Wir werden uns wiedersehen – falls wir uns wiedersehen –«

Winston blickte zu ihm auf. »An dem Ort, wo keine Dunkelheit herrscht?« sagte er zögernd.

O'Brien nickte, ohne Verwunderung zu verraten. »An dem Ort, wo keine Dunkelheit herrscht«, sagte er, so als habe er die Anspielung verstanden.

»Und inzwischen, gibt es noch etwas, was Sie sagen möchten, bevor Sie gehen? Eine Botschaft? Eine Frage?«

Winston überlegte. Es schien keine Frage mehr zu geben, die er hätte stellen wollen: noch weniger verspürte er Lust, hochtrabende Phrasen zu stammeln. Statt etwas, das unmittelbar mit O'Brien oder der Brüderschaft zu tun hatte, ging ihm ein verschwommenes Bild von dem düsteren Schlafzimmer, in dem seine Mutter ihre letzten Tage verbracht hatte, und dem kleinen Zimmer über Mr. Charringtons Laden mit dem gläsernen Briefbeschwerer und dem Stahlstich in seinem Rosenholzrahmen durch den Sinn. Auf gut Glück sagte er:

»Haben Sie zufällig jemals einen alten Reim gehört, der ›Oranges and lemons, say the bells of St. Clement's‹ anfing?«

Wieder nickte O'Brien. Mit einer Art ernster Höflichkeit ergänzte er die Strophe:

»Oranges and lemons, say the bells of St. Clement's,
You owe me three farthings, say the bells of St. Martin's,
When will you pay me? say the bells of Old Bailey,
When I grow rich, say the bells of Shoreditch.«

»Sie kennen den letzten Vers!« rief Winston aus.

»Ja, ich kenne den letzten Vers. Und jetzt, fürchte ich, ist es

Zeit für Sie zu gehen. Aber warten Sie. Lassen Sie mich Ihnen lieber eine von diesen Tabletten geben.«

Als Winston aufstand, reichte ihm O'Brien die Hand. Sein kräftiger Griff drückte Winstons Handteller bis auf den Knochen. Bei der Tür blickte Winston zurück, aber O'Brien schien bereits im Begriff, ihn aus seinem Gedächtnis zu streichen. Er wartete mit der Hand an dem Knopf, mit dem man den Televisor einschaltete. Hinter ihm konnte Winston den Schreibtisch mit seiner grüngeschirmten Lampe, den Sprechschreiber und das mit Papieren vollgehäufte Drahtablegekörbchen sehen. Die Sache war erledigt. In dreißig Sekunden, kam ihm zum Bewußtsein, würde O'Brien wieder bei seiner unterbrochenen, wichtigen Arbeit für die Partei sein.

IX

Winston war von einer gallertartigen Müdigkeit. Gallertartig war das richtige Wort. Es war ihm von selbst in den Sinn gekommen. Sein Körper schien nicht nur eine gelatineartige Weichheit, sondern auch eine ebensolche Durchsichtigkeit angenommen zu haben. Er hatte das Gefühl, würde er die Hand hochhalten, dann könnte er das Licht hindurchscheinen sehen. Sämtliche roten und weißen Blutkörperchen waren ihm durch eine riesige Arbeitsüberlastung abgezapft worden, so daß nur die zerbrechliche Struktur von Nerven, Knochen und Haut übrigblieb. Alle Empfindungen waren übersteigert. Sein Trainingsanzug rieb seine Schultern wund, das Straßenpflaster schmerzte seine Fußsohlen, sogar das Öffnen und Schließen einer Hand bedeutete schon eine Anstrengung, die seine Gelenke knacken ließ.

In den letzten fünf Tagen hatte er mehr als neunzig Stunden gearbeitet. Das gleiche galt von jedem anderen im Ministerium

Beschäftigten. Jetzt war alles erledigt, und er hatte bis morgen früh buchstäblich nichts mehr, auch nicht die geringste Arbeit für die Partei zu tun. Er konnte sechs Stunden in seinem Schlupfwinkel und weitere neun daheim in seinem Bett verbringen. Langsam ging er in dem milden Nachmittagssonnenschein eine schmutzige Straße in Richtung auf Herrn Charringtons Laden hinunter, mit einem wachsamen Auge für mögliche Streifen, aber, ohne es begründen zu können, in der festen Überzeugung, daß an diesem Nachmittag für ihn keine Gefahr bestand, von jemand angehalten zu werden. Die schwere Mappe, die er trug, stieß bei jedem Schritt gegen sein Knie und jagte ihm einen kribbelnden Schauer die Haut seines Beins hinauf und hinunter. In ihr war *das Buch*, das jetzt seit sechs Tagen in seinem Besitz war und das er noch nicht aufgemacht, ja noch nicht einmal angesehen hatte.

Am sechsten Tag der Haß-Woche, nach den Umzügen, den Ansprachen, dem Beifallsgeschrei, dem Liederabsingen, den Standarten, den Maueranschlägen, den Filmvorführungen, den plastischen Darstellungen, dem Trommelschlagen und Trompetengeschmetter, dem Gleichschritt marschierender Füße, dem Knirschen der Raupenketten von Panzern, dem Motorengedröhn von Flugzeugstaffeln, den Salutschüssen der Geschütze – nach sechs solchen Tagen, als die Erregung der Gemüter ihren Höhepunkt erreicht hatte und der allgemeine Haß auf Eurasien zu solcher Siedehitze geschürt worden war, daß die Menge, wenn sie Hand an die zweitausend eurasischen Kriegsverbrecher hätte legen können, die am letzten Tag der Veranstaltung öffentlich gehängt werden sollten, sie unweigerlich in Stücke gerissen hätte – genau in diesem Augenblick wurde bekanntgegeben, Ozeanien befinde sich keineswegs im Kriegszustand mit Eurasien. Ozeanien befinde sich im Kriegszustand mit Ostasien. Eurasien war ein Verbündeter.

Selbstverständlich wurde nicht zugegeben, daß eine Veränderung eingetreten war. Es wurde lediglich ganz plötzlich und überall gleichzeitig bekanntgemacht, daß Ostasien und nicht Eurasien der Feind sei. Winston nahm gerade an einer Kundgebung teil, die auf einem der im Mittelpunkt von London gelegenen Plätze stattfand, als diese Bekanntgabe erfolgte. Es war Nacht, und die weißen Gesichter und roten Banner waren gespenstisch vom Scheinwerferlicht angestrahlt. Auf dem Platz drängten sich mehrere tausend Menschen, darunter ein Zug von etwa tausend Schulkindern in Späheruniform. Auf einer mit scharlachrotem Stoff drapierten Rednerbühne hielt ein Sprecher der Inneren Partei, ein kleiner, hagerer Mann mit unverhältnismäßig langen Armen und einem großen, kahlen Schädel, über den ein paar dünne Haarsträhnen gelegt waren, eine feierliche Rede an die Menge. Eine kleine Rumpelstilzchengestalt, verkrümmt von Haß, hielt er mit einer Hand das Mikrophon, während die andere, riesig am Ende eines knochigen Armes, sich drohend in die Luft über seinem Kopf krallte. Seine durch den Lautverstärker metallisch gefärbte Stimme brüllte eine endlose Aufzählung von Greueltaten, Massenabschlachtungen, Verschleppungen, Plünderungen, Vergewaltigungen, Gefangenenfolterungen, Bombardierung von Zivilisten, Lügenpropaganda, unprovozierten Angriffen, gebrochenen Verträgen heraus. Es war fast nicht möglich, ihm zuzuhören, ohne zuerst überzeugt und dann empört zu werden. Alle paar Augenblicke kochte die Wut der Menge über, und die Stimme des Redners ging in einem wilden tierischen Gebrüll unter, das hemmungslos aus tausend Kehlen hervorbrach. Die wüstesten Wutschreie kamen von den Schulkindern. Die Ansprache war seit etwa zwanzig Minuten im Gange, als ein Bote auf die Rednertribüne eilte und dem Sprecher ein Zettel in die Hand gedrückt wurde. Er entfaltete und las ihn, ohne seine Rede zu unterbrechen. Nichts in seiner Stimme oder in seinem Gehaben änderte sich, auch nichts im Inhalt seiner Rede, doch plötzlich lauteten die Namen anders. Ohne daß Worte gefallen wären, durchlief die Menge eine Welle des Verstehens. Ozeanien befand sich im Krieg mit Ostasien! Im nächsten Augenblick begann eine ungeheure Geschäftigkeit. Die Fahnen und Plakate, mit denen der Platz dekoriert war, stimmten sämtliche nicht mehr. Gut die

Hälfte davon stellte die falschen Gesichter dar. Es war Sabotage! Die Agenten Goldsteins waren am Werk gewesen! Ein lärmendes Zwischenspiel setzte ein, bei dem Anschläge von den Mauern gerissen, Fahnen zerfetzt und zertrampelt wurden. Die Späher vollführten Wunder an Tatkraft darin, auf Dächer zu klettern und von den Kaminen flatternde Spruchbänder abzuschneiden. Aber in ein paar Minuten war alles zu Ende. Der Sprecher, noch immer mit einer Hand das Mikrophon umklammernd, die Schultern vorgebeugt, die freie Hand in die Luft gekrallt, war unbeirrt in seiner Rede fortgefahren. Noch eine Minute, und die wilden Wutschreie brachen erneut aus der Volksmenge hervor. Die Haßdemonstration nahm genau wie vorher ihren Fortgang, nur daß die Zielscheibe sich geändert hatte.

Winston war nachträglich besonders davon beeindruckt, daß der Sprecher tatsächlich mitten im Satz nicht nur ohne zu stocken von einer Richtung in die andere umgeschaltet, sondern nicht einmal den Satzbau abgewandelt hatte. Aber augenblicklich beschäftigten ihn andere Dinge. Im Augenblick der Verwirrung, als die Plakate abgerissen wurden, hatte ihm ein Mann, dessen Gesicht er nicht sehen konnte, auf die Schulter geklopft und gesagt: »Verzeihung, ich glaube, Sie haben Ihre Mappe fallen lassen.« Zerstreut und wortlos griff er nach der Mappe. Er wußte, daß Tage vergehen würden, ehe sich ihm die Möglichkeit bot, einen Blick hineinzuwerfen. Sofort nach Beendigung der Demonstration ging er zum Wahrheitsministerium, obwohl es mittlerweile fast dreiundzwanzig Uhr war. Die gesamte Belegschaft des Ministeriums hatte dasselbe getan. Die bereits aus den Televisoren tönenden Befehle, die sie auf ihre Posten zurückriefen, wären kaum nötig gewesen.

Ozeanien lag im Krieg mit Ostasien: Ozeanien war immer mit Ostasien im Krieg gelegen. Ein Großteil der politischen Literatur der letzten fünf Jahre war jetzt vollkommen unbrauchbar geworden. Berichte und Aufzeichnungen aller Art, Zeitungen, Bücher, Flugschriften, Filme, Sprechplatten, Fotografien – alles mußte mit Blitzesschnelle richtiggestellt werden. Wenn auch keinerlei

Direktiven erlassen wurden, so wußte man doch, daß die Abteilungsleiter wünschten, binnen einer Woche sollte nirgendwo mehr eine Anspielung auf den Krieg mit Eurasien oder das Bündnis mit Ostasien übriggeblieben sein. Es war eine Riesenarbeit, die noch dadurch erschwert wurde, daß die erforderlichen Prozeduren nicht bei ihrem wahren Namen genannt werden durften. Jedermann in der Registraturabteilung arbeitete achtzehn von den vierundzwanzig Stunden des Tages, mit zwei hastigen dreistündigen Schlafpausen. Strohsäcke wurden aus den Kellern heraufgebracht und überall auf den Gängen ausgebreitet. Die Mahlzeiten bestanden aus Victory-Kaffee und belegten Broten, die von dem Personal der Kantine auf Wägelchen herumgefahren wurden. Jedesmal, wenn Winston für eine seiner Schlafpausen die Arbeit unterbrach, versuchte er seinen Schreibtisch von allen Arbeiten aufgeräumt zu hinterlassen, um jedesmal, wenn er mit verquollenen Augen und gerädert am ganzen Leib zurückgeschlichen kam, einen neuen Schauer von Papierröllchen vorzufinden, der die Schreibtischplatte wie eine Schneewehe bedeckt hatte, den Sprechschreiber zur Hälfte begrub und auf den Fußboden überfloß, so daß seine erste Tätigkeit immer darin bestand, sie zu einem sauberen Haufen zu ordnen, um Platz zum Arbeiten zu haben. Am schlimmsten von allem war, daß es sich durchaus nicht nur um mechanische Arbeiten handelte. Oft genügte es, lediglich einen Namen durch einen anderen zu ersetzen, aber jeder in Einzelheiten gehende Tatsachenbericht erforderte Sorgfalt und Phantasie. Sogar die geographischen Kenntnisse, über die man verfügen mußte, um den Krieg von einem Weltteil in den anderen zu verlegen, waren beträchtlich.

Am dritten Tag schmerzten ihn die Augen unerträglich, und seine Brillengläser mußten alle paar Minuten geputzt werden. Es war wie ein Kampf mit einer zermürbenden körperlichen Aufgabe, etwas, das man zwar zu tun sich weigern konnte und das man sich doch mit einer nervenüberreizten Beflissenheit zu bewältigen bemühte. Soweit er überhaupt Zeit hatte, sich daran zu erinnern, störte es ihn nicht, daß jedes von ihm in den Sprechschreiber gemurmelte Wort, jeder Strich seines Tintenbleistifts eine bewußte Lüge war. Er war ebenso wie jeder andere in der Abteilung darauf bedacht, die Fälschung vollkommen zu machen. Am Morgen des sechsten Tages nahm der Papierröllchenregen ab. Eine ganze halbe Stunde lang kam nichts aus der Rohrpostleitung heraus; dann noch einmal eine Rolle, dann nichts. Überall um etwa die gleiche Zeit nahm die Arbeit ab. Ein tiefer und – so wie die Dinge lagen – geheimer Seufzer durchlief die Abteilung. Eine Riesenleistung, die nie erwähnt werden durfte, war vollbracht. Jetzt war es für niemand mehr möglich, durch dokumentarische Beweise zu belegen, daß der Krieg mit Eurasien jemals stattgefunden hatte. Schlag zwölf Uhr wurde unerwartet bekanntgegeben, alle im Ministerium Beschäftigten hätten bis morgen früh frei. Winston, noch immer die Mappe mit *dem Buch* bei sich tragend, die er während der Arbeit zwischen seine Füße gestellt und beim Schlafen unter seinen Körper geschoben hatte, ging nach Hause, rasierte sich und schlief fast in seinem Bad ein, obwohl das Wasser kaum mehr als lauwarm war.

Mit einer Art wollüstigen Knackens seiner Gelenke stieg er die Treppe über Herrn Charringtons Laden hinauf. Er war müde, aber nicht mehr schläfrig. Er öffnete das Fenster, zündete den verdreckten kleinen Petroleumkocher an und stellte einen Topf Wasser für den Kaffee auf. Julia würde gleich kommen; derweilen konnte er sich *dem Buch* widmen. Er setzte sich in den zerschlissenen Lehnstuhl und schnallte die Riemen der Mappe auf.

Ein schwerer schwarzer Band, unfachmännisch gebunden, ohne Namen oder Titel auf dem Einband. Auch der Druck sah ein wenig unregelmäßig aus. Die Seiten waren an den Ecken abgegriffen und fielen leicht auseinander, so als sei das Buch durch viele Hände gegangen. Die Überschrift der ersten Seite lautete:

THEORIE UND PRAXIS DES
OLIGARCHISCHEN KOLLEKTIVISMUS

Von
Immanuel Goldstein

Winston begann zu lesen:

1. Kapitel
Unwissenheit ist Stärke

Seit Beginn der geschichtlichen Überlieferung, und vermutlich seit dem Ende des Steinzeitalters, gab es auf der Welt drei Menschengattungen: die Ober-, die Mittel- und die Unterschicht. Sie waren mehrfach unterteilt, führten zahllose verschiedene Namensbezeichnungen, und sowohl ihr Zahlenverhältnis wie ihre Einstellung zueinander wandelten sich von einem Jahrhundert zum anderen: Die Grundstruktur der menschlichen Gesellschaft jedoch hat sich nie gewandelt. Sogar nach gewaltigen Umwälzungen und scheinbar unwiderruflichen Veränderungen hat sich immer wieder die gleiche Ordnung durchgesetzt, ganz so wie ein Kreisel immer wieder das Gleichgewicht herzustellen bestrebt ist, wie sehr man ihn auch nach der einen oder anderen Seite neigt.

Die Ziele dieser drei Gruppen sind miteinander vollkommen unvereinbar...

Winston hielt mit dem Lesen inne, hauptsächlich um sich genießerisch die Tatsache vor Augen zu halten, daß er in Geborgenheit und Sicherheit las. Er war allein: kein Televisor, kein Ohr am Schlüsselloch, kein nervöser Zwang, über die Schulter hinter sich zu blicken oder die Buchseite mit der Hand zu bedecken. Die milde Sommerluft streichelte seine Wange. Von irgendwo weit her drangen gedämpfte Kinderlaute; im Zimmer selbst kein Geräusch außer dem insektenhaften Ticken der Uhr. Er setzte sich tiefer in seinen Lehnstuhl zurück und legte die Füße auf das Kamingitter. Es war Seligkeit, war Zeitlosigkeit. Plötzlich, wie man es manchmal mit einem Buch macht, von dem man weiß, daß man am Schluß jedes Wort lesen und noch einmal lesen wird, schlug er es an einer anderen Stelle auf und stieß auf das dritte Kapitel. Er fuhr zu lesen fort:

3. Kapitel
Krieg bedeutet Frieden

Die Aufteilung der Welt in drei große Superstaaten war ein Ereignis, das bereits vor der Mitte des zwanzigsten Jahrhunderts vorauszusehen war und auch tatsächlich vorausgesehen wurde. Mit der Einverleibung Europas durch Rußland und des Britischen Empires durch die Vereinigten Staaten waren bereits zwei von den drei heute bestehenden Mächten in Erscheinung getreten. Die dritte, Ostasien, zeichnete sich erst nach einem weiteren Jahrzehnt verworrener Kämpfe als deutliche Einheit ab. Die Grenzen zwischen den drei Superstaaten sind an manchen Stellen willkürlich, an anderen schwanken sie je nach Kriegsglück, aber im allgemeinen folgen sie geographischen Gegebenheiten. Eurasien umfaßt den gesamten nördlichen Teil der europäischen und asiatischen Landmasse von Portugal bis zur Bering-Straße. Ozeanien umfaßt die beiden Amerika, die Inseln im Atlantischen Ozean einschließlich der Britischen Inseln, Australien und den südlichen Teil von Afrika. Ostasien, kleiner als die beiden anderen und mit einer weniger festumrissenen Westgrenze, umfaßt China und die südlich davon gelegenen Länder, die Japanischen Inseln und einen großen, aber fluktuierenden Teil der Mandschurei, der Mongolei und Tibets.

In der einen oder anderen Gruppierung liegen diese drei Superstaaten ständig miteinander im Krieg, wie sie sich auch während der letzten fünfundzwanzig Jahre dauernd bekämpften. Krieg ist jedoch nicht mehr der verzweifelte Vernichtungskampf wie in den Anfangsjahrzehnten des zwanzigsten Jahrhunderts. Er ist ein Waffengang mit beschränkten Zielen zwischen Kämpfenden, die nicht die Macht besitzen, einander zu vernichten, keinen materiellen Kriegsgrund haben und durch keinen echten ideologischen Unterschied getrennt sind. Das will nicht besagen, daß die Kriegführung oder die vorherrschende Einstellung dazu weniger blutrünstig oder ritterlich geworden wäre. Im Gegenteil, die Kriegshysterie wütet ständig und allgemein in allen Ländern, und Untaten wie Notzucht, Plünderung, Kindermord, Verschleppung ganzer Bevölkerungsteile in die Sklaverei, dazu Repressalien gegen Gefangene, die sogar soweit gehen, sie bei lebendigem Leib zu sieden und zu verbrennen, werden als normal und, wenn sie von der eigenen Seite und nicht vom Feind begangen werden, als verdienstlich angesehen. Aber mit ihrem Leben ist nur eine sehr geringe Anzahl von Menschen, größtenteils hochgeschulte Spezialisten, unmittelbar in die Kriegshandlungen verwickelt, und die durch sie verursachten Verluste an Gefallenen sind verhältnismäßig gering. Der Kampf, wenn überhaupt einer stattfindet, spielt sich an den undeutlich umrissenen Grenzen ab, über deren Lage der einfache Mann nur mutmaßen kann, oder im Bereich der Schwimmenden Festungen, die strategische Punkte der Seewege einnehmen. In den Zivilisationszentren bedeutet der Krieg nur eine dauernde Kürzung der Gebrauchsgüter und den gelegentlichen Einschlag einer Raketenbombe, der vielleicht ein paar Dutzend Menschen zum Opfer fallen. Der Krieg hat in der Tat sein Wesen völlig gewandelt. Genauer gesagt haben sich die Gründe, um derentwillen Krieg geführt wird, in der Rangordnung ihrer Wichtigkeit geändert. Beweggründe, die bereits in bescheidenen Ausmaßen bei den großen Kriegen zu Beginn des zwanzigsten Jahrhunderts mitsprachen, sind jetzt an die erste Stelle gerückt und werden bewußt anerkannt und in Rechnung gestellt.

Um das Wesen des gegenwärtigen Krieges zu verstehen – denn trotz der alle paar Jahre erfolgenden Umgruppierung handelt es sich immer um denselben Krieg –, muß man sich vor allem vergegenwärtigen, daß er unmöglich entschieden werden kann. Keiner der drei Superstaaten könnte, sogar unter Zusammenschluß der beiden anderen, endgültig unterworfen werden. Sie sind zu gleichmäßig stark und ihre natürlichen Verteidigungsmittel zu gewaltig. Eurasien ist durch seine riesigen Landflächen geschützt, Ozeanien durch die Ausdehnung des Atlantischen und des Pazifischen Ozeans, Ostasien durch die Gebärfreudigkeit und den Fleiß seiner Bewohner. Zweitens gibt es in materieller

Hinsicht nichts mehr, um das man kämpfen könnte. Mit Einführung der Autarkie, bei der Produktion und Verbrauch aufeinander abgestellt sind, ist die Jagd nach Absatzmärkten, die eine Hauptursache früherer Kriege war, beendet, während der Wettstreit um Rohstoffe keine Existenzfrage mehr ist. Jedenfalls ist jeder der drei Superstaaten so groß, daß er fast alle von ihm benötigten Materialien innerhalb seiner eigenen Grenzen finden kann. Soweit der Krieg einen unmittelbaren wirtschaftlichen Zweck hat, ist es ein Krieg um Arbeitskräfte. Zwischen den Grenzen der Superstaaten und nicht in dauerndem Besitz eines derselben liegt ein annähernd viereckiges Gebiet, dessen Ecken von Tanger, Brazzaville, Darwin und Hongkong gebildet werden und das etwa ein Fünftel der Gesamtbevölkerung der Erde enthält. Um den Besitz dieser dichtbevölkerten Landstriche und den der nördlichen Eiszone geht der dauernde Kampf der drei Mächte. In der Praxis beherrscht keine der Mächte jemals das gesamte strittige Gebiet. Teile davon wechseln dauernd den Besitzer, und die durch einen plötzlichen verräterischen Einfall geglückte Inbesitznahme dieses oder jenes Gebietsteils bestimmt den endlosen Wandel der Mächtegruppierung.

Sämtliche strittigen Gebiete enthalten wertvolle Mineralschätze, und manche von ihnen erzeugen wichtige pflanzliche Produkte wie Gummi, der in klimatisch kälteren Landstrichen durch verhältnismäßig kostspielige Methoden synthetisch erzeugt werden muß. Aber vor allem enthalten sie ein unerschöpfliches Reservoir billiger Arbeitskräfte. Welche Macht Äquatorial-Afrika oder die Länder des mittleren Ostens oder Südindien oder den Indonesischen Archipel beherrscht, hat damit Hunderte von Millionen schlecht bezahlter und schwer arbeitender Kulis zu ihrer Verfügung. Die mehr oder weniger offen auf die Stellung von Sklaven herabgedrückten Bewohner dieser Gebiete gehen dauernd von dem Besitz des einen Eroberers in den des anderen über und werden ähnlich wie Kohlenbergwerke oder Ölquellen ausgebeutet, in dem Wettlauf, mehr Waffen zu produzieren, das vorhandene Gebiet zu vergrößern, über mehr Arbeitskräfte zu verfügen, und endlos so weiter. Man muß dabei im Auge behalten, daß der Kampf nie wirklich über die Randgebiete der umstrittenen Territorien hinausgeht.

Die Grenzen Eurasiens verlaufen schwankend zwischen dem Stromgebiet des Kongo und der Nordküste des Mittelmeers. Die Inseln des Indischen Ozeans werden ständig von Ozeanien oder von Ostasien erobert und zurückerobert. In der Mongolei ist die Trennungslinie zwischen Eurasien und Ostasien nie fest umrissen. Rund um den Pol erheben alle drei Mächte Anspruch auf riesige Gebiete, die faktisch weitgehend unbewohnt und unerforscht sind. Aber das politische Gleichgewicht der Kräfte bleibt stets so ziemlich das gleiche, und das Gebiet, welches das Kernland jedes Superstaates bildet, bleibt immer unangetastet. Überdies ist die Arbeitskraft der um den Äquator angesiedelten ausgebeuteten Völker für die Weltwirtschaft nicht wirklich nötig. Sie tragen nichts zum Weltgedeihen bei, denn ihre gesamte Produktion dient Kriegszwecken, und das Ziel, warum ein Krieg vom Zaun gebrochen wird, besteht unabänderlich darin, besser für den nächsten Krieg gerüstet zu sein. Durch ihre Arbeitsleistung ermöglichen die Sklavenbevölkerungen eine Intensivierung der dauernden Kriegführung. Aber wären sie nicht vorhanden, so wäre die Struktur der Weltgesellschaftsordnung und das Verfahren, durch das sie sich erhält, nicht wesentlich anders.

Das Hauptziel der modernen Kriegführung (in Übereinstimmung mit den Prinzipien des *Zwiedenkens* wird dieses Ziel von den leitenden Köpfen der Inneren Partei gleichzeitig anerkannt und nicht anerkannt) besteht in dem Verbrauch der maschinellen Erzeugnisse, ohne den allgemeinen Lebensstandard zu heben. Seit Ende des neunzehnten Jahrhunderts war in der industriellen Gesellschaftsordnung das Problem immer latent, was man mit der Überproduktion von Verbrauchsgütern anfangen sollte. Gegenwärtig, da wenige Menschen auch nur genug zu essen haben, ist dieses Problem offensichtlich nicht dringlich und wäre es vielleicht auch ohne das Einschalten von künstlichen Vernichtungsprozessen nicht geworden. Die Welt von heute ist ein armseliger, hungerleidender, jämmerlicher Aufenthaltsort, verglichen mit der Welt von vor 1914, und das gilt noch in verstärktem Maße, wenn man sie mit der imaginären Zukunft vergleicht, die die Menschen jener Zeit erwarteten. Anfangs des zwanzigsten Jahrhunderts gehörte die Vision einer zukünftigen unglaublich reichen, über Muße verfügenden, geordneten und tüchtigen Gesellschaftsordnung – einer schimmernden antiseptischen Welt aus Glas, Stahl und schneeweißem Beton – zum Vorstellungsbild nahezu jedes gebildeten Menschen. Wissenschaft und Technik entwickelten sich mit wunderbarer Geschwindigkeit, und die Annahme schien natürlich, daß sie sich immer weiterentwickeln würden. Das war jedoch nicht der Fall, teils infolge der durch eine lange Reihe von Kriegen und Revolutionen verursachten Verarmung, teils weil wissenschaftlicher und technischer Fortschritt von einem durch Erfahrung gestützten Denken abhingen, das in einer diktatorisch kontrollierten Gesellschaftsordnung keinen Bestand haben konnte. Im ganzen genommen ist die Welt von heute primitiver, als sie es vor fünfzig Jahren war. Gewisse rückständige Gebiete machten zwar Fortschritte, und verschiedene, immer irgendwie mit Kriegführung oder Polizeibespitzelung zusammenhängende Verfahren entwickelten sich weiter, aber Experiment und Erfindung haben so gut wie aufgehört, und die Verheerungen des Atomkrieges der Jahre nach neunzehnhundertfünfzig wurden nie wieder ganz wettgemacht. Nichtsdestoweniger sind die der Maschine innewohnenden Gefahren noch immer vorhanden. Von dem Augenblick an, als die Maschine zum erstenmal in Erscheinung trat, war es für alle denkenden Menschen klar, daß die Notwendigkeit der Mühsal, und damit zum großen Teil auch die Ungleichheit der Menschen, erledigt waren. Wenn die Maschine wohlüberlegt mit diesem Ziel vor Augen in Dienst gestellt wurde, dann konnten Hunger, Überstunden, Schmutz, Elend, Unbildung und Krankheit in ein paar Generationen überwunden werden. Und tatsächlich hob die Maschine, ohne für einen solchen Zweck eingesetzt zu werden, sondern durch eine Art automatischen Prozeß – indem sie nämlich einen Überfluß produzierte, den zu verteilen sich manchmal nicht umgehen ließ – während eines Zeitraums von ungefähr fünfzig Jahren am Ende des neunzehnten und am Anfang des zwanzigsten Jahrhunderts den Lebensstandard des Durchschnittsmenschen sehr beträchtlich.

Aber es war auch klar, daß ein allgemein wachsender Wohlstand das Bestehen einer hierarchisch geordneten Gesellschaft bedrohte, ja tatsächlich in gewisser Weise ihre Auflösung bedeutete. In einer Welt, in der jedermann nur wenige Stunden arbeiten mußte, in der jeder genug zu essen hatte, in einem Haus mit Badezimmer und Kühlschrank wohnte, ein Auto oder sogar ein Flugzeug besaß, in einer solchen Welt wäre die augenfälligste und vielleicht wichtigste Form der Ungleichheit bereits verschwunden. Wurde dieser Wohlstand erst einmal Allgemeingut, so bedeutete er keine Vorzugsstellung mehr. Es war zweifellos möglich, sich eine Gesellschaftsordnung vorzustellen, in der *Wohlstand* im Sinne von persönlichem Besitz und Luxusartikeln gleichmäßig verteilt war, während die *Macht* in den Händen einer kleinen privilegierten Schicht lag. Aber in der Praxis würde eine solche Gesellschaftsordnung nicht lange Bestand haben. Denn sobald alle gleicherweise Muße und Sicherheit genossen, würde die große Masse der Menschen, die normalerweise durch die Armut abgestumpft war, sich heranbilden und selbständig denken lernen. Und war es erst einmal soweit, so würden sie früher oder später dahinterkommen, daß die privilegierte Minderheit keine Funktion hatte, und würden sie beseitigen. Auf lange Sicht war daher eine hierarchisch geordnete Gesellschaft nur auf einer Grundlage von Armut und Unbildung möglich.

Zu einer ackerbautreibenden Vergangenheit zurückzukehren, wie es einige Denker zu Anfang des zwanzigsten Jahrhunderts erträumten, war keine ausführbare Lösung. Sie stand im Widerspruch mit der fast auf der ganzen Welt gleichsam instinktiv gewordenen Mechanisierungstendenz, und außerdem war jedes industriell zurückgebliebene Land in militärischer Hinsicht hilflos und dazu verurteilt, direkt oder indirekt von seinen fortschrittlichen Rivalen beherrscht zu werden.

Auch war es keine befriedigende Lösung, die Massen dadurch in Armut zu erhalten, daß man die Herstellung von Gebrauchsgütern abdrosselte. Das war in weitgehendem Maße während der letzten Phase des Kapitalismus, ungefähr zwischen den Jahren 1920 und 1940, geschehen. In vielen Ländern ließ man die Wirtschaft zum Stillstand kommen, die Felder blieben unbebaut, veraltete Maschinen wurden nicht ergänzt, große Teile der Bevölkerung wurden der Arbeit entfremdet und durch staatliche Unterstützung gerade noch am Leben gehalten. Aber auch das brachte militärische Schwäche mit sich, und da die damit verbundenen Opfer offensichtlich unnötig waren, erhob sich unvermeidlich eine Opposition. Das Problem bestand darin, die Räder der Industrie sich weiter drehen zu lassen, ohne den wirklichen Wohlstand der Welt zu erhöhen. Verbrauchsgüter mußten zwar produziert, durften aber nicht unter die Leute gebracht werden. Und in der Praxis war der einzige Weg, dieses Ziel zu erreichen, eine immerwährende Kriegführung.

Die Hauptwirkung des Krieges ist die Zerstörung, nicht notwendigerweise von Menschenleben, sondern von Erzeugnissen menschlicher Arbeit. Der Krieg ist ein Mittel, um Materialien, die sonst dazu benützt werden könnten, die Massen zu bequem und damit auf lange Sicht zu intelligent zu machen, in Stücke zu sprengen, in die Stratosphäre zu verpulvern oder in die Tiefe des Meeres zu versenken. Sogar wenn nicht wirklich Kriegswaffen zerstört werden, so ist ihre Fabrikation doch ein bequemer Weg, Arbeitskraft zu verbrauchen, ohne etwas zu erzeugen, was konsumiert werden kann. In einer Schwimmenden Festung zum Beispiel steckt eine Arbeitsleistung, mit der man mehrere hundert Frachtschiffe bauen könnte. Am Schluß wird sie als überholt abgewrackt, ohne jemals jemandem wirklichen Nutzen gebracht zu haben, und mit einem weiteren riesigen Arbeitsaufwand wird eine neue Schwimmende Festung gebaut. Im Prinzip dienen die Kriegsanstrengungen dazu, jeden Überschuß, der vielleicht nach

Befriedigung der unerläßlichen Bedürfnisse der Bevölkerung verbleiben könnte, aufzuzehren. In der Praxis werden die Bedürfnisse der Bevölkerung immer unterschätzt, mit dem Ergebnis, daß eine chronische Verknappung der Hälfte aller lebenswichtigen Güter herrscht; aber das wird als Vorteil angesehen. Es ist gewollte Politik, sogar die privilegierten Gruppen am Rande der Not zu halten, denn ein allgemeiner Verknappungszustand hebt die Bedeutung zwischen einer Gruppe und einer anderen. An dem Lebensstandard zu Anfang des zwanzigsten Jahrhunderts gemessen, führt selbst ein Mitglied der Inneren Partei ein hartes, arbeitsreiches Leben. Dennoch sieht seine Welt durch die paar Vorzüge, deren er sich erfreut – seine große, gut eingerichtete Wohnung, den besseren Stoff seiner Anzüge, die bessere Qualität seines Essens, Trinkens und Tabaks, seine zwei oder drei Dienstboten, sein Privatauto oder Helikopter –, anders aus als die eines Mitglieds der Äußeren Partei, und die Mitglieder der Äußeren Partei genießen einen ähnlichen Vorteil im Vergleich mit den von uns als »die Proles« bezeichneten, unterdrückten Massen. Die soziale Atmosphäre gleicht der einer belagerten Stadt, in der der Besitz eines Stückes Pferdefleisch den Unterschied zwischen Reichtum und Armut bedeutet. Gleichzeitig läßt das Bewußtsein, im Kriegszustand und deshalb in Gefahr zu sein, es als die natürliche, unvermeidliche Bedingung für ein Weiterleben erscheinen, die gesamte Macht in die Hände einer kleinen Kaste zu legen.

Der Krieg erfüllt nicht nur, wie man sehen wird, das notwendige Zerstörungswerk, sondern erfüllt es auch in einer psychologisch annehmbaren Weise. Im Prinzip wäre es ganz einfach, die überschüssige Arbeit der Welt dadurch verpuffen zu lassen, daß man Tempel und Pyramiden baut, Löcher gräbt und sie wieder zuschüttet oder sogar große Mengen von Gütern erzeugt und sie dann verbrennt. Aber damit wäre nur die wirtschaftliche, nicht aber die gefühlsmäßige Basis für eine hierarchische Gesellschaftsordnung geschaffen. Es geht hier nicht um die Moral der Massen, deren Einstellung unwichtig ist, solange sie fest bei der

Arbeit gehalten werden, sondern um die Moral der Partei selbst. Sogar von dem einfachsten Parteimitglied wird erwartet, daß es in engen Grenzen fähig, fleißig, ja sogar klug ist, jedoch ist es ebenfalls unerläßlich, daß der Betreffende ein gläubiger und unwissender Fanatiker ist, dessen hauptsächliche Gefühlsregungen Angst, Haß, Speichelleckerei und wilder Triumph sind. Mit anderen Worten, es ist notwendig, daß er eine dem Kriegszustand entsprechende Mentalität besitzt. Es spielt keine Rolle, ob wirklich Krieg geführt wird, und da kein entscheidender Sieg möglich ist, kommt es nicht darauf an, ob der Krieg gut oder schlecht verläuft. Es ist weiter nichts nötig, als daß Kriegszustand herrscht. Die verstandesmäßige Zweiteilung, die die Partei von ihren Mitgliedern verlangt und die leichter in einer Kriegsatmosphäre zustande kommt, ist heute fast allgemein, aber je höher in den Rängen man hinaufkommt, desto deutlicher wird sie. Gerade in der Inneren Partei sind Kriegshysterie und Feindhaß am stärksten vertreten. In seiner Eigenschaft als Administrator muß ein Mitglied der Inneren Partei oft wissen, daß dieser oder jener Punkt der Kriegsmeldungen unwahr ist, und er mag sich häufig bewußt sein, daß der ganze Krieg Spiegelfechterei ist und entweder nicht stattfindet oder aus ganz anderen als den angeblichen Gründen ausgefochten wird: Aber dieses Wissen wird leicht durch die Anwendung des *Zwiedenkens* neutralisiert. Mittlerweile schwankt kein Inneres Parteimitglied einen Augenblick in seinem mystischen Glauben, daß der Krieg echt ist und mit einem Sieg enden muß, bei dem Ozeanien als der unbestrittene Beherrscher der ganzen Welt hervorgeht.

Alle Mitglieder der Inneren Partei glauben an diese kommende Eroberung wie an einen Glaubensartikel. Sie wird entweder dadurch erreicht, daß man langsam mehr und immer mehr Gebiete erobert und so eine erdrückende Machtüberlegenheit aufbaut, oder durch die Entdeckung einer neuen Waffe, gegen die es kein Abwehrmittel gibt. Die Suche nach neuen Waffen geht ununterbrochen weiter und ist eine der wenigen übriggebliebenen Tätigkeiten, in denen der Erfinder- oder Forschergeist sich Luft machen kann. In Ozeanien hat heutigen Tags die Wissenschaft im althergebrachten Sinne fast aufgehört zu existieren. In der Neusprache gibt es kein Wort für »Wissenschaft«. Die empirische Denkweise, auf der alle wissenschaftlichen Errungenschaften der Vergangenheit fußten, widerspricht den fundamentalsten Prinzipien von Engsoz. Und sogar ein technologischer Fortschritt wird nur erzielt, wenn seine Erzeugnisse in irgendeiner Weise zur Beschränkung der menschlichen Freiheit benützt werden können. In allen nutzbringenden Künsten steht die Welt entweder still oder macht einen Rückschritt. Die Äcker werden mit Pferdepflug bestellt, während Bücher maschinell geschrieben werden. Aber in lebenswichtigen Dingen – womit in Wirklichkeit Krieg und Polizeibespitzelung gemeint sind – wird die empirische Einstellung auch heute noch ermutigt oder wenigstens geduldet. Die beiden Ziele der Partei sind, die ganze Erdoberfläche zu erobern und ein für allemal die Möglichkeit unabhängigen Denkens auszutilgen. Infolgedessen gibt es zwei große Probleme, deren Lösung die Partei anstrebt. Das eine ist, die Gedanken eines anderen Menschen zu entdecken, ohne daß er sich dagegen wehren kann. Und das andere besteht in der Auffindung eines Verfahrens zur Tötung von mehreren hundert Millionen Menschen in ein paar Sekunden ohne vorhergehende Warnung. Soweit es noch wissenschaftliche Forschung gibt, ist dies ihr Hauptgegenstand. Der heutige Wissenschaftler ist entweder eine Mischung von Psychologe und Inquisitor, der mit ungewöhnlicher Sorgfältigkeit die Bedeutung von Gesichtsausdrücken, Gebärden und Stimmschwankungen studiert und die zu wahrheitsgemäßen Aussagen zwingenden Wirkungen von Drogen, Schock-Therapie, Hypnose und körperlicher Folterung erprobt. Oder er ist ein Chemiker, Physiker oder Biologe, der sich nur mit solchen Fragen seines Spezialfaches beschäftigt, die auf die Vernichtung des Lebens Bezug haben. In den ausgedehnten Laboratorien des Friedensministeriums und den großen, in den brasilianischen Wäldern oder der australischen Wüste oder auf den abgelegenen Inseln der Antarktis verborgenen Versuchsstationen sind Gruppen von

Fachleuten unermüdlich am Werk. Manche sind lediglich mit der Bewegungs-, Unterbringungs- und Verpflegungskunde zukünftiger Kriege beschäftigt. Andere dagegen erfinden größere und immer größere Raketengeschosse, Explosivstoffe von immer verheerenderer Wirkung und immer undurchdringlicherer Panzerung. Wieder andere suchen nach neuen und tödlicheren Gasen oder auflösbaren Giften, die in solchen Mengen produziert werden können, um damit die Vegetation ganzer Kontinente zu vernichten, oder nach Krankheitsbakterien, gegen die es kein immun machendes Gegenmittel gibt. Andere bemühen sich, ein Fahrzeug zu konstruieren, das sich unter der Erde wie ein Unterseeboot unter Wasser fortbewegt, oder ein Flugzeug, das von seinem Stützpunkt so unabhängig ist wie ein Segelschiff. Andere erforschen sogar noch ferner liegende Möglichkeiten, wie zum Beispiel die Sonnenstrahlen in Tausende von Kilometern im Raum entfernt aufgehängten Linsen zu sammeln, oder durch Anzapfen des glühenden Erdinneren künstliche Erdbeben und Flutwellen hervorzurufen.

Aber keines dieser Projekte kommt jemals der Verwirklichung nahe, und keiner der drei Superstaaten erlangt jemals ein bedeutendes Übergewicht über die anderen. Noch bemerkenswerter ist, daß alle drei Mächte in der Atombombe bereits eine weit gewaltigere Waffe besitzen, als einer ihrer derzeitigen Versuche jemals hervorzubringen verspricht. Wenn auch die Partei gemäß ihrer Gewohnheit die Erfindung für sich in Anspruch nimmt, so traten die Atombomben bereits in den Jahren nach 1940 erstmalig in Erscheinung und wurden zum erstenmal in großem Umfang etwa zehn Jahre später angewendet. Zu der Zeit wurden einige hundert Bomben auf Industriezentren, hauptsächlich im europäischen Rußland, Westeuropa und Nordamerika abgeworfen. Die dadurch erzielte Wirkung war, daß die herrschenden Gruppen aller Länder zu der Überzeugung gelangten, ein paar Atombomben mehr würden das Ende jeder geordneten Gesellschaft und damit ihrer eigenen Macht bedeuten. Danach wurden, obwohl nie ein formelles Abkommen getroffen oder angedeutet wurde, keine Atombomben mehr abgeworfen. Alle drei Mächte fahren lediglich fort, Atombomben herzustellen und sie für die entscheidende Gelegenheit aufzuspeichern, von der sie alle glauben, daß sie früher oder später kommen wird. Und inzwischen ist die Kriegskunst dreißig oder vierzig Jahre so gut wie zum Stillstand gekommen. Helikopter werden mehr benützt als früher, Bombenflugzeuge wurden größtenteils durch selbstgesteuerte Geschosse ersetzt, und das leicht verwundbare bewegliche Schlachtschiff ist der nahezu unversenkbaren Schwimmenden Festung gewichen; aber sonst hat sich wenig weiterentwickelt. Der Tank, das Unterseeboot, das Torpedo, das Maschinengewehr, sogar das gewöhnliche Gewehr und die Handgranate sind noch immer im Gebrauch. Und ungeachtet der endlosen in der Presse und durch den Televisor gemeldeten Gemetzel fanden die verzweifelten Schlachten früherer Kriege, in denen oft sogar in ein paar Wochen Hunderttausende oder sogar Millionen von Menschen getötet wurden, nie eine Wiederholung.

Keiner der drei Superstaaten unternimmt je eine Kriegshandlung, die das Gefahrenmoment einer ernsten Niederlage in sich schließt. Wenn eine große Kriegshandlung unternommen wird, so handelt es sich gewöhnlich um einen Überraschungsangriff gegen einen Verbündeten. Die Strategie, die alle drei Mächte verfolgen oder zu verfolgen glauben, ist die gleiche. Sie zielt darauf ab, sich durch ein Zusammenwirken von Kampfhandlungen, Verhandeln und zeitlich wohlberechnetem Verrat einen Ring von Stützpunkten zu schaffen, der den einen oder anderen der rivalisierenden Staaten vollkommen einkreist, und dann mit diesem Rivalen einen Freundschaftspakt zu schließen und so viele Jahre friedliche Beziehungen mit ihm zu unterhalten, daß jeder Argwohn einschläft. Während dieser Zeit können mit Atombomben geladene Raketengeschosse an allen strategisch wichtigen Punkten gehortet werden; am Schluß werden sie alle gleichzeitig mit so verheerender Wirkung abgeschossen, daß eine Wiedervergeltung unmöglich gemacht ist. Dann ist es Zeit, mit der übriggebliebenen Weltmacht in Vorbereitung eines neuen Angriffs einen Freundschaftspakt zu schließen. Dieses Schema ist, wie kaum gesagt zu werden braucht, ein unmöglich zu verwirklichender Wunschtraum. Außerdem kommt es nie zu Kampfhandlungen, außer in den um den Äquator und den Pol gelegenen umstrittenen Gebieten: nie wird ein Einfall in feindliches Gebiet unternommen. Das erklärt die Tatsache, daß an manchen Stellen die Grenzen zwischen den Superstaaten willkürlich gezogen sind. Eurasien zum Beispiel könnte leicht die Britischen Inseln, die geographisch einen Bestandteil Europas bilden, erobern. Oder andererseits wäre es für Ozeanien möglich, seine Grenzen bis zum Rhein oder sogar bis zur Weichsel vorzuschieben. Das aber würde das von allen Seiten eingehaltene, wenn auch nie formulierte Prinzip der kulturellen Unantastbarkeit verletzen. Wenn Ozeanien die einstmals als Frankreich und Deutschland bekannten Gebiete eroberte, würde es notwendig werden, entweder die Bewohner auszutilgen – eine praktisch sehr schwierig durchführbare Aufgabe – oder eine Bevölkerung von rund hundert Millionen Menschen zu assimilieren, die, was die technische Entwicklung anbetrifft, ungefähr auf der Stufe von Ozeanien stehen. Das Problem ist für alle drei Superstaaten das gleiche. Es ist für ihre Struktur unbedingt erforderlich, daß kein Kontakt mit Ausländern stattfindet, ausgenommen in beschränktem Maße mit Kriegsgefangenen und farbigen Sklaven. Sogar dem jeweiligen offiziellen Verbündeten wird immer mit dem schwärzesten Verdacht begegnet. Abgesehen von Kriegsgefangenen bekommt der Durchschnittsbürger von Ozeanien nie einen Bewohner Eurasiens oder Ostasiens zu Gesicht, und die Kenntnis fremder Sprachen ist ihm verboten. Wäre es ihm erlaubt, mit Ausländern in Berührung zu kommen, so würde er entdecken, daß sie ganz ähnliche Menschen sind wie er selber und daß das meiste, was man ihm von ihnen erzählt hat, erlogen ist. Die künstlichen Schranken der Welt, in der er lebt, würden fallen, und die Furcht, der Haß und die Selbstgerechtigkeit, von denen seine Moral abhängt, könnten sich verflüchtigen. Man hat deshalb auf allen Seiten erkannt, daß, so oft auch Persien oder Ägypten oder Java oder Ceylon den Besitzer wechseln mögen, die Hauptgrenzen doch nie von etwas anderem als von Bomben überquert werden dürfen.

Dem liegt eine nie laut ausgesprochene, aber stillschweigend erkannte und anerkannte Tatsache zugrunde: nämlich die, daß die Lebensbedingungen in allen drei Superstaaten fast genau die gleichen sind. In Ozeanien wird die herrschende Weltanschauung als Engsoz bezeichnet, in Eurasien heißt sie Neo-Bolschewismus, und in Ostasien wird sie durch ein chinesisches Wort ausgedrückt, das gewöhnlich mit Sterbekult übersetzt, vielleicht aber treffender mit Auslöschung des eigenen Ichs wiedergegeben wird. Der Bewohner Ozeaniens darf nichts von den Grundsätzen der beiden anderen Lebensanschauungen wissen, wird aber gelehrt, sie als barbarische Verstöße gegen Moral und gesunden Menschenverstand zu verabscheuen. In Wirklichkeit sind die drei Lebensanschauungen kaum voneinander unterscheidbar, und die gesellschaftlichen Einrichtungen, zu deren Stütze sie dienen, unterscheiden sich überhaupt in keiner Weise. Überall findet sich der gleiche pyramidenförmige Aufbau, die gleiche Verehrung eines halbgöttlichen Führers, die gleichen, durch und für dauernde Kriegführung vorgenommenen Sparmaßnahmen. Daraus folgt, daß die drei Superstaaten nicht nur einander nicht überwinden können, sondern auch keinen Vorteil davon hätten. Im Gegenteil, solange sie in angespanntem Verhältnis zueinander stehen, stützen sie sich gegenseitig wie drei aneinandergelehnte Getreidegarben. Und wie gewöhnlich, sind sich die herrschenden Gruppen aller drei Mächte dessen, was sie tun, gleichzeitig bewußt und nicht bewußt. Ihr Leben ist der Welteroberung gewidmet, sie wissen aber auch, daß es notwendig ist, daß der Krieg ewig und ohne Endsieg fortdauert. Inzwischen macht die Tatsache, daß keine Gefahr einer Eroberung besteht, die Verleugnung der Wirklichkeit möglich, die eines der besonderen Merkmale von Engsoz und seinen rivalisierenden Denksystemen ist. Hier muß das bereits früher Gesagte wiederholt werden, wonach der Krieg dadurch, daß er zu einem Dauerzustand wurde, seinen Charakter grundlegend geändert hat.

In früheren Zeiten war ein Krieg fast seiner Definition nach schon etwas, das früher oder später zu einem Ende kam, gewöhnlich in Form eines unmißverständlichen Sieges oder einer ebensolchen Niederlage. Auch war in der Vergangenheit der Krieg eines der Hauptmittel, um die Verbindung der menschlichen Gesellschaften mit der gegebenen Wirklichkeit aufrechtzuerhalten. Alle Machthaber in allen Zeitaltern haben versucht, ihren Anhängern ein falsches Weltbild einzuimpfen, aber sie konnten es sich nicht leisten, eine Illusion zu ermutigen, die dazu angetan war, die militärische Stärke zu beeinträchtigen. Solange eine Niederlage gleichbedeutend war mit Verlust der Unabhängigkeit oder ein anderes unerwünschtes Ergebnis im Gefolge hatte, mußte man ernstliche Vorkehrungen gegen eine Niederlage treffen. Greifbare Tatsachen konnten nicht außer acht gelassen werden. In Philosophie, Religion, Ethik oder Politik mochten wohl zwei mal zwei gleich fünf sein, aber wenn es sich um die Konstruktion eines Gewehrs oder eines Flugzeugs handelte, dann mußte es gleich vier sein. Untüchtige Nationen wurden immer früher oder später überwunden, und der Kampf um die Leistungsfähigkeit erlaubte keine Illusionen. Außerdem mußte man, um leistungsfähig zu sein, aus der Vergangenheit lernen können, was bedeutet, daß man eine ziemlich genaue Vorstellung von dem haben mußte, was sich in der Vergangenheit zugetragen hatte. Zeitungen und Geschichtsbücher waren freilich immer gefärbt und einseitig, aber Fälschungen von der heute üblichen Art wären unmöglich gewesen. Der Krieg war eine sichere Bürgschaft für Vernunft, und was die herrschenden Klassen betrifft, vielleicht das wichtigste aller Schutzmittel. Solange Kriege gewonnen oder verloren werden konnten, konnte keine Klasse ganz verantwortungslos sein.

Aber wenn der Krieg buchstäblich ein Dauerzustand wird, dann hört er auch auf, gefährlich zu sein. Wenn Krieg ein Dauerzustand ist, dann gibt es so etwas wie eine militärische Notwendigkeit nicht mehr. Technischer Fortschritt kann aufhören, und die offenkundigsten Tatsachen können geleugnet oder außer acht gelassen werden. Wie wir gesehen haben, werden für Kriegszwecke zwar noch Forschungen angestellt, die man als wissenschaftlich bezeichnen könnte, aber in der Hauptsache handelt es sich dabei um Phantasiegespinste, und die Tatsache, daß sie kein Resultat zeitigen, ist unwichtig. Leistungsfähigkeit, sogar militärische Leistungsfähigkeit, ist nicht mehr notwendig. Nichts in Ozeanien ist leistungsfähig außer der Gedankenpolizei. Da jeder der drei Superstaaten uneinnehmbar ist, stellt jeder von ihnen im Effekt eine Welt für sich dar, in der fast jede Gedankenverdrehung ungestraft begangen werden kann. Die Wirklichkeit macht sich nur durch den Druck der Alltagserfordernisse bemerkbar – die Notwendigkeit zu essen und zu trinken, zu wohnen und sich zu kleiden, es zu vermeiden, Gift zu schlucken oder aus einem Dachfenster hinauszusteigen und dergleichen. Zwischen Leben und Tod und zwischen körperlichem Wohlbehagen und körperlichem Schmerz besteht wohl noch ein Unterschied, aber das ist auch alles. Abgeschnitten von der Berührung mit der Außenwelt und der Vergangenheit, gleicht der Bürger Ozeaniens einem Menschen im interplanetarischen Raum, der keinen Anhaltspunkt hat, in welcher Richtung oben oder unten ist. Die Machthaber eines solchen Staates sind so absolut, wie es die Pharaonen oder Caesaren nicht sein konnten. Sie müssen verhindern, daß ihre Anhänger in einer Zahl verhungern, die groß genug ist, um unbequem zu werden, und dafür Sorge tragen, daß sie auf dem gleichen Tiefstand militärischer Technik stehenbleiben wie ihre Rivalen. Sind aber erst einmal diese Minimalforderungen erfüllt, dann können sie der Wirklichkeit jede von ihnen gewünschte Gestalt geben.

Der Krieg ist demnach, wenn wir nach den Maßstäben früherer Kriege urteilen, lediglich ein Schwindel. Es ist das gleiche wie die Kämpfe zwischen gewissen Wiederkäuern, deren Hörner in einem solchen Winkel gewachsen sind, daß sie einander nicht verletzen können. Wenn er aber auch nur ein Scheingefecht ist, so ist er doch nicht zwecklos. Durch ihn wird der Überschuß von Gebrauchsgütern verbraucht, und er hilft die besondere geistige

Atmosphäre aufrechtzuerhalten, die eine hierarchische Gesellschaftsordnung braucht. Der Krieg ist jetzt, wie man sehen wird, eine rein innenpolitische Angelegenheit. In der Vergangenheit kämpften die herrschenden Gruppen aller Länder, wenn sie auch ihr gemeinsames Interesse erkennen und deshalb die Zerstörungswirkung des Krieges beschränken mochten, doch eine gegen die andere, und immer brandschatzte der Sieger den Besiegten. Heutzutage kämpfen sie überhaupt nicht gegeneinander. Der Krieg wird von jeder herrschenden Gruppe gegen ihre eigenen Anhänger geführt, und das Kriegsziel ist nicht, Gebietseroberungen zu machen oder zu verhindern, sondern die Gesellschaftsstruktur intakt zu erhalten. Infolgedessen ist schon das Wort »Krieg« irreführend geworden. Es wäre vermutlich richtig zu sagen, der Krieg habe dadurch, daß er ein Dauerzustand wurde, aufgehört zu existieren. Der charakteristische Druck, den er zwischen dem späteren Steinzeitalter und dem anfänglichen zwanzigsten Jahrhundert auf die Menschen ausgeübt hat, ist verschwunden und wurde durch etwas ganz anderes ersetzt. Die Wirkung wäre die gleiche, wenn die drei Superstaaten, anstatt einander zu bekämpfen, übereinkämen, in dauerndem Friedenszustand zu leben, wobei jeder unangefochten innerhalb seiner eigenen Grenzen bleibt. Denn in diesem Falle wäre jeder eine in sich abgeschlossene Welt, für immer von dem hemmenden Einfluß einer von außen drohenden Gefahr befreit. Ein wirklich dauerhafter Friede wäre das gleiche wie dauernder Krieg. Das ist – wenn auch die große Mehrheit der Parteimitglieder es nur in einem seichteren Sinne versteht – der tiefere Sinn des Parteischlagwortes: *Krieg bedeutet Frieden.*

Winston unterbrach einen Augenblick seine Lektüre. Irgendwo in weiter Ferne donnerte eine Raketenbombe. Das Glücksgefühl, mit dem verbotenen Buch allein in einem Zimmer zu sein, in dem es keinen Televisor gab, hatte ihn noch nicht verlassen. Einsamkeit und Geborgenheit waren Wohltaten, die sich irgendwie mit der Müdigkeit seines Körpers, der Weichheit des Stuhles, dem durchs Fenster kommenden leisen Luftzug, der seine Wange streichelte, vermischten. Das Buch fesselte oder, genauer gesagt, beruhigte ihn. In gewissem Sinne sagte es ihm nichts Neues, aber das gehörte zu seinem besonderen Reiz. Es schilderte, was auch er gesagt hätte, wenn er seine wirren Gedanken hätte ordnen können. Es war das Produkt eines Geistes, der dem seinigen ähnelte, nur daß er viel, viel stärker, systematischer und weniger verängstigt war. Die besten Bücher, erkannte er, sind die, welche einem vor Augen führen, was man bereits weiß. Er hatte gerade zum ersten Kapitel zurückgeblättert, als er Julias Schritt auf der Treppe hörte und von seinem Stuhl aufsprang, um sie zu empfangen. Sie stellte ihre braune Werkzeugtasche auf den Boden ab und warf sich in seine Arme. Es war mehr als eine Woche her, seitdem sie einander zuletzt gesehen hatten.

»Ich habe *das Buch,*« sagte er, als sie sich voneinander freimachten.

»So, hast du's? Schön«, sagte sie ohne viel Interesse und kniete fast sogleich neben dem Petroleumkocher nieder, um Kaffee zu machen.

Sie kamen erst wieder auf das Thema zurück, als sie bereits eine halbe Stunde im Bett lagen. Der Abend war gerade kühl genug, daß es sich lohnte, die Steppdecken hochzuziehen. Von drunten erscholl der vertraute Gesang und das Scharren von Schuhen auf den Steinplatten. Die muskulöse Frau mit den roten Armen, die Winston bei seinem ersten Besuch dort gesehen hatte, war fast ein Inventarstück des Hofes. Es schien keine Tagesstunde zu geben, zu der sie nicht zwischen Waschzuber und Wäscheleine hin und her ging, wobei sie sich abwechselnd mit Wäscheklammern den Mund vollstopfte und schmalzige Lieder anstimmte. Julia hatte sich auf die Seite gekuschelt und schien bereits im Begriff einzuschlafen. Er griff nach dem Buch, das auf dem Fußboden lag, und setzte sich, gegen das Kopfteil des Bettes gelehnt, auf.

»Wir müssen es lesen«, sagte er. »Du auch. Alle Mitglieder der Brüderschaft müssen es lesen.«

»Lies du es«, sagte sie mit geschlossenen Augen. »Lies es laut vor. Das ist die beste Methode. Dann kannst du es mir gleich dabei erklären.«

Die Uhrzeiger deuteten auf sechs, was soviel hieß wie achtzehn Uhr. Sie hatten noch drei oder vier Stunden vor sich. Er stützte das Buch gegen seine Knie und begann zu lesen:

1. Kapitel
Unwissenheit ist Stärke

Seit Beginn der geschichtlichen Überlieferung, und vermutlich seit dem Ende des Steinzeitalters, gab es auf der Welt drei Menschengattungen: die Ober-, die Mittel- und die Unterschicht. Sie waren mehrfach unterteilt, führten zahllose verschiedene Namensbezeichnungen, und sowohl ihr Zahlenverhältnis wie ihre Einstellung zueinander wandelten sich von einem Jahrhundert zum anderen: Die Grundstruktur der menschlichen Gesellschaft jedoch hat sich nie gewandelt. Sogar nach gewaltigen Umwälzungen und scheinbar unwiderruflichen Veränderungen hat sich immer wieder die gleiche Ordnung durchgesetzt, ganz so wie ein Kreisel immer wieder das Gleichgewicht herzustellen bestrebt ist, wie sehr man ihn auch nach der einen oder anderen Seite neigt.

»Julia, bist du noch wach?« fragte Winston.

»Ja, Liebster, ich höre. Lies weiter. Es ist wundervoll.«

Er fuhr zu lesen fort:

Die Ziele dieser drei Gruppen sind miteinander vollkommen unvereinbar. Das Ziel der Oberen ist, sich da zu behaupten, wo sie sind. Das der Mittelklasse, mit den Oberen den Platz zu tauschen. Das der Unteren, wenn sie überhaupt ein Ziel haben – denn es ist ein bleibendes Charakteristikum der Unteren, daß sie durch die Mühsal zu zermürbt sind, um etwas anderes als hin und wieder ihr Alltagsleben ins Bewußtsein dringen zu lassen –, besteht darin, alle Unterschiede abzuschaffen und eine Gesellschaft ins Leben zu rufen, in der alle Menschen gleich sind. So wiederholt sich die ganze Geschichte hindurch ein in seinen Grundlinien gleicher Kampf wieder und immer wieder. Während langen Zeitspannen scheinen die Oberen sicher an der Macht zu sein, aber früher oder später kommt immer ein Augenblick, in dem sie entweder ihren Selbstglauben oder ihre Fähigkeit, streng zu regieren, oder beides verlieren. Dann werden sie von den Angehörigen der Mittelklasse gestürzt, die die Unteren auf ihre Seite ziehen, indem sie ihnen vormachen, für Freiheit und Gerechtigkeit zu kämpfen. Sobald sie ihr Ziel erreicht haben, drängen die Angehörigen der Mittelklasse die Unteren wieder in ihre alte Knechtschaftsstellung zurück, und sie selber werden die Oberen. Bald darauf spaltet sich von einer der anderen Gruppen oder von beiden eine neue Mittelgruppe ab, und der Kampf beginnt wieder von vorne. Von den drei Gruppen gelingt es nur den Unteren nie, auch nur zeitweise ihre Ziele zu erreichen. Es wäre eine Übertreibung, zu sagen, daß im Verlauf der Geschichte kein materieller Fortschritt erzielt worden sei. Sogar heutzutage, in einer Periode des Niedergangs, ist der Durchschnittsmensch physisch besser daran, als er es vor ein paar Jahrhunderten war. Aber keine Steigerung des Wohlstandes, keine Milderung der Sitten, keine Reform oder Revolution hat die Gleichheit der Menschen jemals auch nur um einen Millimeter nähergebracht. Vom Gesichtspunkt der Unteren aus hat kein geschichtlicher Wandel jemals viel anderes bedeutet als eine Änderung der Namen ihrer Herren.

Ende des neunzehnten Jahrhunderts war die Regelmäßigkeit dieses Turnus vielen Beobachtern zum Bewußtsein gekommen. Daraufhin entstanden damals philosophische Richtungen, die die Geschichte als einen sich zyklisch wiederholenden Prozeß auslegten und aufzeigen wollten, daß Ungleichheit ein unabänderliches Gesetz des menschlichen Lebens sei. Diese Lehre hatte natürlich schon immer ihre Anhänger gehabt, aber in der Art und Weise, wie sie jetzt in den Vordergrund trat, äußerte sich ein bezeichnender Wandel. In der Vergangenheit war die Notwendigkeit einer hierarchischen Gesellschaftsform die von den Oberen vertretene Doktrin gewesen. Sie war von Königen, Adeligen und Priestern, den mit der Rechtsprechung Betrauten und ähnlichen

Leuten, die von ihnen schmarotzten, gepredigt und gewöhnlich durch Versprechungen einer Vergeltung in einer imaginären Welt jenseits des Grabes schmackhafter gemacht worden. Die Mitte hatte immer, solange sie um die Macht kämpfte, Worte wie Freiheit, Gleichheit und Brüderlichkeit im Munde geführt. Jetzt jedoch begann die Auffassung menschlicher Brüderlichkeit einer Kritik von Menschen unterzogen zu werden, die noch keine herrschende Stellung innehatten, sondern lediglich hofften, bald soweit zu sein. In der Vergangenheit hatte die Mitte Revolutionen unter dem Banner der Gleichheit gemacht und dann eine neue Tyrannei errichtet, sobald die alte gestürzt war. Die neuen Mittelgruppen proklamierten ihre Tyrannei im voraus. Der Sozialismus, eine Theorie, die anfangs des neunzehnten Jahrhunderts auftauchte und das letzte Glied einer Gedankenkette war, die zu den Sklavenaufständen des Altertums zurückreichte, war noch heftig von dem Utopismus vergangener Zeitalter infiziert. Aber in jeder von 1900 an sich geltend machenden Spielart von Sozialismus wurde das Ziel, Freiheit und Gleichheit einzusetzen, immer unumwundener aufgegeben. Die neuen Bewegungen, die um die Mitte des Jahrhunderts auftauchten, nämlich Engsoz in Ozeanien, Neo-Bolschewismus in Eurasien, Sterbekult, wie er gewöhnlich bezeichnet wird, in Ostasien, setzten es sich bewußt zum Ziel, *Un*freiheit und *Un*gleichheit zu einem Dauerzustand zu machen. Diese neuen Bewegungen gingen natürlich aus den alten hervor und neigten dazu, deren Namen beizubehalten und ihren Ideologien Lippenlob zu zollen. Aber alle zielten darauf ab, dem Fortschritt Einhalt zu gebieten und die Geschichte in einem entsprechenden Augenblick für immer zum Stillstand zu bringen. Das übliche Ausschlagen des Pendels sollte noch einmal vor sich gehen, und dann sollte es stehenbleiben. Wie gewöhnlich sollten die Oberen von den Mittleren verdrängt werden, die damit die Oberen wurden. Aber diesmal würden die Oberen durch eine bewußte Strategie imstande sein, ihre Stellung für immer zu behaupten.

Die neuen Lehren traten teils infolge der Anhäufung historischen Wissens und des zunehmenden Verständnisses für Geschichte, das es vor dem neunzehnten Jahrhundert kaum gegeben hatte, in Erscheinung. Die zyklische Bewegung der Geschichte war jetzt erkennbar oder schien es wenigstens zu sein. Und wenn sie erkennbar war, dann konnte man sie auch ändern. Aber der hauptsächliche, tiefere Grund lag darin, daß bereits anfangs des zwanzigsten Jahrhunderts die Gleichheit der Menschen technisch möglich geworden war. Es war noch immer wahr, daß die Menschen nicht gleich waren in ihren angeborenen Begabungen und daß für die Erfüllung von Aufgaben eine Auswahl getroffen werden mußte, durch die einzelne gegenüber anderen bevorzugt wurden. Aber es bestand keine wirkliche Notwendigkeit mehr für Klassen- oder große Besitzunterschiede. In früheren Zeiten waren Klassenunterschiede nicht nur unvermeidbar, sondern sogar erwünscht gewesen. Ungleichheit war der Preis der Zivilisation. Mit der Weiterentwicklung der maschinellen Produktion änderte sich jedoch die Sachlage. Sogar wenn die Menschen noch die eine oder andere Arbeit selbst verrichten mußten, so brauchten sie doch nicht mehr auf verschiedenen sozialen oder wirtschaftlichen Stufen zu stehen. Deshalb war vom Gesichtspunkt der neuen Gruppen, die im Begriff standen, die Macht zu ergreifen, menschliche Gleichheit kein erstrebenswertes Ideal mehr, sondern vielmehr eine Gefahr, die verhütet werden mußte. In primitiveren Zeitaltern, als eine gerechte und friedliche Gesellschaftsordnung tatsächlich nicht möglich war, war es ganz leicht gewesen, daran zu glauben. Die Vorstellung eines irdischen Paradieses, in dem die Menschen ohne Gesetze und ohne harte Arbeit in einem Verbrüderungszustand leben sollten, hatte der menschlichen Phantasie seit Tausenden von Jahren vorgeschwebt. Und diese Vision hatte sogar noch einen gewissen Einfluß auf die Gruppen ausgeübt, die in Wirklichkeit aus jeder geschichtlichen Veränderung Vorteile zogen. Die Erben der französischen, englischen und amerikanischen Revolutionen hatten teilweise an ihre eigenen Phrasen von Menschenrechten, freier Meinungsäußerung, Gleichheit vor dem Gesetz und dergleichen mehr geglaubt und hatten sogar ihr Verhalten bis zu einem gewissen Grade davon beeinflussen lassen. Aber mit dem vierten Jahrzehnt des zwanzigsten Jahrhunderts wurden alle Hauptströmungen der politischen Denkweise autoritär. Das irdische Paradies war genau in dem Augenblick in Mißkredit geraten, in dem es sich verwirklichen ließ. Jede neue politische Theorie, wie immer sie sich nannte, führte zu Klassenherrschaft und Reglementierung. Und bei der ungefähr um das Jahr 1930 einsetzenden Vergröberung der moralischen Auffassung wurden Praktiken, die seit langem aufgegeben worden waren, in manchen Fällen seit Hunderten von Jahren – wie Inhaftierung ohne Gerichtsverhandlung, die Verwendung von Kriegsgefangenen als Arbeitssklaven, öffentliche Hinrichtungen, Folterung zur Erpressung von Geständnissen, das Gefangennehmen von Geiseln und die Deportation ganzer Bevölkerungsteile –, nicht nur wieder allgemein, sondern auch von Menschen geduldet und sogar verteidigt, die sich für aufgeklärt und fortschrittlich hielten.

Erst nach einem Jahrzehnt nationaler Kriege, Bürgerkriege, Revolutionen und Gegenrevolutionen in allen Teilen der Welt traten Engsoz und seine Rivalen als sich voll auswirkende politische Doktrinen hervor. Aber sie waren von den verschiedenen, gewöhnlich totalitär genannten Systemen, die sich früher in diesem Jahrhundert bemerkbar machten, vorangezeigt worden, und die großen Umrisse der Welt, die aus dem herrschenden Chaos hervorgehen würde, waren seit langem offensichtlich gewesen. Was für eine Art von Menschen in dieser Welt die Macht ausüben würde, war gleicherweise offensichtlich gewesen. Die neue Aristokratie setzte sich zum größten Teil aus Bürokraten, Wissenschaftlern, Technikern, Gewerkschaftsfunktionären, Propagandafachleuten, Soziologen, Lehrern, Journalisten und Berufspolitikern zusammen. Diese Menschen, die aus dem Lohn empfangenden Mittelstand und der gehobenen Arbeiterschaft stammten, waren durch die dürre Welt der Monopolindustrie und einer zentralisierten Regierung geformt und zusammengeführt worden. Mit ihren Gegenstücken in früheren Generationen verglichen, waren sie weniger besitzgierig, weniger auf Luxus versessen, mehr nach bloßer Macht hungrig, und vor allem sich ihres Handelns mehr bewußt und mehr darauf bedacht, die Opposition zu vernichten. Dieser letztere Unterschied war grundlegend. Im Vergleich mit der heute herrschenden waren alle Tyranneien der Vergangenheit lau und unwirksam. Die herrschenden Gruppen waren immer bis zu einem gewissen Grade von liberalen Ideen infiziert und damit zufrieden gewesen, überall ein Hintertürchen offen zu lassen, um nur die offenkundige Tat ins Auge zu fassen und sich nicht darum zu kümmern, was ihre Untertanen dachten. Sogar die katholische Kirche des Mittelalters war, nach neuzeitlichen Maßstäben gemessen, duldsam. Ein teilweiser Grund hierfür war, daß in der Vergangenheit keine Regierung die Macht besaß, ihre Bürger unter dauernder Überwachung zu halten. Die Erfindung der Buchdruckerkunst machte es jedoch leichter, die öffentliche Meinung zu beeinflussen, und Film und Radio förderten diesen Prozeß noch weiter. Mit der Entwicklung des Fernsehens und bei dem technischen Fortschritt, der es ermöglichte, mit Hilfe desselben Instruments gleichzeitig zu empfangen und zu senden, war das Privatleben zu Ende. Jeder Bürger oder wenigstens jeder Bürger, der wichtig genug war, um einer Überwachung für wert befunden zu werden, konnte vierundzwanzig Stunden des Tages den Argusaugen der Polizei und dem Getrommel der amtlichen Propaganda ausgesetzt gehalten werden, während ihm alle anderen Verbindungswege verschlossen blieben. Jetzt, zum erstenmal, bestand die Möglichkeit, allen Untertanen nicht nur vollkommenen Gehorsam gegenüber dem Willen des Staates, sondern auch vollkommene Meinungsgleichheit aufzuzwingen.

Nach der revolutionären Periode der fünfziger und sechziger Jahre gruppierte sich die menschliche Gesellschaft wie immer wieder in eine Ober-, eine Mittel- und eine Unterschicht. Aber die neue Oberschicht handelte anders als ihre Vorläufer, nicht aus dem Instinkt heraus, sondern sie wußte, was nötig war, um ihre Stellung zu behaupten. Man war seit langem dahintergekommen, daß die einzig sichere Grundlage einer Oligarchie im Kollektivismus besteht. Wohlstand und Vorrechte werden am leichtesten verteidigt, wenn sie Gemeinbesitz sind. Die sogenannte »Abschaffung des Privateigentums«, die um die Mitte des Jahrhunderts vor sich ging, bedeutete in der Auswirkung die Konzentration des Besitzes in weit weniger Händen als zuvor; aber mit dem Unterschied, daß die neuen Besitzer eine Gruppe waren, statt eine Anzahl von Einzelmenschen. Als einzelnem gehört keinem Parteimitglied etwas, außer seiner unbedeutenden persönlichen Habe. Kollektiv gehört in Ozeanien der Partei alles, da sie alles kontrolliert und über die Erzeugnisse nach Gutdünken verfügt. In den auf die Revolution folgenden Jahren konnte sie nahezu widerstandslos diese beherrschende Stellung einnehmen, da das ganze Verfahren als eine Kollektivhandlung hingestellt wurde. Man hatte immer angenommen, daß nach der Enteignung der Kapitalistenklasse der Sozialismus nachfolgen müsse: Und die Kapitalisten waren fraglos enteignet worden. Fabriken, Bergwerke, Land, Häuser, Transportmittel – alles war ihnen weggenommen worden: Und da diese Dinge nicht mehr Privateigentum waren, folgte, daß sie öffentlicher Besitz sein mußten. Engsoz, der aus der früheren sozialistischen Bewegung hervorging und das Erbe ihrer Phraseologie antrat, hat in der Tat den Hauptpunkt des sozialistischen Programms zur Durchführung gebracht, mit dem vorhergesehenen und gewünschten Ergebnis, daß wirtschaftliche Ungleichheit zu einem Dauerzustand wurde.

Aber die Probleme, eine hierarchische Gesellschaftsordnung für immer einzusetzen, liegen tiefer. Es gibt nur vier Möglichkeiten, auf die eine herrschende Gruppe der Macht verlustig gehen kann. Entweder wird sie von außen überwunden; oder sie regiert so ungeschickt, daß die Massen zu einer Erhebung aufgerüttelt werden; oder sie läßt eine starke und unzufriedene Mittelschicht aufkommen; oder aber sie verliert ihr Selbstvertrauen und die Lust am Regieren. Diese Gründe wirken nicht vereinzelt, und in der Regel sind alle vier von ihnen in gewissem Grade vorhanden. Eine herrschende Klasse, die sich gegen sie alle schützen könnte, bliebe dauernd an der Macht. Letzten Endes ist der entscheidende Faktor die geistige Einstellung der herrschenden Klasse selbst.

Nach der Mitte des gegenwärtigen Jahrhunderts war die erste Gefahr in Wirklichkeit verschwunden. Jede der drei Mächte, die sich heute in die Welt teilen, ist faktisch unüberwindlich und könnte nur durch langsame Änderungen in der Zusammensetzung ihrer Bevölkerung, die eine Regierung mit weitgehender Macht leicht abwenden kann, überwindbar gemacht werden. Die zweite Gefahr ist ebenfalls nur eine theoretische. Die Massen revoltieren niemals aus sich selbst heraus und lehnen sich nie nur deshalb auf, weil sie unterdrückt werden. Tatsächlich werden sie sich, solange man ihnen keine Vergleichsmaßstäbe zu haben erlaubt, überhaupt nie auch nur bewußt, daß sie unterdrückt sind. Die immer wiederkehrenden Wirtschaftskrisen vergangener Zeiten waren vollständig unnötig und dürfen jetzt nicht eintreten, aber andere und ebenso grundlegende Verschiebungen können eintreten und treten ein, ohne politische Folgen zu haben, denn es gibt keinen Weg, auf dem sich die Unzufriedenheit laut äußern könnte. Was das Problem der Überproduktion anbelangt, das in unserer Gesellschaftsordnung seit der Entwicklung der Maschinentechnik latent war, so ist es durch den Kunstgriff dauernder Kriegführung gelöst worden (siehe drittes Kapitel), die sich auch als nützlich erweist, um die allgemeine Moral zur nötigen Hochstimmung anzufeuern. Daher besteht von dem Gesichtspunkt unserer gegenwärtigen Machthaber aus die einzige wirkliche Gefahr in der Abspaltung einer neuen Gruppe von begabten, nicht genügend ausgefüllten, machthungrigen Menschen und dem Zunehmen von Liberalismus und Skeptizismus in ihren eigenen Reihen. Das Problem ist daher sozusagen erzieherischer Natur. Es besteht darin, dauernd das Denken sowohl der leitenden Gruppe als auch der größeren, unmittelbar nach ihr folgenden ausführenden Gruppe zu formen. Das Denken der Massen braucht nur in negativer Weise beeinflußt zu werden.

Wenn man diesen Hintergrund kennt, so könnte man sich,

wenn es einem nicht schon bekannt wäre, das Aussehen der allgemeinen Struktur der Gesellschaft Ozeaniens zusammenreimen. An der Spitze der Pyramide steht der Große Bruder. Der Große Bruder ist unfehlbar und allmächtig. Jeder Erfolg, jede Leistung, jeder Sieg, jede wissenschaftliche Entdeckung, alles Wissen, alle Weisheit, alles Glück, alle Tugend werden unmittelbar seiner Führerschaft und Eingebung zugeschrieben. Niemand hat je den Großen Bruder gesehen. Er ist ein Gesicht an den Litfaßsäulen, eine Stimme am Televisor. Wir können billigerweise sicher sein, daß er nie sterben wird, und es besteht bereits beträchtliche Unsicherheit in bezug auf das Datum seiner Geburt. Der Große Bruder ist die Vermummung, in der die Partei vor die Welt zu treten beschließt. Seine Funktion besteht darin, als Sammelpunkt für Liebe, Furcht und Verehrung zu dienen, Gefühle, die leichter einem einzelnen Menschen als einer Organisation entgegengebracht werden. Nach dem Großen Bruder kommt die Innere Partei, die ihrer Zahl nach nur sechs Millionen Mitglieder oder etwas weniger als zwei Prozent der Bevölkerung Ozeaniens umfaßt. Nach der Inneren Partei kommt die Äußere Partei, die, wenn man die Innere Partei als das Gehirn des Staates bezeichnet, berechtigterweise mit dessen Händen verglichen wird. Danach kommen die dumpfen Massen, die wir gewöhnlich als »die Proles« bezeichnen, der Zahl nach ungefähr fünfundachtzig Prozent der Bevölkerung. In der Bezeichnung unserer früheren Klassifizierung sind die Proles die Unterschicht; denn die Sklavenbevölkerung der äquatorialen Länder, die ständig von einem Eroberer zum anderen wechseln, sind kein dauernder und notwendiger Teil der Struktur.

Im Prinzip ist die Zugehörigkeit zu diesen drei Gruppen nicht erblich. Das Kind von Eltern, die zur Inneren Partei gehören, ist in der Theorie nicht in die Innere Partei hineingeboren. Die Aufnahme in eine der beiden Gliederungen der Partei findet auf Grund einer im Alter von sechzehn Jahren abzulegenden Prüfung statt. Auch gibt es dort keine Rassenunterschiede, so wenig wie eine ausgesprochene Vorherrschaft einer Provinz gegenüber einer anderen. Juden, Neger, Südamerikaner von rein indianischem Geblüt sind in den höchsten Stellen der Partei zu finden, und die Sachwalter eines Gebietes sind immer der Einwohnerschaft dieses Gebietes entnommen. In keinem Teil Ozeaniens haben die Bewohner das Gefühl, eine von einer fernen Hauptstadt aus regierte Kolonialbevölkerung zu sein. Ozeanien hat keine Hauptstadt, und sein nominelles Oberhaupt ist ein Mensch, dessen Aufenthaltsort niemand kennt. Abgesehen davon, daß Englisch seine Umgangssprache ist und Neusprache seine Amtssprache, ist es in keiner Weise zentralisiert. Seine Machthaber sind nicht durch Blutsbande miteinander verbunden, sondern durch die Anhängerschaft an eine gemeinsame Lehre. Allerdings ist unsere Gesellschaft geschichtet, und zwar sehr streng geschichtet nach einer Ordnung, die auf den ersten Blick nach den Richtlinien der Vererbung ausgerichtet zu sein scheint. Es gibt weit weniger Hin und Her zwischen den verschiedenen Gruppen, als unter dem Kapitalismus oder sogar in den vorindustriellen Zeitaltern stattfand. Zwischen den beiden Gliederungen der Partei findet ein gewisser Austausch statt, aber nur gerade so viel, um zu gewährleisten, daß Schwächlinge aus der Inneren Partei ausgeschlossen und ehrgeizige Mitglieder der Äußeren Partei unschädlich gemacht werden dadurch, daß man ihnen emporzusteigen erlaubt. Proletariern wird in der Praxis nicht gestattet, in die Partei aufzurücken. Die begabtesten unter ihnen, die möglicherweise einen Unruheherd schaffen könnten, werden ganz einfach von der Gedankenpolizei vorgemerkt und liquidiert. Aber dieser Stand der Dinge ist nicht notwendigerweise ein Dauerzustand, auch ist er kein Prinzip. Die Partei ist keine Klasse im althergebrachten Sinne des Wortes. Sie zielt nicht darauf ab, die Macht auf ihre eigenen Kinder als solche zu übertragen; nur wenn es keinen anderen Weg gäbe, die fähigsten Menschen an der Spitze zu halten, so wäre sie durchaus bereit, eine ganz neue Generation aus den Reihen des Proletariats zu rekrutieren. In den kritischen Jahren trug die Tatsache, daß die Partei keine erbliche Körperschaft war, viel zur Ausschaltung der Opposition bei. Ein Sozialist vom alten Gepräge, der darauf gedrillt worden war, gegen etwas, das man »Klassenvorrechte« nannte, zu kämpfen, nahm an, was nicht erblich ist, könne auch nicht dauernd sein. Er erkannte nicht, daß die Kontinuität einer Oligarchie keine leibliche zu sein braucht, auch hielt er sich nicht mit der Überlegung auf, daß erbliche Adelsherrschaften immer kurzlebig waren, während allen Menschen zugängliche Organisationen wie die katholische Kirche manchmal Hunderte oder Tausende von Jahren Bestand hatten. Das Wesentliche der oligarchischen Herrschaft ist nicht die Vererbung vom Vater auf den Sohn, sondern der Fortbestand einer gewissen Weltanschauung und einer gewissen Lebensweise, die von den Toten den Lebenden aufoktroyiert werden. Eine herrschende Gruppe ist so lange eine herrschende Gruppe, als sie ihre Nachfolger bestimmen kann. Der Partei geht es nicht darum, ewig ihr Blut, sondern sich selbst ewig zu behaupten. *Wer* die Macht ausübt, ist nicht wichtig, vorausgesetzt, daß die hierarchische Struktur immer dieselbe bleibt.

Alle für unsere Zeit charakteristischen Überzeugungen, Gewohnheiten, Geschmacksrichtungen, Meinungen, geistigen Einstellungen sind in Wirklichkeit dazu bestimmt, das Mystische der Partei aufrechtzuerhalten und zu verhindern, daß die wahre Natur der heutigen Gesellschaftsordnung erkannt wird. Leibliche Auflehnung oder jeder auf Auflehnung abzielende Schritt ist gegenwärtig nicht möglich. Von den Proletariern ist nichts zu befürchten. Sich selbst überlassen, werden sie von Generation zu Generation und von Jahrhundert zu Jahrhundert fortfahren zu arbeiten, Kinder in die Welt zu setzen und zu sterben, nicht nur ohne jeden Antrieb, zu rebellieren, sondern ohne sich auch nur vorstellen zu können, daß die Welt anders sein könnte, als sie ist. Sie könnten nur gefährlich werden, wenn die fortschreitende Entwicklung der industriellen Technik es notwendig machen sollte, ihnen eine höhere Erziehung angedeihen zu lassen; aber da die militärische und merkantile Konkurrenz keine Bedeutung mehr hat, ist das Niveau der öffentlichen Erziehung im Sinken begriffen. Welche Ansichten die Massen vertreten oder nicht vertreten, wird als belanglos angesehen. Man darf ihnen getrost geistige Freiheit einräumen, denn sie haben keinen Geist. Andererseits kann bei einem Parteimitglied auch nicht die kleinste Meinungsabweichung in der unbedeutendsten Frage geduldet werden.

Ein Angehöriger der Partei lebt von der Geburt bis zum Tode unter den Augen der Gedankenpolizei. Sogar wenn er allein ist, kann er nie sicher sein, ob er wirklich allein ist. Wo er auch sein mag, ob er schläft oder wacht, arbeitet oder ausruht, in seinem Bad oder in seinem Bett liegt, kann er ohne Warnung und ohne zu wissen, daß er beobachtet wird, beobachtet werden. Nichts, was er tut, ist gleichgültig. Seine Freundschaften, seine Zerstreuungen, sein Benehmen gegen seine Frau und seine Kinder, sein Gesichtsausdruck, wenn er allein ist, die von ihm im Schlaf gemurmelten Worte, sogar die ihm eigentümlichen Bewegungen seines Körpers, alles wird einer peinlich genauen Prüfung unterzogen. Nicht nur jedes wirkliche Vergehen, sondern jede Schrullenhaftigkeit, sie mag noch so unbedeutend sein, jede Gewohnheitsänderung, jede nervöse Absonderlichkeit, die möglicherweise das Symptom eines inneren Kampfes ist, können unweigerlich entdeckt werden. Er hat keine freie Wahl in keiner wie immer gearteten Hinsicht. Andererseits ist sein Verhalten weder gesetzlich noch durch klar formulierte Verhandlungsvorschriften geregelt. In Ozeanien gibt es kein Gesetz. Gedanken und Taten, die den sicheren Tod bedeuten, wenn sie entdeckt werden, sind nicht formell verboten, und die endlosen Säuberungsaktionen, Festnahmen, Folterungen, Einkerkerungen und Vaporisierungen werden nicht als Strafe für wirklich begangene Verbrechen verhängt, sondern sind lediglich die Austilgung von Menschen, die vielleicht einmal in der Zukunft ein Verbrechen begehen könnten. Von einem Parteimitglied wird nicht nur verlangt, daß es die richtigen Ansichten, sondern daß es auch die richtigen Instinkte hat. Viele der von ihm geforderten Glaubensbekenntnisse und Einstellungen sind nie deutlich festgelegt worden und könnten nicht festgelegt werden, ohne die dem Engsoz anhaftenden Widersprüche aufzudecken. Wenn er ein von Natur strenggläubiger Mensch ist (in der Neusprache ein *Gutdenker*), dann wird er unter allen Umständen wissen, ohne nachdenken zu müssen, was der richtige Glaube ist oder wie seine Empfindung aussehen soll. Aber auf alle Fälle macht ihn eine sorgfältige Schulung, die er in der Jugend durchgemacht hat und die von den Neusprachwörtern *Verbrechenstop*, *Schwarzweiß* und *Zwiedenken* umrissen ist, nicht willens und unfähig, zu tiefschürfend über irgendein Thema nachzudenken.

Von einem Angehörigen der Partei wird erwartet, daß er keine Privatgefühle hat und seine Begeisterung kein Erlahmen kennt. Man nimmt von ihm an, daß er in einer dauernden Haßraserei gegenüber ausländischen Feinden und inländischen Verrätern lebt, über Siege frohlockt und sich vor der Macht und der Weisheit der Partei beugt. Die durch sein schales, unbefriedigendes Leben hervorgerufene Unzufriedenheit wird mit Bedacht nach außen gelenkt und durch Einrichtungen wie die Zwei-Minuten-Haß-Sendung zerstreut. Und die Betrachtungen, die zu einer skeptischen und auflehnenden Haltung führen könnten, werden im voraus durch seine schon früh erworbene innere Schulung abgetötet. Die erste und einfachste Stufe in der Schulung, die sogar kleinen Kindern beigebracht werden kann, heißt in der Neusprache *Verbrechenstop*. *Verbrechenstop* bedeutet die Fähigkeit, gleichsam instinktiv auf der Schwelle jedes gefährlichen Gedankens haltzumachen. Es schließt die Gabe ein, ähnliche Umschreibungen nicht zu verstehen, außerstande zu sein, logische Irrtümer zu erkennen, die einfachsten Argumente mißzuverstehen, wenn sie engsozfeindlich sind, und von jedem Gedankengang gelangweilt oder abgestoßen zu werden, der in eine ketzerische Richtung führen könnte. *Verbrechenstop* bedeutet, kurz gesagt, schützende Dummheit. Aber Dummheit allein genügt nicht. Im Gegenteil verlangt Rechtgläubigkeit in vollem Sinne des Wortes eine ebenso vollständige Beherrschung der eigenen Gedankengänge, wie sie ein Schlangenmensch über seinen Körper besitzt. Die ozeanische Gesellschaftsordnung fußt letzten Endes auf dem

Glauben, daß der Große Bruder allmächtig und die Partei unfehlbar ist. Aber da in Wirklichkeit der Große Bruder nicht allmächtig und die Partei nicht unfehlbar ist, müssen die Tatsachen unermüdlich von einem Augenblick zum anderen entsprechend zurechtgebogen werden. Das Schlagwort hierfür lautet *Schwarzweiß.* Wie so viele Neusprachworte hat dieses Wort zwei einander widersprechende Bedeutungen. Einem Gegner gegenüber angewandt, bedeutet es die Gewohnheit, im Widerspruch zu den offenkundigen Tatsachen unverschämt zu behaupten, schwarz sei weiß. Einem Parteimitglied gegenüber angewandt, bedeutet es eine redliche Bereitschaft, zu sagen, schwarz sei weiß, wenn es die Parteidisziplin erfordert. Aber es bedeutet auch die Fähigkeit, zu *glauben,* daß schwarz gleich weiß ist, und darüber hinaus zu *wissen,* daß schwarz weiß ist, und zu vergessen, daß man jemals das Gegenteil geglaubt hat. Das verlangt eine ständige Änderung der Vergangenheit, die durch das Denkverfahren ermöglicht wird, das in Wirklichkeit alles übrige einschließt und in der Neusprache als *Zwiedenken* bekannt ist.

Die Änderung der Vergangenheit ist aus zwei Gründen notwendig, deren einer untergeordnet und sozusagen vorbeugend ist. Der untergeordnete Grund besteht darin, daß das Parteimitglied, ähnlich wie der Proletarier, die gegenwärtigen Lebensbedingungen zum Teil deshalb duldet, weil er keine Vergleichsmöglichkeiten besitzt. Er muß von der Vergangenheit abgeschnitten werden, ganz so, wie er auch vom Ausland abgeschnitten werden muß, weil es notwendig ist, daß er glaubt, besser daran zu sein als seine Vorfahren, und daß sich das Durchschnittsniveau der materiellen Bequemlichkeit dauernd hebt. Aber der bei weitem wichtigere Grund für die Änderung der Vergangenheit ist die Notwendigkeit, die Unfehlbarkeit der Partei zu garantieren. Nicht nur müssen Reden, Statistiken und Aufzeichnungen jeder Art ständig mit den jeweiligen Erfordernissen in Einklang gebracht werden, um aufzuzeigen, daß die Voraussagen der Partei in allen Fällen richtig waren. Sondern es darf auch nie eine Veränderung in der Doktrin oder in der politischen Ausrichtung zugegeben werden. Denn seine Ansicht oder gar seine Politik zu ändern, ist ein Eingeständnis der Schwäche. Wenn zum Beispiel Eurasien oder Ostasien (welches es auch sein mag) der Feind von heute ist, dann muß dieses Land schon immer der Feind gewesen sein. Und wenn die Tatsachen anders lauten, dann müssen die Tatsachen eben geändert werden. Auf diese Weise wird die Geschichte dauernd neu geschrieben. Diese Fälschung der Vergangenheit von einem Tag auf den anderen, die vom Wahrheitsministerium durchgeführt wird, ist für den Bestand des Regimes ebenso notwendig wie die von dem Ministerium für Liebe besorgte Unterdrückungs- und Bespitzelungstätigkeit.

Die Veränderlichkeit der Vergangenheit ist die Grundlehre von Engsoz. Vergangene Geschehnisse, wird darin bedeutet, haben keinen objektiven Bestand, sondern leben nur in schriftlichen Aufzeichnungen und im Gedächtnis der Menschen weiter. Die Vergangenheit sieht so aus, wie es die Aufzeichnungen und die Erinnerungen wahrhaben wollen. Und da die Partei alle Aufzeichnungen vollkommen unter ihrer Kontrolle hat, so wie sie auch die Denkweise ihrer Mitglieder unter ihrer ausschließlichen Kontrolle hat, folgt daraus, daß die Vergangenheit so aussieht, wie die Partei sie darzustellen beliebt. Auch folgt daraus, daß die Vergangenheit, wenn sie auch wandelbar ist, doch nie in einem besonderen Einzelfall abgewandelt wurde. Denn wenn sie in der im Augenblick benötigten Form neu geschaffen worden ist, dann *ist* eben diese neue Version die Vergangenheit, und eine andere Version kann es nie gegeben haben. Das gilt auch dann, wenn ein und dasselbe Ereignis, wie es häufig vorkommt, im Laufe eines Jahres mehrmals nicht wiedererkennbar abgeändert werden muß. Die Partei ist jederzeit im Besitz der wirklichen Wahrheit, und klarerweise kann die Wirklichkeit nie anders ausgesehen haben als jetzt. Man wird sehen, daß die Kontrolle über die Vergangenheit vor allem von der Schulung des Gedächtnisses abhängt. Dafür zu sorgen, daß alle schriftlichen Aufzeichnungen sich mit der Forderung des Augenblicks decken, ist eine lediglich mechanische Handlung. Aber man muß sich auch daran *erinnern*, daß

Ereignisse in der gewünschten Form stattfanden. Und wenn es nottut, seine Erinnerungen umzuordnen oder mit schriftlichen Aufzeichnungen willkürlich umzuspringen, dann gilt es zu *vergessen,* daß man das getan hat. Das Verfahren, wie man das macht, ist ebenso erlernbar wie jedes andere Geistestraining. Die Mehrzahl der Parteimitglieder *hat* es gelernt und jedenfalls alle diejenigen, die sowohl klug als auch rechtgläubig sind. In der Altsprache wird es, recht unverhohlen, als »Wirklichkeitskontrolle« bezeichnet. In der Neusprache heißt es *Zwiedenken,* wenn auch *Zwiedenken* noch viele andere Bedeutungen hat.

Zwiedenken bedeutet die Gabe, gleichzeitig zwei einander widersprechende Ansichten zu hegen und beide gelten zu lassen. Der Parteiintellektuelle weiß, in welcher Richtung seine Erinnerungen geändert werden müssen. Er weiß deshalb auch, daß er mit der Wirklichkeit jongliert. Aber durch das Einschalten von *Zwiedenken* beschwichtigt er sich auch dahingehend, daß der Wirklichkeit nicht Gewalt angetan wird. Das Verfahren muß bewußt sein, sonst würde es nicht mit genügender Präzision ausgeführt werden, es muß aber auch unbewußt sein, sonst brächte es ein Gefühl der Falschheit und damit der Schuld mit sich. *Zwiedenken* ist der eigentliche Wesenskern von Engsoz, denn das grundlegende Verfahren der Partei besteht darin, eine bewußte Täuschung auszuüben und dabei eine Zweckentschlossenheit zu bewahren, wie sie restloser Ehrlichkeit eignet. Bewußte Lügen zu erzählen, während man ehrlich an sie glaubt; jede Tatsache zu vergessen, die unbequem geworden ist, um sie dann, wenn man sie wieder braucht, nur eben so lange, als notwendig ist, aus der Vergessenheit hervorzuholen; das Vorhandensein einer objektiven Wirklichkeit zu leugnen und die ganze Zeit die von einem geleugnete Wirklichkeit in Betracht zu ziehen – alles das ist unerläßlich notwendig. Allein schon beim Gebrauch des Wortes *Zwiedenken* ist es unumgänglich, *Zwiedenken* auszuüben. Denn indem man das Wort gebraucht, gibt man zu, daß man mit der Wirklichkeit willkürlich umspringt; durch einen erneuten Akt von *Zwiedenken* löscht man dieses Wissen aus; und so unbegrenzt weiter, wobei die Lüge der Wahrheit immer um einen Sprung voraus ist. Letzten Endes war die Partei mit Hilfe des *Zwiedenkens* imstande – und wird nach allem, was wir wissen, Tausende von Jahren weiterhin imstande sein –, den Lauf der Geschichte aufzuhalten.

Alle Oligarchien der Vergangenheit sind entweder deshalb der Macht verlustig gegangen, weil sie verknöcherten oder weil sie erschlafften. Entweder wurden sie dumm und anmaßend, versäumten, sich den veränderten Umständen anzupassen, und wurden gestürzt. Oder sie wurden liberal und feige, machten Konzessionen, wenn sie hätten Gewalt anwenden sollen, und wurden wiederum gestürzt. Sie stürzten, heißt das, entweder durch ihr Verschulden oder ohne ihr Verschulden. Die Partei hat das Verdienst, ein Denkverfahren erfunden zu haben, bei dem beide Einstellungen nebeneinander möglich sind. Und auf keiner anderen verstandesmäßigen Basis konnte der Herrschaft der Partei Dauer verliehen werden. Wenn man herrschen und sich an der Herrschaft behaupten will, muß man das Wirklichkeitsgefühl zurechtrücken können. Denn das Geheimnis der Herrschaft besteht darin, den Glauben an die eigene Unfehlbarkeit mit der Gabe zu verbinden, von den Fehlern der Vergangenheit zu lernen.

Es braucht wohl kaum gesagt zu werden, daß die spitzfindigsten Fachleute im *Zwiedenken* die sind, die *Zwiedenken* erfunden haben und wissen, daß es ein großes geistiges Betrugsmanöver ist. In unserer Gesellschaftsordnung sind diejenigen, die am besten wissen, was gespielt wird, auch am weitesten davon entfernt, die Welt so zu sehen, wie sie tatsächlich ist. Im allgemeinen gilt, je tiefer der Einblick, desto größer die Verblendung; je klüger, desto weniger vernünftig. Das wird deutlich illustriert durch die Tatsache, daß die Kriegshysterie an Heftigkeit zunimmt, je höher man auf der sozialen Stufenleiter hinaufkommt. Diejenigen, deren Einstellung zum Krieg der Vernunft am nächsten kommt, sind die unterworfenen Menschen der umstrittenen Gebiete. Für diese Menschen ist der Krieg einfach ein dauerndes

Unglück, das wie eine schreckliche Flutwelle über sie hin und her braust. Welche Seite siegt, ist für sie völlig gleichgültig. Sie sind sich bewußt, daß eine Änderung der Machtherrschaft lediglich bedeutet, daß sie die gleiche Arbeit wie bisher für neue Herren verrichten müssen, die sie in der gleichen Weise wie die alten behandeln. Die etwas bessergestellten Arbeiter, die wir als »die Proles« bezeichnen, werden sich nur gelegentlich des Krieges bewußt. Wenn es erforderlich ist, können sie in Furcht- und Haßrasereien versetzt werden, aber sich selbst überlassen, sind sie imstande, lange Zeit zu vergessen, daß Krieg herrscht. In den Reihen der Partei, und vor allem der Inneren Partei, ist die echte Kriegsbegeisterung zu finden. An die Eroberung der Welt glauben am festesten diejenigen, die wissen, daß sie undurchführbar ist. Diese merkwürdige Verknüpfung von Gegensätzen – Wissen mit Unwissenheit, Zynismus mit Fanatismus – ist eines der Hauptmerkmale der ozeanischen Gesellschaft. Die offizielle Ideologie wimmelt von Widersprüchen, auch dort, wo keine praktische Notwendigkeit für sie besteht. So verwirft und verleugnet die Partei jeden Grundsatz, für den die sozialistische Bewegung ursprünglich eintrat, und tut das im Namen des Sozialismus. Sie predigt eine Verachtung der Arbeiterklasse, für die es in den vergangenen Jahrhunderten kein Beispiel gibt, und sie bekleidet ihre Mitglieder mit einer Uniform, die ursprünglich den Handarbeitern vorbehalten war und aus diesem Grunde eingeführt wurde. Sie unterminiert systematisch die Solidarität der Familie und benennt ihren Führer mit einem Namen, der ein unmittelbarer Appell an das Familiengefühl ist. Sogar die Namen der vier Ministerien, von denen wir regiert werden, grenzen in ihrer offenen Umkehrung der Tatsachen an schamlosen Hohn. Das Friedensministerium befaßt sich mit Krieg, das Wahrheitsministerium mit Lügen, das Ministerium für Liebe mit Folterung und das Ministerium für Überfluß mit Einschränkung. Diese Widersprüche sind nicht zufällig, auch entspringen sie nicht einer gewöhnlichen Heuchelei: Es ist die wohlüberlegte Anwendung von *Zwiedenken.* Denn nur dadurch, daß Widersprüche miteinander in Einklang gebracht werden, läßt sich die Macht unbegrenzt behaupten. Auf keine andere Art und Weise konnte der alte Zyklus gebrochen werden. Wenn die Gleichheit der Menschen für immer vermieden werden soll – wenn die Oberen, wie wir sie genannt haben, dauernd ihren Platz behaupten sollen –, dann muß die vorherrschende Geistesverfassung staatlich beaufsichtigter Irrsinn sein.

Aber hier taucht eine Frage auf, die wir bis zu diesem Augenblick so gut wie außer acht gelassen haben. Sie lautet: *Warum* soll die Gleichheit der Menschen vermieden werden? Angenommen, der Mechanismus des Verfahrens wurde richtig geschildert: Was ist der Beweggrund für diesen großangelegten, genau vorgeplanten Versuch, die Geschichte an einem bestimmten Zeitpunkt zum Stillstand zu bringen?

Hier kommen wir zu dem tiefsten Geheimnis. Wie wir gesehen haben, hängt das Mystische der Partei, vor allem der Inneren Partei, von dem *Zwiedenken* ab. Aber tiefer als dieses liegt der ursprüngliche Beweggrund, der nie untersuchte Instinkt, der zuerst zur Machtergreifung führte und danach *Zwiedenken*, Gedankenpolizei, dauernden Kriegszustand und all das andere Drum und Dran mit sich brachte. Dieser Beweggrund besteht in Wahrheit darin...

Winston wurde sich der Stille bewußt, so wie man sich eines neuen Geräusches bewußt wird. Es kam ihm vor, als sei Julia seit einiger Zeit sehr still gewesen. Sie lag, von der Hüfte aufwärts nackt, auf ihrer Seite, die Wange auf ihre Hand gebettet, während eine dunkle Locke über ihre Augen fiel. Ihre Brust hob und senkte sich langsam und regelmäßig.

»Julia!«

Keine Antwort.

»Julia, bist du wach?«

Keine Antwort. Sie schlief. Er klappte das Buch zu, legte es behutsam auf den Boden, streckte sich lang aus und zog die Bettdecke über sie beide.

Er hatte, überlegte er, das letzte Geheimnis noch immer nicht gelöst. Er verstand das *Wie*, aber er verstand nicht das *Warum*. Das 1. Kapitel wie das 3. Kapitel hatte ihm in Wirklichkeit nichts enthüllt, was er nicht schon wußte; es hatte lediglich Ordnung in das Wissen gebracht, das er bereits besaß. Aber nachdem er es gelesen hatte, wußte er besser als zuvor, daß er nicht verrückt war. Zu einer Minderheit zu gehören, selbst zu einer Minderheit von einem einzigen Menschen, stempelte einen noch nicht als verrückt. Hier war die Wahrheit und dort war die Unwahrheit, und wenn man sogar gegen die ganze Welt an der Wahrheit festhielt, war man nicht verrückt. Ein gelber Strahl der untergehenden Sonne fiel schräg durchs Fenster und auf das Kissen. Er schloß die Augen. Die Sonne auf seinem Gesicht und der glatte Körper des Mädchens, der seinen eigenen berührte, gab ihm ein beruhigendes, einschläferndes, vertrauensvolles Gefühl. Er war in Sicherheit, alles war schön und gut. Im Einschlafen murmelte er vor sich hin: »Geistige Gesundheit ist keine statistische Angelegenheit« und hatte das Gefühl, diese Feststellung enthalte eine tiefe Weisheit.

X

Er erwachte mit dem Gefühl, lange Zeit geschlafen zu haben, aber ein Blick auf die altmodische Uhr belehrte ihn, daß es erst zwanzig Uhr dreißig war. Er lag eine Weile da und döste; dann drang vom Hof unten die übliche tiefe Singstimme herauf:

»Es war nur ein tiefer Traum,
Ging wie ein Apriltag vorbei-ei,
Aber sein Blick war leerer Schaum,
Brach mir das Herz entzwei-ei!«

Das törichte Lied schien sich seine Beliebtheit bewahrt zu haben. Man hörte es noch immer überall. Es hatte den Haßgesang überlebt. Julia wachte bei diesen Tönen auf, räkelte sich genießerisch und stieg aus dem Bett.

»Ich bin hungrig«, sagte sie. »Machen wir uns noch einen Kaffee. Verflixt! Der Kocher ist ausgegangen, und das Wasser ist kalt.« Sie nahm den Kocher hoch und schüttelte ihn. »Kein Brennstoff mehr drin.«

»Wir können sicher welchen vom alten Charrington bekommen.«

»Das Komische ist nur, daß ich mich überzeugt hatte, daß er voll war. Ich ziehe rasch meine Sachen an«, fügte sie hinzu. »Es scheint kälter geworden zu sein.«

Winston stand gleichfalls auf und zog sich an. Die unermüdliche Stimme sang weiter:

»Man sagt, die Zeit heile alles,
Es heißt, man kann alles vergessen,
Aber vom Schmerz meines Falles,
Von dem bleib' ich ewig besessen!«

Während er den Gürtel seines Trainingsanzuges zumachte, schlenderte er hinüber zum Fenster. Die Sonne mußte hinter den Häusern untergegangen sein; sie schien nicht mehr in den Hof. Die Steinplatten waren feucht, als seien sie soeben gewaschen worden, und er hatte das Gefühl, als sei auch der Himmel gewaschen worden, so frisch und blaß war das Blau zwischen den Kaminrohren. Ohne zu erlahmen, ging die Frau unten hin und her, verkorkte und entkorkte ihren Mund mit Wäscheklammern, sang und schwieg wieder und hängte mehr und mehr und immer noch mehr Windeln auf. Er fragte sich, ob sie Wäsche zum Erwerb ihres Lebensunterhalts annahm oder lediglich die Sklavin von zwanzig oder dreißig Enkelkindern war. Julia war neben ihn getreten; zusammen blickten sie in einer Art Bezauberung hinunter auf die stämmige Gestalt. Wie er die Frau in ihrer charakteristischen Haltung betrachtete, ihre dicken Arme zur Wäscheleine emporgehoben, während ihre mächtigen, an eine Stute erinnernden Hinterbacken sich wölbten, kam es ihm zum erstenmal zum Bewußtsein, daß sie schön war. Es war ihm nie vorher in den Sinn gekommen, der Körper einer fünfzigjährigen Frau, der durch Geburten zu monströsen Ausmaßen gedunsen und dann durch Arbeit vergröbert und verhärtet war, bis seine grobe Haut der Schale einer überreifen Rübe ähnelte, könnte schön sein. Aber dem war so und, dachte er, warum auch nicht? Der feste, umrißlose Körper, der wie ein Granitblock war, und die rauhe rote Haut verhielten sich zu einem Mädchenleib genauso wie die Hagebutte zur Heckenrose. Warum sollte man die Frucht geringer schätzen als die Blume?

»Sie ist schön«, murmelte er.

»Sie mißt leicht einen Meter um die Hüften herum«, meinte Julia.

»Das ist ihre Art von Schönheit«, sagte Winston.

Sein Arm umspannte mühelos Julias biegsame Taille. Von der Hüfte bis zum Knie schmiegte sich ihr Körper an den seinen. Aus ihren Leibern würde nie ein Kind hervorgehen. Das war etwas, was sie nie tun konnten. Nur von Mund zu Mund, von einem Eingeweihten zum anderen, konnten sie das Geheimnis weitergeben. Die Frau da unten wußte von nichts, sie bestand nur aus starken Armen, einem warmen Herzen und einem fruchtbaren Leib. Er fragte sich, wie viele Kinder sie wohl geboren hatte. Es mochten leicht fünfzehn sein. Sie hatte ihre vielleicht ein Jahr währende kurze Blütezeit einer Wildrosen-Schönheit durchlebt und war dann plötzlich aufgegangen wie eine befruchtete Frucht, war hart, rot und derb geworden, und dann hatte ihr Leben ohne Unterbrechung dreißig Jahre hindurch aus Waschen, Reinemachen, Flicken, Kochen, Fegen, Putzen, Nähen, Schrubben, Wäschewaschen, erst für Kinder, dann für Enkelkinder, bestanden. Am Ende von alledem sang sie noch immer. Die geheimnisvolle Verehrung, die er für sie empfand, war irgendwie vermischt mit dem Anblick des hellen, wolkenlosen Himmels, der sich hinter den Kaminrohren in grenzenlose Ferne erstreckte. Es war merkwürdig zu denken, daß der Himmel für jedermann gleich war, in Eurasien oder Ostasien so gut wie hier. Und die Menschen unter dem Himmel waren auch fast ganz gleich – überall auf der ganzen Welt, Hunderte oder Tausende von Millionen Menschen, die auch so waren; Menschen, bei denen einer nichts vom Leben des anderen wußte, die von Mauern des Hasses und der Lüge getrennt gehalten wurden und doch fast gleich waren –, Menschen, die nie denken gelernt hatten, die aber in ihren Herzen und Leibern und Muskeln die Macht aufspeicherten, die eines Tages die Welt umstürzen würde. Wenn es eine Hoffnung gab, dann lag sie bei den Proles! Ohne *das Buch* zu Ende gelesen zu haben, wußte er, daß darin Goldsteins letzte Botschaft bestehen mußte. Die Zukunft gehörte den Proles. Aber konnte er sicher sein, daß die Welt, die sie aufbauten, ihm, Winston Smith, nicht ebenso fremd sein würde wie die Welt der Partei? Ja, denn letzten Endes würde es eine geistig gesunde Welt sein. Wo Gleichheit gilt, da kann der gesunde Menschenverstand walten. Früher oder später würde es dahin kommen, die Kraft würde sich ihrer bewußt werden. Die Proles waren unsterblich, daran konnte man nicht zweifeln, wenn man diese tapfere Gestalt im Hof ansah. Zu guter Letzt würden sie erwachen. Und bis es soweit war – wenn es auch tausend Jahre dauern mochte –, würden sie trotz aller Unbilden sich am Leben erhalten wie die Vögel und von Leib zu Leib die Lebenskraft weitergeben, an der die Partei nicht teilhatte und die sie nicht umbringen konnte.

»Erinnerst du dich«, sagte er, »an die Drossel, die uns an jenem ersten Tag am Rand des Wäldchens etwas vorsang?«

»Sie sang nicht für uns«, sagte Julia. »Sie sang zu ihrem Vergnügen. Noch nicht einmal das. Sie sang nur eben.«

Die Vögel sangen, die Proles sangen, aber die Partei sang nicht. In der ganzen Welt, in London und New York, in Afrika, Brasilien und in den geheimnisvollen verbotenen Ländern hinter den Grenzen, in den Straßen von Paris und Berlin, in den Dörfern der endlosen russischen Weite, in den Basaren von China und Japan

– überall stand die gleiche feste, unerschütterliche Gestalt, unförmig geworden durch Arbeit und Niederkünfte, die von der Wiege bis zum Grabe schwer schuftet und dennoch singt. Aus diesem mächtigen Schoß mußte eines Tages ein Geschlecht wissender Menschen hervorgehen. Ihr seid die Toten; die Zukunft gehört ihnen. Aber man konnte teilhaben an dieser Zukunft, wenn man den Geist lebendig erhielt, so wie sie den Leib lebendig erhielten, und die geheime Lehre weitergab, daß zwei und zwei gleich vier ist.

»Wir sind die Toten«, sagte er.

»Wir sind die Toten«, betete Julia getreulich nach.

»Ihr seid die Toten«, sagte eine eiserne Stimme hinter ihnen.

Sie fuhren auseinander. Winston fühlte seine Eingeweide zu Eis erstarren. Er konnte rund um die Iris von Julias Augen das Weiße sehen. Ihr Gesicht hatte sich milchiggelb verfärbt. Das noch auf jedem Backenknochen vorhandene Rouge hob sich scharf ab, fast wie ohne Zusammenhang mit der Haut darunter.

»Ihr seid die Toten«, wiederholte die eiserne Stimme.

»Es kam hinter dem Bild hervor«, flüsterte Julia.

»Es kam hinter dem Bild hervor«, sagte die Stimme. »Bleibt genau da stehen, wo ihr seid. Macht keine Bewegung, ehe es euch befohlen wird.«

Es war soweit, endlich war es soweit! Sie konnten nichts machen, außer dazustehen und einander in die Augen zu starren. Auf und davon zu laufen, das Haus zu verlassen, ehe es zu spät war – ein solcher Gedanke kam ihnen gar nicht. Unvorstellbar, der eisernen Stimme von der Wand nicht zu gehorchen. Man hörte ein Schnappen, so als sei ein Haken zurückgedreht worden, und das Krachen splitternden Glases. Das Bild war auf den Boden gefallen, so daß der dahinter angebrachte Televisor zum Vorschein kam.

»Jetzt können sie uns sehen«, sagte Julia.

»Jetzt können wir euch sehen«, sagte die Stimme. »Stellt euch in die Mitte des Zimmers. Stellt euch Rücken an Rücken. Verschränkt die Hände hinter euren Köpfen. Berührt einander nicht.«

Sie berührten einander nicht, aber es kam ihm vor, als könne er Julias Körper zittern fühlen. Oder vielleicht war es nur das Zittern seines eigenen. Er konnte mit Mühe verhindern, daß seine Zähne klapperten, aber er hatte keine Gewalt über seine Knie. Unten im Hof und im Haus war ein Geräusch von trampelnden Stiefeln zu hören. Der Hof schien voll mit Menschen zu sein. Etwas wurde über die Steine geschleift. Der Gesang der Frau war jäh abgebrochen. Man hörte ein langes, rumpelndes Klirren, so als sei der Waschzuber über den Hof geschleudert worden, und dann ein Durcheinander ärgerlicher Rufe, das mit einem Schmerzensschrei endete:

»Das Haus ist umzingelt«, sagte Winston.

»Das Haus ist umzingelt«, sagte die Stimme.

Er hörte Julia die Zähne aufeinander beißen. »Ich glaube, wir können ebensogut voneinander Abschied nehmen«, sagte sie.

»Ihr könnt ebensogut voneinander Abschied nehmen«, sagte die Stimme. Und dann fiel eine andere, grundverschiedene Stimme ein, eine leise, gebildete Stimme, von der Winston den Eindruck hatte, sie bereits früher gehört zu haben: »Und bei der Gelegenheit, weil wir gerade bei dem Thema sind: Here comes a candle to light you to bed, here comes a chopper to chop off your head!«*

Etwas prasselte hinter Winstons Rücken aufs Bett. Die Spitze einer Leiter war durchs Fenster geschoben worden und hatte den Rahmen zertrümmert. Jemand kletterte durchs Fenster herein. Die Treppen herauf hörte man wildes Fußgetrappel. Das Zimmer war voll kräftiger Männer in schwarzen Uniformen, mit eisenbeschlagenen Stiefeln an den Füßen und Gummiknüppeln in den Händen.

Winston zitterte nicht mehr. Sogar seine Augen bewegten sich kaum. Es galt nur eines: stillzuhalten, stillzuhalten und ihnen

* Hier kommt eine Kerze, um euch ins Bett zu leuchten, hier kommt ein Henker, um euch den Kopf abzuschlagen!

keinen Vorwand zu bieten, einen zu schlagen! Ein Mann mit der glattrasierten Kinnlade eines Preisboxers, in dem der Mund nur ein Schlitz war, blieb vor ihm stehen und wippte seinen Gummiknüppel nachdenklich zwischen Daumen und Zeigefinger. Winston begegnete seinem Blick. Das Gefühl der Nacktheit, mit seinen hinter dem Kopf verschränkten Händen und sein Gesicht und Körper völlig ungeschützt, war nahezu unerträglich. Der Mann streckte die Spitze einer weißen Zunge heraus, leckte über die Stelle, wo seine Lippen hätten sein sollen, und ging dann weiter. Ein erneutes Krachen erfolgte. Jemand hatte den gläsernen Briefbeschwerer vom Tisch genommen und ihn auf der Kaminplatte in Stücke geschlagen.

Das Korallenstückchen, ein winzigkleiner rosafarbener Ast wie ein Zuckerkringel von einer Torte, rollte über die Bodenmatte. Wie klein, mußte Winston denken, wie klein es doch war! Hinter ihm ein Keuchen und ein dumpfer Aufschlag, und er erhielt einen heftigen Stoß gegen den Fußknöchel, der ihn beinahe aus dem Gleichgewicht warf. Einer der Männer hatte Julia einen Faustschlag in die Magengrube versetzt, was sie wie ein Taschenmesser zusammenklappen ließ. Sie wand sich am Boden, nach Luft ringend. Winston wagte nicht, seinen Kopf auch nur um einen Millimeter zu drehen, aber manchmal geriet ihr bläuliches, atemschnappendes Gesicht in sein Blickfeld. Sogar in seiner Herzensangst war es, als könne er den Schmerz am eigenen Leib spüren, den unerträglichen Schmerz, der dennoch weniger vordringlich war als das Ringen nach Luft. Er wußte, wie das war: der schreckliche, qualvolle Schmerz, der die ganze Zeit da war, dem man aber noch nicht nachgeben konnte, denn vor allem anderen mußte man Atem schöpfen. Dann hoben zwei von den Männern sie an Knien und Schultern hoch und trugen sie wie einen Sack aus dem Zimmer. Winston konnte einen flüchtigen Anblick von ihrem Gesicht erhaschen: Es war verwüstet, gelb und verzerrt, die Augen geschlossen und noch immer mit etwas Rouge auf jeder Wange. Das war das letzte, was er von ihr sah.

Er stand unbeweglich da. Noch hatte ihn niemand geschlagen.

Gedanken, die sich ungewollt einstellten, aber völlig uninteressant schienen, begannen ihm durch den Kopf zu huschen. Er fragte sich, ob sie auch Herrn Charrington festgenommen hatten. Und was hatten sie mit der Frau im Hof getan? Er merkte, daß er dringend Wasser lassen mußte, und war ein wenig erstaunt darüber, denn er hatte das erst vor zwei oder drei Stunden getan. Er bemerkte, daß die Uhr auf dem Kaminsims auf neun zeigte, was soviel bedeuten sollte wie einundzwanzig Uhr. Aber das Licht schien zu hell. War es an einem Augustabend um einundzwanzig Uhr nicht schon dunkler? Er fragte sich, ob nicht am Schluß er und Julia sich in der Zeit geirrt – einen Tag überschlafen und gedacht hatten, es sei zwanzig Uhr dreißig, während es in Wirklichkeit genau acht Uhr dreißig am nächsten Morgen war. Aber er verfolgte den Gedanken nicht weiter. Es war nicht interessant.

Auf dem Gang näherte sich jetzt ein anderer, leichterer Schritt. Herr Charrington kam ins Zimmer. Das Benehmen der schwarzuniformierten Männer wurde plötzlich unterwürfiger. Auch in Herrn Charringtons Äußerem hatte sich etwas verändert. Sein Blick fiel auf die Splitter des gläsernen Briefbeschwerers.

»Diese Splitter aufheben«, sagte er scharf.

Ein Mann bückte sich, um zu gehorchen. Der Londoner Vorstadtakzent war verschwunden; Winston war sich plötzlich darüber im klaren, wessen Stimme es war, die er vor ein paar Augenblicken am Televisor gehört hatte. Herr Charrington hatte noch immer seine alte Samtjacke an, aber sein Haar, das fast weiß gewesen war, hatte sich in Schwarz verwandelt. Auch trug er keine Brille. Er warf nur einen einzigen scharfen Blick auf Winston, so als stelle er seine Identität fest, und schenkte ihm dann keine Aufmerksamkeit mehr. Er war noch erkennbar, aber er war nicht mehr derselbe Mensch. Sein Körper hatte sich gestrafft und schien größer geworden zu sein. Sein Gesicht hatte nur geringfügige Veränderungen erfahren, die trotzdem eine vollständige Verwandlung herbeigeführt hatten. Die schwarzen Augenbrauen waren weniger buschig, die Falten verschwunden, die ganze Physiognomie schien sich verändert zu haben; sogar die Nase wirkte kürzer. Es war das aufgeweckte, kalte Gesicht eines Mannes von etwa fünfunddreißig Jahren. Es kam Winston zum Bewußtsein, daß er zum erstenmal in seinem Leben wissentlich einem Mitglied der Gedankenpolizei gegenüberstand.

DRITTER TEIL

I

Er wußte nicht, wo er sich befand. Wahrscheinlich war er im Ministerium für Liebe; aber es bestand keine Möglichkeit, sich zu vergewissern.

Er befand sich in einer hohen, fensterlosen Zelle mit Wänden aus schimmernden weißen Kacheln. Verborgene Lampen durchfluteten sie mit kaltem Licht, und ein leises, ständig summendes Geräusch war zu hören, von dem er annahm, daß es etwas mit der Lüftung zu tun hatte. Eine Bank oder Pritsche, gerade breit genug, um darauf zu sitzen, lief rings um die Wand und war nur bei der Tür unterbrochen. Am Zellenende, der Tür gegenüber, war eine Klosettschüssel ohne hölzernen Sitz angebracht. Ein Televisor war an jeder der vier Wände vorhanden.

Ein dumpfer Schmerz in der Magengegend quälte ihn. Er hatte sich von dem Augenblick an bemerkbar gemacht, als man ihn in den geschlossenen Gefängniswagen gesteckt und weggefahren hatte. Aber er war auch hungrig, er fühlte einen nagenden, krankhaften Hunger. Es mochte vierundzwanzig Stunden her sein, seit er zuletzt etwas gegessen hatte – oder auch sechsunddreißig. Er wußte noch immer nicht und würde es vermutlich nie wissen, ob es Morgen oder Abend gewesen war, als man ihn festnahm. Seit seiner Verhaftung hatte er nichts mehr zu essen bekommen.

Er saß so unbeweglich da, wie er konnte, mit über dem Knie verschränkten Händen auf der schmalen Bank. Er hatte bereits gelernt, still dazusitzen. Machte man unerwartete Bewegungen, so wurde man durch den Televisor angeschrien. Aber sein Verlangen nach etwas Eßbarem wurde immer heftiger. Vor allem gelüstete ihn nach einem Stück Brot. Er glaubte sich zu erinnern, daß in der Tasche seines Trainingsanzugs ein paar Brotkrumen waren. Er kam auf diesen Gedanken, weil ihn von Zeit zu Zeit etwas am Bein zu kitzeln schien – daß noch ein anständiges Stück Rinde darin steckte. Schließlich war sein Verlangen, sich davon zu überzeugen, stärker als seine Furcht. Er schob seine Hand in die Tasche.

»Smith!« schrie eine Stimme aus dem Televisor. »6079 Smith W.! In der Zelle Hände aus der Tasche!«

Er saß wieder still da, seine Hände über dem Knie verschränkt. Bevor man ihn hierher gebracht hatte, war er an einen anderen Ort gebracht worden, der ein gewöhnliches Gefängnis oder ein von den Polizeistreifen benützter vorübergehender Gewahrsam gewesen sein mußte. Er wußte nicht, wie lange er dort gewesen war; jedenfalls einige Stunden; ohne Uhr und ohne Tageslicht war es schwer, die Zeit abzuschätzen. Es war ein lärmender, übelriechender Ort gewesen. Man hatte ihn in eine Zelle gesteckt, die der ähnelte, in der er sich jetzt befand, aber grauenhaft schmutzig und ständig mit zehn bis fünfzehn Menschen belegt war. Die Mehrzahl davon waren gemeine Verbrecher, aber es gab ein paar politische Gefangene unter ihnen. Er hatte still gegen die Wand gelehnt dagesessen, zwischen schmutzigen Leibern herumgestoßen, zu sehr mit seiner Angst und seinen Leibschmerzen beschäftigt, um großes Interesse an seiner Umgebung zu nehmen. Aber er gewahrte doch den erstaunlichen Unterschied im Verhalten gegenüber den Partei-Gefangenen und den anderen. Die Partei-Gefangenen waren immer stumm und voll Furcht, aber die gewöhnlichen Gefangenen schienen nichts und niemanden zu scheuen. Sie schrien dem Wachpersonal Beschimpfungen zu, wehrten sich wütend, wenn ihre Sachen beschlagnahmt wurden, schrieben unflätige Worte auf den Fußboden, aßen eingeschmuggelte Nahrungsmittel, die sie aus geheimnisvollen Verstecken ihrer Kleidung hervorzogen, und schrien sogar den Televisor nieder, wenn er die Ordnung wiederherzustellen versuchte. Andererseits schienen manche von ihnen auf gutem Fuß mit den Wachen zu stehen, nannten sie bei Spitznamen und versuchten

Zigaretten durch das Guckloch in der Tür zu schieben. Die Wachen wiederum behandelten die gewöhnlichen Gefangenen mit einer gewissen Nachsicht, auch wenn sie derb mit ihnen umspringen mußten. Es wurde viel von den Zwangsarbeitslagern geredet, und die meisten Gefangenen erwarteten, dorthin verschickt zu werden. Es war »erträglich« in diesen Lagern, reimte er sich zusammen, solange man gute Beziehungen hatte und den ganzen Rummel kannte. Es herrschte dort Bestechung, Bevorzugung und organisiertes Verbrechertum aller Art, es gab Homosexualität und Prostitution, es gab sogar aus Kartoffeln heimlich gebrannten Schnaps. Die Vertrauensposten bekamen nur die gewöhnlichen Verbrecher, besonders Gewaltverbrecher und Mörder, die eine Art Aristokratie bildeten. Alle schmutzigen Arbeiten wurden von den Politischen verrichtet.

Es war ein dauerndes Kommen und Gehen von Gefangenen aller Art: von Rauschgifthändlern, Dieben, Straßenräubern, Schwarzhändlern, Trunkenbolden, Prostituierten. Manche von den Betrunkenen waren so außer Rand und Band, daß die anderen Gefangenen sich zusammentun mußten, um sie zu überwältigen. Ein riesiges Wrack von einem Weib, etwa sechzigjährig, mit großen Hängebrüsten und dicken, aufgerollten weißen Haarlokken, die bei ihrem Kampf aufgegangen waren, wurde, mit Füßen und Händen um sich schlagend und schreiend, von vier Wachen hereingetragen, die sie jeder an einem Ende festhielten. Sie rissen ihr die Schuhe herunter, mit denen sie ihnen Tritte zu versetzen versuchte, und schleuderten sie Winston in den Schoß, so daß ihm fast die Schenkelknochen brachen. Die Frau rappelte sich hoch und schrie ihnen »Verfluchte Sauhunde!« nach. Dann, als sie merkte, daß sie auf etwas Unebenem saß, rutschte sie von Winstons Knie herunter auf die Bank.

»Verzeihung, mein Schatz«, sagte sie. »Ich hätte mich nicht auf Sie gesetzt, aber die Kerls schmissen mich da hin. Sie wissen nicht, wie man eine Dame behandelt.« Sie brach ab, tätschelte ihre Brust und rülpste. »Verzeihung«, sagte sie, »ich hab' noch nicht alle Sinne beieinander.«

Sie beugte sich vor und erbrach sich ausgiebig auf den Fußboden.

»So ist's besser«, sagte sie und lehnte sich mit geschlossenen Augen zurück. »Nie es drunten lassen, sag' ich immer. Raus damit, solange es noch frisch im Magen ist.« Sie kam wieder zu sich, drehte sich um, um nochmals einen Blick auf Winston zu werfen, und schien sofort eine Vorliebe für ihn zu fassen. Sie legte einen dicken Arm um seine Schulter und zog ihn näher zu sich, wobei sie ihm Bierdunst und den Geruch von Erbrochenem ins Gesicht atmete.

»Wie heißt du, Schatz?« sagte sie.

»Smith«, antwortete Winston.

»Smith?« sagte die Frau. »Das is' komisch. Ich heiße auch Smith. Denk mal«, fügte sie sentimental hinzu, »ich könnte deine Mutter sein.«

Ja, dachte Winston, sie könnte seine Mutter sein. Sie war ungefähr im gleichen Alter und von entsprechender Körpergröße, und es war wahrscheinlich, daß sich die Menschen nach zwanzig Jahren in einem Zwangsarbeitslager einigermaßen veränderten.

Sonst hatte niemand mit ihm gesprochen. In erstaunlichem Maße ignorierten die gewöhnlichen Verbrecher die Partei-Häftlinge. »Die Politischen« nannten sie sie mit einer Art uninteressierter Verachtung. Die Partei-Häftlinge schienen Angst zu haben, mit jemand zu sprechen, und vor allem, miteinander zu sprechen. Nur einmal, als zwei Parteiangehörige, beides Frauen, auf der Bank eng aneinandergepreßt wurden, hörte er zufällig in dem allgemeinen Stimmengewirr ein paar hastig geflüsterte Worte, und zwar war es eine Anspielung auf etwas, das als »Zimmer eins-null-eins« bezeichnet wurde, was er nicht verstand.

Es mochte zwei oder drei Stunden her sein, daß man ihn hierher gebracht hatte. Der dumpfe Schmerz in seinem Magen hörte nicht auf, aber manchmal wurde es besser und dann wieder schlimmer, und seine Gedanken waren je nachdem in die weitere Zukunft oder nur auf den Augenblick gerichtet. Wenn er schlimmer wurde, dachte er nur an den Schmerz und an sein Verlangen nach Essen. Ließ er nach, so befiel ihn eine Panik. Es gab Augenblicke, in denen er die Dinge, die mit ihm geschehen würden, mit solcher Deutlichkeit voraussah, daß sein Herz raste und sein Atem stockte. Er fühlte die Schläge von Gummiknüppeln auf seinen schützend erhobenen Armen und eisenbeschlagene Stiefel gegen seine Schienbeine. Er sah sich auf dem Fußboden herumkriechen und zwischen eingeschlagenen Zähnen hervor um Gnade flehen. An Julia dachte er kaum. Er konnte sein Denken nicht auf sie konzentrieren. Er liebte sie und würde sie nicht verraten; aber das war nur eine Tatsache, die ihm so vertraut war wie die Regeln der Arithmetik. Er empfand keine Liebe für sie, und er fragte sich sogar kaum, was wohl mit ihr geschah. Häufiger dachte er an O'Brien, und zwar mit einer flackernden Hoffnung. O'Brien mußte wissen, daß er verhaftet worden war. Die Brüderschaft, hatte er gesagt, versuchte nie, ihre Mitglieder zu retten. Aber da war die Rasierklinge; sie würden die Rasierklinge schikken, wenn sie konnten. Er würde ungefähr fünf Sekunden Zeit haben, ehe die Wachen in die Zelle hereinstürmen konnten. Die Klinge würde mit schneidender Kälte in ihn eindringen, und sogar die Finger, die sie hielten, würden bis auf den Knochen durchgeschnitten werden. Alles hing von seinem hinfälligen Körper ab, der zitternd vor dem kleinsten Schmerz zurückschreckte. Er war nicht sicher, ob er die Rasierklinge benützen würde, sogar wenn sich ihm die Möglichkeit bot. Es war natürlicher, von einem Augenblick auf den anderen zu leben, weitere zehn Minuten Leben mit der Gewißheit hinzunehmen, daß ihn am Ende die Folterung erwartete.

Manchmal versuchte er, die Porzellankacheln an den Wänden der Zelle zu zählen. Es mußte ganz leicht sein, aber er verzählte sich immer wieder an der einen oder anderen Stelle. Noch öfter fragte er sich, wo er sich wohl befand und welche Tageszeit es war. In dem einen Augenblick hatte er das sichere Gefühl, draußen sei heller Tag, im nächsten war er ebenso sicher, daß stockfinstere Dunkelheit herrschte. Hier an diesem Ort, wußte er instinktiv, wurde nie die künstliche Beleuchtung ausgeschaltet. Es war der Ort, an dem es keine Dunkelheit gab: Er erkannte jetzt, warum O'Brien die Anspielung verstanden zu haben schien. Im Ministerium für Liebe gab es keine Fenster. Seine Zelle konnte im Innersten des Gebäudes gelegen sein oder hinter seiner Außenmauer, zehn Stockwerke unter dem Erdboden oder dreißig darüber. Er versetzte sich im Geist von Ort zu Ort und versuchte gefühlsmäßig zu entscheiden, ob er sich hoch droben in der Luft befand oder tief unter der Erde begraben war.

Von draußen kam das Dröhnen marschierender Stiefel. Die Stahltür öffnete sich mit einem Klirren. Ein junger Offizier, eine schmucke schwarzuniformierte Gestalt, die von Kopf bis Fuß von poliertem Leder zu glänzen schien und deren bleiches, streng geschnittenes Gesicht wie eine Wachsmaske war, trat forsch durch den Türeingang. Er gab den draußen stehenden Wachen ein Zeichen, den von ihnen geführten Gefangenen hereinzubringen. Der Dichter Ampleforth torkelte in die Zelle. Die Tür schloß sich klirrend wieder.

Ampleforth machte ein paar unsichere Bewegungen von einer Seite zur anderen, so als schwebe ihm etwas von einer anderen Tür vor, durch die er hinaus müsse. Dann begann er in der Zelle hin und her zu gehen. Er hatte Winstons Anwesenheit noch nicht bemerkt. Seine verwirrten Augen starrten etwa einen Meter über Winstons Kopfhöhe auf die Wand. Er war ohne Schuhe; große schmutzige Zehen lugten aus den Löchern in seinen Socken hervor. Auch war er seit mehreren Tagen nicht mehr rasiert. Ein struppiger Bart bedeckte sein Gesicht und verlieh ihm das Aussehen eines Straßenräubers, das schlecht zu seinem aufgeschossenen zarten Körper und seinen nervösen Bewegungen paßte.

Winston richtete sich ein wenig aus seiner Lethargie hoch. Er mußte mit Ampleforth sprechen und es auf sich nehmen, durch den Televisor angebrüllt zu werden. Es war sogar denkbar, daß Ampleforth der Bote mit der Rasierklinge war.

»Ampleforth«, sagte er.

Aus dem Televisor erfolgte kein Anbrüllen. Ampleforth blieb

ein wenig verblüfft stehen. Seine Augen richteten sich langsam auf Winston.

»Ach, Smith!« sagte er. »Sie auch!«

»Weswegen sind Sie hier?«

»Um Ihnen die Wahrheit zu sagen –« Er setzte sich linkisch Winston gegenüber auf die Bank. »Es gibt nur ein Verbrechen – oder nicht?« sagte er.

»Und haben Sie es begangen?«

»Offenbar ja.«

Er legte eine Hand an seine Stirn und preßte einen Augenblick seine Schläfen, so als versuche er sich an etwas zu erinnern.

»Diese Dinge passieren eben«, begann er unbestimmt. »Es ist mir gelungen, mir einen Fall ins Gedächtnis zurückzurufen – einen möglichen Fall. Es war zweifellos eine Unklugheit. Wir stellten eine definitive Ausgabe der Gedichte Kiplings zusammen. Ich ließ das Wort ›Gott‹ am Ende einer Verszeile stehen. Ich konnte nicht anders!« fügte er nahezu ungehalten hinzu, indem er das Gesicht hob, um Winston anzusehen. »Es war einfach unmöglich, die Verszeile zu ändern. Der Reim endete mit ›Trott‹. Wissen Sie, daß es in unserer ganzen Sprache nur äußerst wenige Reime auf ›Trott‹ gibt? Tagelang zerbrach ich mir den Kopf. Es gab einfach keinen anderen Reim.«

Sein Gesichtsausdruck änderte sich. Der Ärger verschwand daraus, und einen Augenblick sah er fast zufrieden aus. Eine Art geistiger Hochstimmung, die Freude des Pedanten, der eine nutzlose Tatsache entdeckt hat, leuchtete durch den Schmutz und das Haargestrüpp.

»Ist Ihnen jemals in den Sinn gekommen«, sagte er, »daß die ganze Entwicklung der englischen Dichtkunst durch die Tatsache bestimmt wurde, daß es in der englischen Sprache nicht genug Reime gibt?«

Nein, dieser besondere Gedanke war Winston nie gekommen. Auch kam er ihm, unter den gegebenen Umständen, nicht sehr wichtig oder interessant vor.

»Wissen Sie, was für eine Tageszeit es ist?« fragte er.

Ampleforth machte wieder ein erschrockenes Gesicht. »Ich habe noch kaum darüber nachgedacht. Man verhaftete mich – es kann zwei, vielleicht drei Tage her sein.« Seine Blicke huschten über die Wände, so als hoffe er halbwegs, irgendwo ein Fenster zu finden. »Hier an diesem Ort besteht kein Unterschied zwischen Tag und Nacht. Ich kann mir nicht vorstellen, wie man die Zeit berechnen könnte.«

Ein paar Minuten unterhielten sie sich oberflächlich, dann, ohne offensichtlichen Grund, gebot ihnen ein Befehl aus dem Televisor Schweigen. Winston saß still da, mit übereinandergelegten Händen. Ampleforth, der zu groß war, um bequem auf der schmalen Bank sitzen zu können, rutschte zappelig von einer Seite auf die andere, verschränkte seine langen Hände erst um das eine Knie, dann um das andere. Der Televisor raunzte ihn an, sich ruhig zu verhalten. Die Zeit verstrich. Zwanzig Minuten, eine Stunde – es war schwer zu beurteilen. Wieder erscholl draußen ein Geräusch von Schritten. Winstons Eingeweide zogen sich zusammen. Bald, sehr bald, vielleicht in fünf Minuten, vielleicht jetzt, würde das Stiefelgetrampel bedeuten, daß die Reihe an ihn gekommen war.

Die Tür öffnete sich. Der junge Offizier mit dem kalten Gesicht trat in die Zelle. Mit einer kurzen Handbewegung deutete er auf Ampleforth.

»Zimmer 101«, sagte er.

Ampleforth schritt schwerfällig zwischen den Wachen hinaus, sein Gesicht war ein wenig beunruhigt, jedoch ohne zu begreifen.

Eine scheinbar lange Zeit verstrich. Der Schmerz in Winstons Bauch war wieder erwacht. Sein Denken kreiste rund und rund um dieselbe Bahn, wie eine Kugel, die immer wieder in die gleiche Reihe von Löchern fällt. Er kannte nur sechs Gedanken: Seine Leibschmerzen; ein Stück Brot; das Blut und das Wehgeschrei; O'Brien; Julia; die Rasierklinge. Seine Eingeweide krampften sich erneut zusammen; die schweren Stiefel näherten sich. Als die Tür aufging, wehte der von ihr hervorgerufene Luftzug einen durchdringenden kalten Schweißgeruch herein. Parsons trat in die Zelle. Er hatte eine kurze Khakihose und ein Sporthemd an.

Diesmal war Winston so verblüfft, daß er alle Vorsicht vergaß.

»*Sie* hier!« sagte er.

Parsons warf Winston einen Blick zu, aus dem weder Teilnahme noch Erstaunen, sondern nur Jammer sprach. Er begann mit ruckhaften Bewegungen hin und her zu gehen, offensichtlich unfähig, sich ruhig zu verhalten. Jedesmal, wenn er seine plumpen Knie durchdrückte, sah man, daß sie zitterten. Seine Augen hatten einen aufgerissenen, starren Blick, so als könnte er sich nicht enthalten, nach etwas in der näheren Umgebung zu stieren.

»Weswegen sind Sie hier?« fragte Winston.

»Gedankenverbrechen!« sagte Parsons, fast unter Schluchzen. Der Ton seiner Stimme drückte gleichzeitig ein vollständiges Eingeständnis seiner Schuld als auch eine Art ungläubigen Entsetzens aus, daß ein solches Wort überhaupt auf ihn Anwendung finden konnte. Er blieb vor Winston stehen und begann sich eifrig bei ihm zu beschweren: »Sie glauben doch nicht, daß sie mich erschießen werden, nicht wahr, alter Junge? Sie erschießen einen doch nicht, wenn man nicht wirklich etwas verbrochen hat – sondern nur in Gedanken, wofür man nichts kann? Ich weiß, daß sie einem ein anständiges Verhör gewähren. Ach, darin habe ich volles Vertrauen zu ihnen! Sie werden ja meine Personalakten kennen. *Sie* wissen, was für ein Mensch ich war. Auf meine Art kein schlechter Kerl. Kein sehr großes Licht freilich, aber beflissen. Ich habe mein Bestes für die Partei zu tun versucht, das hab' ich doch, nicht wahr? Ich werde mit fünf Jahren davonkommen, glauben Sie nicht? Oder auch mit zehn Jahren? Ein Mann wie ich könnte sich in einem Arbeitslager sehr nützlich machen. Sie werden mich doch nicht erschießen, nur weil ich einmal entgleist bin?«

»Sind Sie schuldig?« fragte Winston.

»Natürlich bin ich schuldig!« schrie Parsons mit einem kriecherischen Seitenblick nach dem Televisor. »Sie glauben doch nicht, daß die Partei einen unschuldigen Menschen verhaften würde?« Sein Froschgesicht wurde ruhiger und nahm sogar einen ein wenig scheinheiligen Ausdruck an. »Gedankenverbrechen ist etwas Schreckliches, alter Junge«, sagte er salbungsvoll. »Es ist etwas Heimtückisches. Es kann einen überkommen, sogar ohne daß man es weiß. Wissen Sie, wie es mich überkommen hat? Im Schlaf! Ja, das ist Tatsache. Da war ich, plagte mich, versuchte das meinige zu leisten – und hatte keine Ahnung, daß ich überhaupt je etwas Böses im Kopf hatte. Und dann fing ich an, im Schlaf zu sprechen. Wissen Sie, was man mich sagen hörte?« Er senkte die Stimme wie jemand, der aus ärztlichen Gründen gezwungen ist, eine Unschicklichkeit auszusprechen.

»›Nieder mit dem Großen Bruder!‹ Ja, das sagte ich! Sagte es immer wieder, wie es scheint. Unter uns, alter Junge, ich bin froh, daß man mich ertappt hat, ehe es weiterging. Wissen Sie, was ich sagen werde, wenn ich vor Gericht stehe? ›Danke euch‹, werde ich sagen, ›danke euch, daß ihr mich gerettet habt, ehe es zu spät war.‹«

»Wer hat Sie angezeigt?« fragte Winston.

»Es war mein Töchterchen«, sagte Parsons mit einer Art von betrübtem Stolz. »Sie lauschte am Schlüsselloch. Hörte, was ich sagte, und gleich am nächsten Tag lief sie zu den Streifen. Allerhand tüchtig für einen Dreikäsehoch von sieben Jahren, he? Ich hege deshalb keinen Groll gegen sie. Tatsächlich bin ich stolz auf sie. Es beweist jedenfalls, daß ich sie in dem richtigen Geist erzogen habe.«

Er ging noch ein paarmal erregt hin und her, wobei er mehrmals einen sehnsüchtigen Blick auf die Klosettschüssel warf. Dann streifte er plötzlich seine kurze Hose herunter:

»Entschuldigen Sie, alter Junge«, sagte er. »Ich kann's nicht mehr aushalten. Schuld ist das ewige Warten.«

Er pflanzte seinen dicken Hintern auf die Klosettschüssel. Winston bedeckte sein Gesicht mit den Händen.

»Smith!« schrie die Stimme vom Televisor. »6079 Smith W.!

Hände vom Gesicht. In den Zellen gibt es keine bedeckten Gesichter.«

Winston ließ die Hände sinken. Parsons benützte den Abtritt geräuschvoll und ausgiebig. Es stellte sich dann heraus, daß die Spülung kaputt war, und die Zelle stank noch stundenlang nachher abscheulich.

Parsons wurde abgeführt. Neue Gefangene kamen und gingen in geheimnisvoller Weise. Einmal wurde eine Frau nach »Zimmer 101« beordert und schien, wie Winston wahrnahm, ohnmächtig zu werden und sich zu verfärben, als sie die Worte hörte. Es kam eine Zeit, zu der es, wenn es Morgen gewesen war, als er hierhergebracht wurde, jetzt Nachmittag sein mußte. Es befanden sich sechs Gefangene in der Zelle, Männer und Frauen. Alle saßen sehr still da. Winston gegenüber saß ein Mann mit einem kinnlosen Gesicht mit vorstehenden Schneidezähnen, das genau wie das eines großen harmlosen Nagetiers aussah. Seine dicken, fleckigen Backen bildeten nach unten solche Taschen, daß es einem schwerfiel, nicht zu glauben, er habe dort Speisevorräte versteckt. Seine hellgrauen Augen huschten ängstlich von einem Gesicht zum anderen und wandten sich rasch wieder ab, wenn er jemandes Blick begegnete.

Die Tür öffnete sich, und ein anderer Gefangener wurde hereingebracht, dessen ganze Erscheinung Winston ein augenblickliches Frösteln verursachte. Es war ein alltäglicher, unbedeutend aussehender Mann, der ein Ingenieur oder sonst ein Techniker hätte sein können. Aber das Erschreckende war die Abzehrung seines Gesichts. Es war wie ein Totenschädel. Infolge seiner Magerkeit sahen der Mund und die Augen unverhältnismäßig groß aus, und die Augen schienen von einem mörderischen, unversöhnlichen Haß gegen jemand oder etwas erfüllt.

Der Mann setzte sich ein kleines Stück weit von Winston entfernt auf die Bank. Winston sah ihn nicht mehr an, doch das gequälte, totenkopfartige Gesicht schwebte ihm in Gedanken so deutlich vor, als hätte er es gerade vor Augen gehabt. Plötzlich merkte er, was los war. Der Mann starb vor Hunger. Der gleiche

Gedanke schien fast gleichzeitig jedem in der Zelle zu kommen. Rings um die Bank regte sich eine ganz leise Empörung. Die Blicke des kinnlosen Mannes huschten dauernd hinüber zu dem Mann mit dem Totenschädelgesicht, wandten sich schuldbewußt weg und wurden von einem unwiderstehlichen Zwang wieder angezogen. Jetzt begann er unruhig auf seinem Sitz hin und her zu rutschen. Endlich stand er auf, schwankte schwerfällig hinüber durch die Zelle, steckte die Hand tief in die Tasche seines Trainingsanzugs und hielt dem Mann mit dem Totenschädelgesicht verlegen ein verschmutztes Stückchen Brot hin.

Ein wütendes, ohrenbetäubendes Gebrüll kam aus dem Televisor. Der kinnlose Mann sprang zurück. Der Mann mit dem Totenschädelgesicht hatte rasch die Hände auf den Rücken gelegt, so, als wollte er der ganzen Welt vor Augen führen, daß er die Gabe zurückwies.

»Bumstead!« brüllte die Stimme. »2713 Bumstead J.! Lassen Sie das Stück Brot fallen!«

Der kinnlose Mann warf das Stück Brot auf den Boden.

»Bleiben Sie stehen, wo Sie sind«, sagte die Stimme. »Gesicht zur Tür.«

Der kinnlose Mann gehorchte. Seine großen Hängebacken zitterten unbeherrscht. Die Tür sprang klirrend auf. Als der junge Offizier hereinkam und beiseite trat, tauchte hinter ihm ein kleiner untersetzter Wachmann mit riesigen Armen und Schultern auf. Er nahm vor dem kinnlosen Mann Aufstellung, und dann, auf ein Zeichen des Offiziers hin, landete er einen furchtbaren Faustschlag mit Unterstützung der ganzen Wucht seines Körpergewichts gerade auf den Mund des kinnlosen Mannes. Die Gewalt des Hiebes schien ihn fast vom Boden zu lüpfen. Sein Körper wurde durch die Zelle geschleudert und von dem Klosettbecken aufgehalten. Einen Augenblick lag er wie betäubt da, während dunkles Blut aus seinem Mund und seiner Nase sikkerte. Ein ganz leises Wimmern oder Winseln, das unbewußt zu sein schien, entrang sich ihm. Dann rollte er auf die Seite und richtete sich unsicher auf Hände und Knie auf. Unter einem

Strom von Blut und Speichel fielen die beiden Hälften einer Gebißplatte aus seinem Mund.

Die Gefangenen saßen ganz still, ihre Hände über den Knien verschränkt. Der kinnlose Mann kletterte auf seinen Platz zurück. Sein Mund war zu einer formlosen kirschroten Masse mit einem schwarzen Loch in der Mitte geschwollen. Von Zeit zu Zeit tropfte ein wenig Blut auf die Brust seines Trainingsanzugs. Seine grauen Augen huschten noch immer von Gesicht zu Gesicht, schuldbewußter denn je, als wolle er herausfinden, wie sehr ihn die anderen wegen seiner Erniedrigung verachteten.

Die Tür öffnete sich. Mit einem kleinen Wink bezeichnete der Offizier den Mann mit dem Totenschädelgesicht.

»Zimmer 101«, sagte er.

Neben Winston war ein keuchendes Atmen zu hören, und eine Aufregung entstand. Der Mann hatte sich auf die Knie geworfen und hob die gefalteten Hände:

»Genosse! Herr Offizier!« schrie er. »Sie brauchen mich nicht dorthin zu bringen. Hab' ich euch nicht bereits alles gesagt? Was wollt ihr noch wissen? Es gibt nichts, was ich nicht gestehen würde, nichts! Sagen Sie mir, was es sein soll, und ich gestehe es auf der Stelle. Schreiben Sie es nieder, und ich unterschreibe – alles! Nur nicht Zimmer 101!«

»Zimmer 101«, sagte der Offizier.

Das schon sehr bleiche Gesicht des Mannes nahm eine Farbe an, die Winston nicht für möglich gehalten hätte. Es war deutlich, unverkennbar eine Schattierung von Grün.

»Machen Sie alles mit mir!« schrie er. »Ihr habt mich seit Wochen hungern lassen. Macht weiter damit und laßt mich sterben. Erschießt mich. Hängt mich auf. Verurteilt mich zu fünfundzwanzig Jahren. Ist sonst noch jemand da, den ich angeben soll? Sagt nur, wer es ist, und ich sage alles aus, was ihr wollt. Es ist mir gleich, wer es ist oder was ihr mit ihm anfangt. Ich habe eine Frau und drei Kinder. Das größte davon ist noch keine sechs Jahre alt. Ihr könnt sie alle nehmen und ihnen vor meinen Augen die Gurgeln abschneiden, und ich will dabeistehen und zuschauen. Aber nicht Zimmer 101!«

»Zimmer 101!« sagte der Offizier.

Der Mann blickte außer sich rundum die anderen Gefangenen an, so, als schwebe ihm der Gedanke vor, ein anderes Opfer an seine Stelle setzen zu können. Seine Augen blieben an dem zerschlagenen Gesicht des kinnlosen Mannes haften. Er reckte einen mageren Arm.

»Den da solltet ihr nehmen, nicht mich!« rief er. »Sie haben nicht gehört, was er gesagt hat, nachdem man ihm das Gesicht zerschlagen hat. Geben Sie mir die Möglichkeit, und ich wiederhole Ihnen jedes Wort davon. *Er* ist es, der gegen die Partei ist, nicht ich.«

Die Wachen traten vor. Die Stimme des Mannes steigerte sich zu einem Schreien. »Sie haben ihn nicht gehört!« wiederholte er. »Etwas am Televisor war nicht in Ordnung. *Er* ist der, den Sie wollen. Nehmen Sie ihn, nicht mich.«

Die zwei stämmigen Wachleute waren stehengeblieben, um ihn an den Armen zu ergreifen. Aber gerade in diesem Augenblick warf er sich auf den Boden der Zelle und umklammerte eines der eisernen Beine der Bank. Er hatte ein wortloses Geheul angestimmt, wie ein Tier. Die Wachen griffen zu und versuchten ihn loszureißen, aber er hielt sich mit erstaunlicher Kraft fest. Vielleicht zwanzig Sekunden lang zerrten sie an ihm. Die Gefangenen saßen still da, die Hände auf ihren Knien gefaltet, und blickten geradeaus vor sich hin. Das Geheul hörte auf; der Mann hatte keinen Atem mehr übrig, außer um sich festzuhalten. Dann ertönte eine andere Art von Schrei. Ein Tritt von dem Stiefel eines Wachmannes hatte die Finger seiner einen Hand gebrochen. Sie stellten ihn auf die Beine.

»Zimmer 101«, sagte der Offizier.

Der Mann wurde hinausgeführt. Er ging schwankend, sein Kopf war vornüber gesunken, so leckte er an seiner zermalmten Hand; sein Kampfgeist war gebrochen.

Eine lange Zeit verging. Wenn es Mitternacht gewesen war, als der Mann mit dem Totenschädelgesicht abgeführt wurde, dann war es jetzt Morgen. War es aber Morgen gewesen, dann war es jetzt Nachmittag. Winston war allein und war seit Stunden allein gewesen. Es war eine solche Qual, auf der schmalen Bank zu sitzen, daß er oft aufstand und umherging, ohne aus dem Televisor angeschrien zu werden. Das Stück Brot lag noch immer dort, wo der kinnlose Mann es hingeworfen hatte. Anfangs kostete es eine harte Anstrengung, nicht darauf hinzublicken, aber nun wich der Hunger dem Durst. Sein Mund war klebrig, und er empfand einen schlechten Geschmack. Das summende Geräusch und das unveränderte weiße Licht verursachten eine Art von Ohnmacht, ein Gefühl der Leere in seinem Kopf. Er stand auf, weil der Schmerz in seinen Knochen nicht mehr erträglich war, um sich dann sofort wieder hinzusetzen, weil er zu schwindlig war, um sicher auf den Füßen zu stehen. Sobald er sich ein wenig in der Gewalt hatte, befiel ihn wieder die Angst. Manchmal dachte er mit einer schwachen Hoffnung an O'Brien und die Rasierklinge. Es war denkbar, daß die Rasierklinge in seinem Essen versteckt kam, wenn er überhaupt jemals etwas zu essen erhielt. Unbestimmter dachte er an Julia. Irgendwo litt sie, vielleicht noch schlimmer als er. Sie schrie vielleicht in diesem Augenblick vor Schmerz. Er dachte: »Wenn ich Julia dadurch retten könnte, daß ich meine eigene Qual verdoppele, würde ich es tun? Ja, ich täte es.« Aber das war nur ein verstandesmäßiger Entschluß, den er in dem Bewußtsein faßte, daß er es tun sollte. Er empfand ihn nicht. Hier, an diesem Ort, konnte man nichts empfinden, außer Qual und dem Vorauswissen der Qual. War es außerdem möglich, aus welchem Grund auch immer zu wünschen, der eigene Schmerz möge sich vergrößern, wenn man ihn auch wirklich erlitt? Aber diese Frage war noch nicht beantwortbar.

Wieder näherten sich Stiefel. Die Tür öffnete sich. O'Brien kam herein.

Winston starrte auf seine Füße. Der Schreck des Anblicks ließ ihn alle Vorsicht außer acht lassen. Zum erstenmal seit vielen Jahren vergaß er, daß ein Televisor da war.

»Sie haben auch Sie erwischt!« rief er.

»Sie erwischten mich schon vor geraumer Zeit«, sagte O'Brien mit einer sanften, fast bedauernden Ironie. Er trat beiseite, hinter ihm trat ein breitbrüstiger Wachmann mit einem langen schwarzen Gummiknüppel in der Hand hervor.

»Sie wußten das, Winston«, sagte O'Brien. »Machen Sie sich nicht selbst etwas vor. Sie haben es gewußt – haben es immer gewußt.«

Ja, erkannte er jetzt, er hatte es immer gewußt. Aber jetzt war keine Zeit, daran zu denken. Alles, wofür er Augen hatte, war der Gummiknüppel in der Hand des Wachsoldaten. Er konnte überallhin treffen: auf den Scheitel, die Ohrspitze, den Oberarm, den Ellbogen –

Den Ellbogen! Er war, fast gelähmt, auf die Knie gesunken, während er mit seiner anderen Hand den getroffenen Ellbogen umklammerte. Alles war zu gelbem Licht explodiert. Unfaßlich, einfach unfaßlich, daß ein Schlag solchen Schmerz verursachen konnte! Es wurde lichter, und er konnte die beiden anderen sehen, wie sie auf ihn herabblickten. Der Wachmann lachte über seine Verkrümmungen. Eine Frage jedenfalls war beantwortet. Nie, aus keinem Grunde der Welt, konnte man eine Vergrößerung des Schmerzes wünschen. Von dem Schmerz konnte man nur eines hoffen: nämlich, daß er aufhörte. Nichts auf der Welt war so schlimm wie körperlicher Schmerz. Angesichts des Schmerzes gibt es keine Helden... gibt es keine Helden... dachte er wieder und immer wieder, während er sich auf dem Boden wand und vergeblich seinen kraftlos herunterbaumelnden Arm streichelte.

II

Er lag auf etwas, das sich wie ein Feldbett anfühlte, außer daß es höher vom Boden entfernt und daß er auf irgendeine Weise darauf gefesselt war, so daß er sich nicht rühren konnte. Licht, das stärker als gewöhnlich schien, fiel auf sein Gesicht. O'Brien stand neben ihm und blickte gespannt auf ihn herab. An der anderen Seite stand ein Mann in einem weißen Mantel, eine Injektionsspritze in der Hand.

Sogar nachdem er die Augen geöffnet hatte, nahm er seine Umgebung nur allmählich in sich auf. Er hatte den Eindruck, in dieses Zimmer aus einer ganz anderen Welt, einer Art von tief unter ihr gelegenen Unterwasserwelt, emporzutauchen. Wie lange er dort unten gewesen war, wußte er nicht. Seit dem Augenblick seiner Festnahme hatte er weder Dunkelheit noch Tageslicht zu sehen bekommen. Außerdem waren seine Erinnerungen unzusammenhängend. Es hatte Zeitspannen gegeben, in denen das Bewußtsein – sogar die Art von Bewußtsein, die man im Schlaf hat – vollkommen ausgeschaltet gewesen war und sich nach einer Zwischenpause der Leere wieder eingeschaltet hatte. Aber ob diese Zwischenpausen Tage oder Wochen oder nur Sekunden währten, konnte er nicht sagen.

Mit jenem ersten Schlag auf den Ellbogen hatte der Alptraum begonnen. Erst später sollte er erfahren, daß alles, was damals geschah, lediglich ein Vorspiel, ein Schabloneverhör war, dem fast alle Gefangenen unterworfen wurden. Es gab eine lange Reihe von Verbrechen – Spionage, Sabotage und dergleichen –, deren sich jeder von Anfang an schuldig bekennen mußte. Das Geständnis war eine Formalität, wenn auch die Folterung echt war. Wie oft er geschlagen worden war, wie lange die Prügeleien fortgesetzt wurden, konnte er sich nicht erinnern. Immer fielen fünf oder sechs Männer in schwarzen Uniformen gleichzeitig über ihn her. Manchmal bearbeiteten sie ihn mit den Fäusten, manchmal mit Gummiknüppeln, dann wieder mit Stahlruten oder mit den Stiefeln. Es gab Zeiten, wo er sich auf dem Boden herumwälzte, schamlos wie ein Tier, seinen Körper hierhin und dorthin duckte in einem endlosen, hoffnungslosen Bemühen, den Fußtritten auszuweichen, und damit nur mehr und immer noch mehr Fußtritte in seine Rippen, seinen Bauch, auf seine Ellbogen, gegen seine Schienbeine, in seine Hoden, auf sein Steißbein herausforderte. Es gab Zeiten, in denen es weiter und immer weiter ging, bis ihm nicht das grausam, verrucht und unverzeihlich erschien, daß die Wachen nicht abließen, ihn zu schlagen, sondern daß er sich nicht dazu zwingen konnte, das Bewußtsein zu verlieren. Es gab Zeiten, in denen ihn der Mut so im Stich ließ, daß er sogar schon vor Beginn der Prügelei um Gnade zu schreien anfing, in denen allein schon der Anblick einer zum Schlag erhobenen Faust genügte, um ihn ein Geständnis wirklicher und erfundener Verbrechen hervorsprudeln zu lassen. Es gab andere Zeiten, wo er sich vornahm, nichts zu gestehen, so daß jedes Wort zwischen Schmerzgekeuch aus ihm herausgepreßt werden mußte, und es gab Zeiten, wo er jämmerlich einen Kompromiß zu schließen versuchte, in dem er zu sich selbst sagte: »Ich will gestehen, aber noch nicht gleich. Ich muß so lange standhalten, bis der Schmerz unerträglich wird. Noch drei Schläge, noch zwei Schläge, und dann sage ich ihnen, was sie wollen.« Manchmal wurde er geschlagen, bis er kaum mehr stehen konnte, dann wie ein Sack Kartoffeln auf den Steinboden einer Zelle geworfen und ein paar Stunden in Ruhe gelassen, um sich wieder zu erholen, und dann herausgeführt und erneut geschlagen. Es gab auch längere Erholungspausen. Er entsann sich ihrer undeutlich, denn er hatte sie meist schlafend oder in stumpfer Betäubung verbracht. Er erinnerte sich an eine Zelle mit einer Pritsche, einem aus der Wand herausragenden Gestell und einer blechernen Waschschüssel, ferner an Mahlzeiten, bestehend aus warmer Suppe, Brot und manchmal Kaffee. Er erinnerte sich an einen mürrischen Friseur, der ihm das Kinn zu schaben und die Haare zu schneiden kam, und an geschäftsmäßige, unbarmherzige Männer in weißen Mänteln, die ihm den Puls fühlten, das Funktionieren seiner Reflexe prüften, ihm die Augenlider hochhoben, ihn mit sachlichen Fingern nach einem gebrochenen Knochen abtasteten und ihm Injektionsnadeln in den Arm stießen, damit er schlafen konnte.

Die Prügeleien wurden weniger häufig angewandt, in der Hauptsache als Drohung, als ein Schreckmittel, dem er in jedem Augenblick wieder ausgeliefert werden konnte, wenn seine Antworten unbefriedigend ausfielen. Die ihn Verhörenden waren jetzt keine Rohlinge in schwarzer Uniform, sondern Partei-Intellektuelle, kleine rundliche Männer mit raschen Bewegungen und blitzenden Brillengläsern, die ihn, einander ablösend, in Zeitspannen von – wie er glaubte, denn sicher konnte er es nicht sagen – zehn oder zwölf Stunden unaufhörlich bearbeiteten. Diese ihn jetzt Vernehmenden sorgten dafür, daß er ständig unter der Betäubung eines leisen Schmerzes stand, aber in der Hauptsache verließen sie sich nicht auf den Schmerz. Sie schlugen ihn wohl ins Gesicht, verdrehten ihm die Ohren, rissen ihn an den Haaren, ließen ihn auf einem Bein stehen, erlaubten ihm nicht, Wasser zu lassen, hielten ihm blendendes Licht vor das Gesicht, bis ihm die Tränen aus den Augen liefen; aber alles das diente nur dazu, ihn zu demütigen und ihm die Kraft zum Widerstand und zu vernünftigem Denken zu nehmen. Ihre wirkliche Waffe war das unerbittliche Verhör, das weiter und immer weiter ging, Stunde um Stunde, das ihn aus dem Konzept brachte, ihm Fallen stellte, alle seine Worte verdrehte, ihn bei jedem Schritt der Lügen und des Widerspruchs schuldig erklärte, bis er aus Beschämung sowie aus nervöser Erschöpfung zu weinen anfing. Manchmal weinte er ein halbes dutzendmal im Verlauf einer einzigen Vernehmung. Die meiste Zeit schrien sie ihn mit Schimpfnamen an und drohten ihm bei jedem Zögern, ihn wieder den Wachen auszuliefern. Manchmal aber änderten sie plötzlich ihre Tonart, nannten ihn Genosse, ermahnten ihn im Namen von Engsoz und dem Großen Bruder und fragten ihn kummervoll, ob er denn sogar jetzt noch nicht genügend Treue der Partei gegenüber aufbringen könne, um zu wünschen, das getane Unrecht wiedergutzumachen. Wenn seine Nerven nach stundenlangem Verhör in Fetzen waren, dann konnte ihn sogar diese Mahnung zu triefenden Tränen bringen. Am Schluß erledigten ihn die quälenden Stimmen gründlicher als die Stiefel und Fäuste der Wachen. Er wurde nur noch zu einem Mund, der etwas stammelte, und einer Hand, die unterschrieb, was man von ihm wollte. Er hatte nur noch einen Wunsch, nämlich herauszufinden, was sie wollten, das er gestehen sollte, um es dann rasch zu gestehen, ehe die Quälerei von neuem anfing. Er bekannte sich schuldig der Ermordung führender Parteimitglieder, der Verbreitung aufrührerischer Flugschriften, der Unterschlagung öffentlicher Mittel, des Verrats militärischer Geheimnisse und der Sabotage aller Art. Er bekannte, bereits im Jahre 1968 ein von der Regierung Ostasiens bezahlter Spion gewesen zu sein. Er bekannte sich als einen religiös Gläubigen, einen Bewunderer des Kapitalismus und einen sexuell Pervertierten. Er bekannte, seine Frau ermordet zu haben, obwohl er wußte – und seine Befrager wissen mußten –, daß seine Frau noch am Leben war. Er bekannte, seit Jahren in persönlicher Verbindung mit Goldstein gestanden zu haben und das Mitglied einer Untergrundorganisation gewesen zu sein, der fast jeder Mensch, den er nur je gekannt hatte, angehört hatte. Es war leichter, alles zu gestehen und Gott und die Welt mit hineinzuverwickeln. Außerdem war in gewisser Weise alles wahr. Es war wahr, daß er ein Feind der Partei gewesen war, und in den Augen der Partei bestand kein Unterschied zwischen Gedanken und Taten.

Es gab auch noch andere Erinnerungen. Sie hoben sich in seinem Denken unzusammenhängend ab, wie rings von Dunkelheit umgebene Bilder.

Er befand sich in einer Zelle, die entweder dunkel oder hell gewesen sein mochte, denn er konnte nichts als nur ein paar Augen unterscheiden. In seiner Nähe tickte langsam und regelmäßig ein Apparat. Die Augen wurden größer und leuchtender. Plötzlich schwebte er aus seinem Sitz empor, tauchte in die Augen und wurde aufgesogen.

Er war unter blendendem Licht auf einen von Skalenscheiben umgebenen Stuhl festgeschnallt. Ein Mann in weißem Mantel las die Skalen ab. Draußen hörte man das Getrampel schwerer Stiefel. Die Tür öffnete sich klirrend. Der Offizier mit dem Wachsmaskengesicht marschierte, von zwei Wachen gefolgt, herein.

»Zimmer 101«, sagte der Offizier.

Der Mann im weißen Mantel drehte sich nicht um. Er sah auch Winston nicht an; er blickte nur auf die Skalen.

Er wälzte sich einen riesigen Gang von einem Kilometer Breite hinunter, der von strahlendem, goldenem Licht erfüllt war, brüllend vor Lachen und mit Aufwand seiner ganzen Stimme Geständnisse hinausschreiend. Er gestand alles, sogar die Dinge, die er unter der Folter zu verschweigen fertiggebracht hatte. Er berichtete seine ganze Lebensgeschichte einer Zuhörerschaft, die sie bereits kannte. Mit ihm wälzten sich die Wachen, die anderen Verhörenden, die Männer in weißen Mänteln, O'Brien, Julia, Herr Charrington, alle zusammen vor Lachen brüllend den Gang hinunter. Etwas Schreckliches, das im Schoß der Zukunft gelegen hatte, war irgendwie übersprungen worden und nicht Wirklichkeit geworden. Alles war schön und gut, es gab keinen Schmerz mehr, die letzte Einzelheit seines Lebens war bloßgelegt, verstanden und vergeben.

Er fuhr von der Pritsche hoch, in der halben Gewißheit, O'Briens Stimme gehört zu haben. Während seines ganzen Verhörs hatte er, obwohl er ihn nie gesehen hatte, das Gefühl gehabt, O'Brien stehe unmittelbar neben ihm, er sei es, der alles leite. Er sei es, der die Wachen auf Winston hetzte und der sie daran hinderte, ihn zu töten. Ihm war, als entschied O'Brien darüber, wann Winston vor Schmerz schreien, wann er seine Erholungspause haben, wann er etwas zu essen bekommen, wann er schlafen sollte und wann die Drogen in seinen Arm eingespritzt werden sollten. Er stellte die Fragen und bestimmte die Antworten. Er war der Peiniger, der Beschützer, der Inquisitor, der Freund. Und einmal – Winston konnte sich nicht erinnern, ob es im narkotischen oder im Normalschlaf oder gar in einem Augenblick des Wachzustandes war – murmelte ihm eine Stimme ins Ohr: »Keine Angst, Winston, du bist in meiner Obhut. Sieben Jahre habe ich dich beobachtet. Nun ist der Wendepunkt gekommen. Ich werde dich retten, dich zum Rechten führen.« Er war nicht sicher, ob es O'Briens Stimme war; aber es war die gleiche Stimme, die in jenem anderen Traum vor sieben Jahren zu ihm gesagt hatte: »Wir werden uns an einem Ort treffen, wo keine Dunkelheit herrscht.«

Er erinnerte sich nicht, daß sein Verhör jemals ein Ende genommen hätte. Es kam eine Zeitspanne, wo alles schwarz war, und dann hatte die Zelle oder das Zimmer, in dem er sich nun befand, langsam um ihn herum Gestalt angenommen. Er lag fast flach auf dem Rücken und war außerstande, eine Bewegung zu machen. Sein Körper wurde an jedem in Frage kommenden Punkt niedergehalten. Sogar sein Hinterkopf war auf irgendeine Weise festgeklammert. O'Brien blickte ernst und fast traurig auf ihn herunter. Sein Gesicht sah von unten gesehen derb und abgespannt aus, mit Säcken unter den Augen und müden Linien von der Nase zum Kinn. Er war älter, als Winston gedacht hatte; er war vielleicht achtundvierzig oder fünfzig Jahre alt. Seine Hand lag auf einer Skala mit einem Hebel darauf, mit rings um die Scheibe angeordneten Zahlen.

»Ich sagte Ihnen«, erklärte O'Brien, »wenn wir uns wieder träfen, würde es hier sein.«

»Ja«, sagte Winston.

Ohne jede Warnung, außer einer kleinen Bewegung von O'Briens Hand, durchflutete eine Schmerzenswelle seinen Leib. Es war ein erschreckender Schmerz, denn er konnte nicht sehen, was vor sich ging, und hatte das Gefühl, als würde ihm eine todbringende Verletzung zugefügt. Er wußte nicht, ob sich der Vorgang wirklich abspielte oder die Wirkung elektrisch hervorgebracht wurde; aber sein Leib wurde aus der Form gedehnt, die Gelenke langsam auseinandergezerrt. Obwohl der Schmerz den Schweiß auf seiner Stirn hatte ausbrechen lassen, war doch das Schlimmste vor allem die Angst, sein Rückgrat sei im Begriff, auseinanderzureißen. Er biß die Zähne zusammen und atmete angestrengt durch die Nase in dem Bemühen, sich so lange wie möglich still zu verhalten.

»Sie haben Angst«, sagte O'Brien, der sein Gesicht beobachtete, »daß im nächsten Augenblick etwas birst. Sie fürchten besonders, daß es Ihr Rückgrat sein könnte. Ihnen schwebt lebhaft das Bild vor, daß die Rückenwirbel auseinanderschnappen und das Rückenmark zwischen ihnen heraustropft. Das sind Ihre Gedanken, stimmt's, Winston?«

Winston antwortete nicht. O'Brien drehte den Hebel auf der Scheibe zurück. Die Schmerzenswelle ebbte fast ebenso schnell ab, wie sie gekommen war.

»Das wäre Stärke vierzig«, bemerkte O'Brien. »Sie können sehen, daß die Zahlen auf dieser Skala bis hundert reichen. Wollen Sie bitte während unserer ganzen Unterhaltung daran denken, daß es in unserer Macht steht, Ihnen in jedem Augenblick und in jedem von mir gewünschten Grad Schmerz zuzufügen. Wenn Sie mir Lügen auftischen oder irgendwelche Ausflüchte zu machen versuchen, oder auch nur sich dümmer stellen, als Sie sind, werden Sie sofort vor Schmerz aufschreien. Haben Sie verstanden?«

»Ja, ja«, sagte Winston.

O'Briens Art und Weise wurde weniger streng. Er rückte nachdenklich seine Brille zurecht und machte ein paar Schritte hin und her. Als er sprach, war seine Stimme sanft und geduldig. Er sah aus wie ein Arzt, ein Lehrer, ja sogar wie ein Priester, mehr darauf bedacht, zu erklären und zu überreden, als zu bestrafen.

»Ich gebe mir Mühe mit Ihnen, Winston«, sagte er, »denn bei Ihnen lohnt sich die Mühe. Sie wissen sehr wohl, was mit Ihnen los ist. Sie wußten es seit Jahren, wenn Sie es auch nicht wissen wollten. Sie sind geistesgestört. Sie leiden an einem Gedächtnisdefekt. Sie sind außerstande, sich wirklicher Geschehnisse zu erinnern, und reden sich ein, sich an andere Geschehnisse zu erinnern, die nie stattfanden. Zum Glück ist das heilbar. Sie haben sich nie davon geheilt, weil Sie es nicht wollten. Es bedurfte einer kleinen Willensanstrengung, die zu machen Sie nicht willens waren. Sogar jetzt halten Sie an Ihrer moralischen Krankheit fest in dem Wahn, sie sei eine Tugend. Nun wollen wir mal ein Beispiel hernehmen. Mit welcher Macht ist Ozeanien augenblicklich im Kriegszustand?«

»Als ich verhaftet wurde, befand sich Ozeanien im Kriegszustand mit Ostasien.«

»Mit Ostasien. Richtig. Und Ozeanien hat sich immer im Kriegszustand mit Ostasien befunden, nicht wahr?«

Winston schöpfte Atem. Er machte den Mund auf, um zu sprechen, und sprach dann doch nicht. Er konnte seinen Blick nicht von der Skala wegwenden.

»Die Wahrheit, bitte, Winston. *Ihre* Wahrheit. Sagen Sie mir, was Sie sich zu erinnern glauben.«

»Ich erinnere mich, daß wir uns eine Woche vor meiner Verhaftung überhaupt noch nicht im Krieg mit Ostasien befanden. Wir hatten ein Bündnis mit Ostasien. Der Krieg war gegen Eurasien gerichtet. Dieser hatte vier Jahre gedauert. Vorher –«

O'Brien gebot ihm mit einer Handbewegung Einhalt.

»Ein anderes Beispiel«, sagte er. »Vor einigen Jahren hatten Sie unter einer tatsächlich sehr ernsten Selbsttäuschung zu leiden. Sie glaubten, drei Männer, drei ehemalige Parteimitglieder namens Jones, Aaronson und Rutherford – Männer, die wegen Hochverrat und Sabotage hingerichtet wurden, nachdem sie das denkbar umfassendste Geständnis abgelegt hatten –, seien der Verbrechen, deren sie angeklagt wurden, nicht schuldig. Sie glaubten, einen unumstößlichen dokumentarischen Beweis gesehen zu haben, wonach ihre Geständnisse falsch waren. Es spielte da eine gewisse Fotografie eine Rolle, bezüglich der Sie eine Halluzination gehabt hatten. Sie glaubten, sie tatsächlich in Händen gehalten zu haben. Es war eine Fotografie ungefähr wie diese da.«

Ein länglicher Zeitungsausschnitt war zwischen O'Briens Fingern zum Vorschein gekommen. Vielleicht fünf Sekunden lang befand er sich in Winstons Gesichtswinkel. Es war eine Fotografie, und es bestand keine Frage, was sie darstellte. Es war *die* Fotografie. Es war ein anderer Abzug der Aufnahme von Jones, Aaronson und Rutherford bei der Parteifunktion in New York, auf die er vor elf Jahren zufällig gestoßen war und die er sogleich vernichtet hatte. Nur einen Augenblick hatte er einen Blick darauf werfen können, dann war sie wieder fort. Aber er hatte sie gesehen, hatte sie fraglos gesehen! Er machte eine verzweifelte, qualvolle Anstrengung, seine obere Körperhälfte zu befreien. Es war unmöglich, sich auch nur um einen Zentimeter in irgendeiner Richtung zu bewegen. In diesem Augenblick hatte er sogar die Skala vergessen. Er wollte nur noch einmal die Fotografie in Händen halten oder sie wenigstens sehen.

»Sie ist vorhanden!« rief er.

»Nein«, sagte O'Brien.

Er ging durchs Zimmer. In der Wand drüben befand sich ein *Gedächtnis-Loch*. O'Brien hob das Schlitzgitter. Ungesehen wirbelte das leichte Stückchen Papier in dem Warmluftzug davon; es verschwand in einem Aufflammen. O'Brien wendete sich von der Wand ab.

»Asche«, sagte er. »Nicht einmal identfizierte Asche. Staub. Es ist nicht vorhanden. War nie vorhanden.«

»Aber es war vorhanden! Ist vorhanden! Es ist in meiner Erinnerung vorhanden. Ich erinnere mich daran. Sie erinnern sich daran.«

»Ich erinnere mich nicht daran«, sagte O'Brien.

Winstons Mut sank. Das war Zwiedenken. Es überkam ihn ein Gefühl vollständiger Hilflosigkeit. Wenn er hätte sicher sein können, daß O'Brien log, dann hätte das nichts ausgemacht. Aber es war durchaus möglich, daß O'Brien das Bild wirklich vergessen hatte. Und wenn dem so war, dann hätte er bereits vergessen, daß er geleugnet hatte, sich an sie zu erinnern, und auch den Vorgang des Vergessens vergessen. Wie konnte man sicher sein, daß es nur Betrug war? Vielleicht konnte diese verrückte Korrektur nach unseren Wünschen wirklich im Verstand vor sich gehen: das war der Gedanke, der ihn niederschmetterte.

O'Brien blickte prüfend auf ihn hinunter. Mehr als je sah er aus wie ein Lehrer, der sich mit einem widerspenstigen, aber vielversprechenden Kinde Mühe gibt.

»Es gibt einen Partei-Wahlspruch bezüglich der Kontrolle der Vergangenheit«, sagte er.

»›Wer die Vergangenheit kontrolliert, der kontrolliert die Zukunft; wer die Gegenwart kontrolliert, der kontrolliert die Vergangenheit‹«, wiederholte Winston folgsam.

»›Wer die Gegenwart kontrolliert, der kontrolliert die Vergangenheit‹«, sagte O'Brien mit einem zustimmenden Kopfnikken. »Sie sind der Meinung, Winston, daß die Vergangenheit eine tatsächliche Existenz hat?«

Wieder bemächtigte sich Winstons das Gefühl der Hilflosigkeit. Seine Augen suchten rasch die Skala. Nicht nur wußte er nicht, ob »ja« oder »nein« die richtige Antwort war, die ihn vor Schmerz bewahren würde; er wußte nicht einmal, welche Antwort ihm die richtige schien.

O'Brien lächelte leise. »Sie sind kein Metaphysiker, Winston«, sagte er. »Bis jetzt hatten Sie nie in Betracht gezogen, was mit Existenz gemeint ist. Ich will es deutlicher ausdrücken. Existiert die Vergangenheit konkret – im Raum? Gibt es irgendwo einen Ort, eine Welt greifbarer Dinge, wo die Vergangenheit noch in Erscheinung tritt?«

»Nein.«

»Wo dann existiert die Vergangenheit, wenn überhaupt?«

»In Aufzeichnungen. Sie ist niedergeschrieben.«

»In Aufzeichnungen. Und –?«

»Im Denken. Im Gedächtnis der Menschen.«

»Im Gedächtnis. Nun, dann also gut. Wir, die Partei, kontrollieren alle Aufzeichnungen, und wir kontrollieren alle Erinnerungen. Demnach also kontrollieren wir die Vergangenheit, oder nicht?«

»Aber wie könnt ihr die Menschen daran hindern, sich an Dinge zu erinnern?« rief Winston, der wieder einen Augenblick die Skala vergaß. »Es geschieht unwillkürlich. Man kann nichts dagegen tun. Wie könnt ihr das Gedächtnis kontrollieren? Meines habt ihr nicht kontrolliert!«

O'Briens Verhalten wurde wieder streng. Er legte die Hand auf die Zahlenscheibe.

»Umgekehrt«, sagte er. »*Sie* haben es nicht kontrolliert. Das hat Sie hierhergebracht. Sie sind hier, weil Sie es an Demut, an Selbstdisziplin haben fehlen lassen. Sie wollten den Akt der Unterwerfung nicht vollziehen, der der Preis ist für geistige Gesundheit. Sie zogen es vor, ein Verrückter, eine Minderheit von einem einzelnen zu sein. Nur der geschulte Geist erkennt die Wirklichkeit, Winston. Sie glauben, Wirklichkeit sei etwas Objektives, äußerlich Vorhandenes, aus eigenem Recht Bestehendes. Auch glauben Sie, das Wesen der Wirklichkeit sei an sich klar. Wenn Sie sich der Selbsttäuschung hingeben, etwas zu sehen, nehmen Sie an, jedermann sehe das gleiche wie Sie. Aber ich sage Ihnen, Winston, die Wirklichkeit ist nicht etwas an sich Vorhandenes. Die Wirklichkeit existiert im menschlichen Denken und nirgendwo anders. Nicht im Denken des einzelnen, der irren kann und auf jeden Fall bald zugrunde geht: nur im Denken der Partei, die kollektiv und unsterblich ist. Was immer die Partei für Wahrheit hält, *ist* Wahrheit. Es ist unmöglich, die Wirklichkeit anders als durch die Augen der Partei zu sehen. Diese Tatsache müssen Sie wieder lernen, Winston. Dazu bedarf es eines Aktes der Selbstaufgabe, eines Willensaufwandes. Sie müssen sich demütigen, ehe Sie geistig gesund werden können.«

Er wartete ein paar Augenblicke, wie um das Gesagte erst einmal wirken zu lassen.

»Erinnern Sie sich«, fuhr er fort, »in Ihr Tagebuch geschrieben zu haben: ›Freiheit ist die Freiheit zu sagen, daß zwei und zwei vier ist‹?«

»Ja«, sagte Winston.

O'Brien hob seine linke Hand hoch, den Handrücken Winston zugekehrt, den Daumen versteckt und die vier Finger ausgestreckt.

»Wie viele Finger halte ich empor, Winston?«

»Vier.«

»Und wenn die Partei sagt, es seien nicht vier, sondern fünf – wie viele sind es dann?«

»Vier.«

Das Wort endete mit einem Schmerzensschrei. Der Zeiger der Zahlenscheibe schnellte auf fünfundfünfzig hoch. Winston war am ganzen Leib der Schweiß aus allen Poren getreten. Die Luft drang in seine Lungen und brach als dumpfes Stöhnen wieder daraus hervor, dem er sogar nicht durch Zusammenbeißen der Zähne Einhalt gebieten konnte. O'Brien beobachtete ihn, noch immer die vier Finger erhoben. Er zog den Hebel zurück. Diesmal wurde der Schmerz nur um ein geringes gemildert.

»Wie viele Finger, Winston?«

»Vier.«

Die Nadel stieg auf sechzig.

»Wie viele Finger, Winston?«

»Vier, vier! Was kann ich denn anderes sagen? Vier!«

Die Nadel mußte noch einmal geklettert sein, aber er sah nicht hin. Er hatte nur das ernste, strenge Gesicht und die vier Finger vor Augen. Die Finger erhoben sich vor seinen Augen wie Säulen, riesig, verschwommen und scheinbar schwankend, aber unverkennbar vier.

»Wie viele Finger, Winston?«

»Vier! Hören Sie auf, hören Sie auf! Nicht mehr weiter! Vier!«

»Wie viele Finger, Winston?«

»Fünf! Fünf! Fünf!«

»Nein, Winston, das hat keinen Zweck. Sie lügen. Sie glauben noch immer, es seien vier. Wie viele Finger, bitte?«

»Vier! Fünf! Vier! Was Sie wollen. Nur hören Sie auf, hören Sie auf mit der Quälerei!«

Unversehens saß er aufgerichtet da. O'Briens Arm um seine Schultern gelegt. Er hatte vielleicht ein paar Sekunden das Bewußtsein verloren gehabt. Die Fesseln, die seinen Körper niedergehalten hatten, waren gelockert. Er fror heftig, schlotterte haltlos, seine Zähne klapperten, und Tränen rollten seine Wangen herab. Einen Augenblick klammerte er sich an O'Brien wie ein kleines Kind, seltsam getröstet durch den um seine Schultern gelegten schweren Arm. Er hatte das Gefühl, O'Brien sei sein Beschützer, der Schmerz sei etwas von außen, von einer anderen Quelle Kommendes, und O'Brien werde ihn davor beschirmen.

»Sie sind langsam im Lernen, Winston«, sagte O'Brien sanft.

»Was kann ich dagegen machen?« stieß er unter Schmerzen hervor. »Was kann ich dagegen machen, daß ich sehe, was ich vor Augen habe? Zwei und zwei macht vier.«

»Manchmal, Winston. Manchmal macht es fünf. Manchmal drei. Manchmal alles zusammen. Sie müssen sich mehr Mühe geben. Es ist nicht leicht, vernünftig zu werden.«

Er legte Winston auf das Streckbett nieder. Seine Glieder wurden wieder umklammert, aber der Schmerz war abgeflaut, und das Zittern hatte aufgehört; er fühlte sich nur noch kalt und schwach. O'Brien gab mit dem Kopf dem Mann im weißen Mantel, der während des ganzen Verhörs unbeweglich dagestanden hatte, ein Zeichen. Der Mann im weißen Mantel beugte sich hinunter und blickte aufmerksam in Winstons Augen, befühlte seinen Puls, legte ein Ohr an seine Brust, klopfte ihn da und dort ab. Dann nickte er O'Brien zu.

»Noch einmal«, sagte O'Brien.

Der Schmerz durchflutete Winstons Körper. Der Zeiger mußte auf siebzig, fünfundsiebzig stehen. Diesmal hatte Winston die Augen geschlossen. Er wußte, daß die Finger noch immer erhoben und daß es noch immer vier waren. Es kam nur darauf an, irgendwie am Leben zu bleiben, bis der krampfartige Schmerz vorüber war. Er war sich nicht mehr bewußt, ob er schrie oder nicht. Der Schmerz ließ wieder nach. Er öffnete die Augen. O'Brien hatte die Hebel zurückgedreht.

»Wie viele Finger, Winston?«

»Vier. Ich glaube, es sind vier. Ich würde fünf sehen, wenn ich könnte. Ich versuche, fünf zu sehen.«

»Was wollen Sie: mir einreden, Sie sähen fünf, oder sie wirklich sehen.«

»Sie wirklich sehen.«

»Noch einmal«, sagte O'Brien.

Der Zeiger war vielleicht bei achtzig, neunzig. Winston konnte sich nur in Abständen entsinnen, warum der Schmerz da war. Hinter seinen verdrehten Augenlidern schien ein Wald von Fingern sich in einer Art Tanz zu bewegen, sich zu verflechten und wieder aufzulösen, einer hinter dem anderen zu verschwinden und wieder zu erscheinen. Er versuchte, sie zu zählen, ohne sich erinnern zu können, warum er das tat. Er wußte, daß es unmöglich war, sie zu zählen, und daß das irgendwie mit der geheimnisvollen Gleichheit zwischen fünf und vier zusammenhing. Der Schmerz ließ wieder nach. Als er die Augen öffnete, sah er noch immer das gleiche: zahllose Finger glitten immer noch wie sich bewegende Bäume wechselweise nach beiden Seiten vorüber. Er schloß wieder die Augen. »Wie viele Finger halte ich hoch, Winston?«

»Ich weiß nicht, weiß es nicht. Sie töten mich, wenn Sie noch einmal einschalten. Vier, fünf, sechs – ganz ehrlich gesagt, ich weiß es nicht.«

»Schon besser«, sagte O'Brien.

Eine Nadel drang in Winstons Arm. Fast im gleichen Augenblick durchflutete eine wonnige, wohltuende Wärme seinen ganzen Körper. Der Schmerz war bereits halbwegs vergessen. Er öffnete die Augen und blickte dankbar zu O'Brien empor. Beim Anblick dieses ernsten, tiefgefurchten Gesichts, das so häßlich und so klug war, schien sich ihm das Herz umzudrehen. Hätte er sich bewegen können, er hätte eine Hand ausgestreckt und sie auf O'Briens Arm gelegt. Noch nie hatte er ihn so tief geliebt wie in diesem Augenblick, und nicht nur deshalb, weil er den Schmerz abgestellt hatte. Das alte Gefühl, daß es im Grunde nichts ausmachte, ob O'Brien ein Freund war oder ein Feind, hatte sich wieder eingestellt. O'Brien war ein Mensch, mit dem man reden konnte. Vielleicht will man nicht so sehr geliebt als verstanden sein. O'Brien hatte ihn fast bis zum Wahnsinn gefoltert, und nach einer kleinen Weile würde er ihn mit Bestimmtheit dem Tod überliefern. Das bedeutete nichts. In gewissem Sinne ging alles das tiefer als Freundschaft, sie waren Engvertraute: Irgendwie gab es, obwohl das vielleicht nie mit Worten ausgesprochen wurde, eine Ebene, auf der sie sich begegnen und miteinander reden konnten. O'Brien blickte auf ihn hinunter mit einem Gesichtsausdruck, der nahelegte, er habe vielleicht den gleichen Gedanken im Sinn. Als er sprach, war es in einem leichten Unterhaltungston.

»Wissen Sie, wo Sie sich befinden, Winston?« fragte er.

»Nein, ich weiß es nicht. Aber ich kann es mir denken. Im Ministerium der Liebe.«

»Wissen Sie, wie lange Sie hiergewesen sind?«

»Ich weiß es nicht. Tage, Wochen, Monate – ich glaube, es sind Monate.«

»Und warum, glauben Sie, bringen wir die Menschen hierher?«

»Um sie zu einem Geständnis zu zwingen.«

»Nein, das ist nicht der Grund. Versuchen Sie's noch einmal.«

»Um sie zu bestrafen.«

»Nein!« rief O'Brien. Seine Stimme hatte sich plötzlich verändert, und sein Gesicht war plötzlich ernst und eifrig geworden. »Nein! Nicht nur, um Ihr Geständnis zu erpressen, sowenig um Sie zu bestrafen. Soll ich Ihnen sagen, warum wir Sie hierhergebracht haben? Um Sie zu heilen! Um Sie geistig gesund zu machen! Merken Sie sich, Winston, daß niemals ein Mensch, den wir hier an diesen Ort bringen, unsere Hände ungeheilt verläßt. Uns interessieren nicht diese dummen Verbrechen, die Sie begangen haben. Die Partei kümmert sich nicht um die offene Tat: nur der Gedanke ist uns wichtig. Wir vernichten nicht nur unsere Feinde, sondern machen andere Menschen aus ihnen. Verstehen Sie, was ich damit meine?«

Er neigte sich über Winston. Sein Gesicht sah riesig aus durch die Nähe und so von unten gesehen furchtbar häßlich. Außerdem war es von einer Art Verzückung, einer verrückten Überspanntheit verzerrt. Wieder verließ Winston der Mut. Wenn es möglich gewesen wäre, hätte er sich tiefer in das Streckbett verkrochen. Er war sicher, daß O'Brien im Begriff stand, aus reiner Lust an dem Hebel zu drehen. In diesem Augenblick jedoch wandte O'Brien sich weg. Er machte ein paar Schritte auf und ab. Dann fuhr er weniger heftig fort:

»An erster Stelle gilt es für Sie zu verstehen, daß es hier kein Märtyrertum gibt. Sie haben von den Religionsverfolgungen in der Vergangenheit gelesen. Im Mittelalter gab es die Inquisition. Sie war ein Versager. Sie unternahm es, die Ketzerei auszutilgen, und endete damit, sie zu verewigen. Für jeden Ketzer, den man auf dem Scheiterhaufen verbrannte, standen Tausende andere auf. Warum das? Weil die Inquisition ihre Feinde in der Öffentlichkeit tötete und sie tötete, während sie noch unbußfertig waren: recht eigentlich sie deshalb tötete, *weil* sie unbußfertig waren. Die Menschen starben, weil sie ihren wahren Glauben nicht aufgeben wollten. Natürlich fiel der ganze Ruhm dem Opfer zu, und die ganze Schande kam auf den Inquisitor, der sie verbrannte. Später, im zwanzigsten Jahrhundert, kamen die sogenannten totalitären Regierungen. Da gab es die deutschen Nazis und die russischen Kommunisten. Die Russen verfolgten Ketzerei grausamer, als die Inquisition es getan hatte. Und sie glaubten, von den Fehlern der Vergangenheit gelernt zu haben; jedenfalls wußten sie, daß man keine Märtyrer machen durfte. Ehe sie ihre Opfer zu einer öffentlichen Verhandlung brachten, ließen sie es sich wohlbedacht angelegen sein, ihre Haltung zu brechen. Sie zermürbten sie durch Folter und Einzelhaft, bis sie verachtungswürdige, kriechende, armselige Würmer waren, die alles bekannten, was man ihnen in den Mund legte, sich mit Schande bedeckten, einander bezichtigten und um Gnade winselnd sich einer hinter dem anderen zu verschanzen versuchten. Und doch hatte sich nur nach ein paar Jahren das gleiche wiederholt. Die Getöteten waren Märtyrer geworden, und ihre Entwürdigung war vergessen. Und wieder frage ich Sie: Wie kam das? Erstens einmal, weil die von ihnen gemachten Geständnisse offensichtlich gewaltsam erpreßt und unecht waren. Wir begehen keine solchen

Fehler. Alle Geständnisse, die hier abgelegt werden, sind echt. Wir machen sie echt. Und vor allem lassen wir es nicht zu, daß die Toten gegen uns aufstehen. Sie müssen aufhören, sich einzubilden, die Nachwelt werde Sie rechtfertigen. Die Nachwelt wird nie von Ihnen hören. Sie werden ganz einfach aus dem Lauf der Geschichte gestrichen sein. Wir verwandeln Sie in Gas und lassen Sie in die Stratosphäre verströmen. Nichts von Ihnen wird übrigbleiben; kein Name in einem Verzeichnis, keine Erinnerung in einem lebenden Gehirn. Sie werden sowohl aus der Vergangenheit wie aus der Zukunft gestrichen. Sie werden überhaupt nie existiert haben.«

Warum sich dann die Mühe machen, mich zu foltern? dachte Winston mit einer flüchtigen Bitterkeit. O'Brien machte mitten im Schritt halt, so als habe Winston den Gedanken laut ausgesprochen. Sein großes häßliches Gesicht kam mit etwas verengten Augen näher heran.

»Sie denken«, sagte er, »warum wir, da wir doch vorhaben, Sie so vollständig zu vernichten, daß nichts, was Sie sagen oder tun, den geringsten Unterschied ausmachen kann – warum wir uns dann die Mühe machen, Sie zuerst zu verhören? Das war es doch, was Sie dachten, nicht wahr?«

»Ja«, sagte Winston.

O'Brien lächelte leise. »Sie sind ein Fehler im Muster. Sie sind ein Fleck, der ausgemerzt werden muß. Habe ich Ihnen nicht soeben gesagt, daß wir anders sind als die Verfolger der Vergangenheit. Wir geben uns nicht zufrieden mit negativem Gehorsam, auch nicht mit der kriecherischen Unterwerfung. Wenn Sie sich uns am Schluß beugen, so muß es freiwillig geschehen. Wir vernichten den Ketzer nicht, weil er uns Widerstand leistet: Solange er uns Widerstand leistet, vernichten wir ihn niemals. Wir bekehren ihn, bemächtigen uns seiner geheimsten Gedanken, formen ihn um. Wir brennen alles Böse und allen Irrglauben aus ihm aus; wir ziehen ihn auf unsere Seite, nicht nur dem Anschein nach, sondern tatsächlich, mit Herz und Seele. Wir machen ihn zu einem der Unsrigen, ehe wir ihn töten. Es ist für uns unerträglich, daß irgendwo auf der Welt ein irrgläubiger Gedanke existieren sollte, mag er auch noch so geheim und machtlos sein. Sogar im Augenblick des Todes können wir keine Abweichung dulden. Früher schritt der Ketzer zum Scheiterhaufen noch immer als ein Ketzer, der sich öffentlich zu seiner Irrlehre bekannte und bei ihr beharrte. Sogar das Opfer der russischen Säuberungsaktion konnte in seinem Kopf aufrührerische Gedanken hegen, während es in Erwartung der tödlichen Kugel zum Richtplatz schritt. Wir aber bringen einem Menschen erst das richtige Denken bei, ehe wir seinen Denkapparat vernichten. Das Gebot des alten Despotismus lautete: ›Du sollst nicht.‹ Das Gebot der totalitären Systeme hieß: ›Du sollst.‹ Unser Gebot ist: ›Sei.‹ Kein Mensch, den wir hierher bringen, hält je seinen Widerstand uns gegenüber aufrecht. Jeder wird reingewaschen. Sogar diese drei elenden Verräter, an deren Unschuld Sie einmal glaubten – Jones, Aaronson und Rutherford – haben wir am Schluß eines Besseren belehrt. Ich nahm selbst an ihrem Verhör teil. Ich sah sie langsam mürbe werden, winseln, kriechen, weinen – und zwar zuletzt nicht aus Schmerz oder Furcht, sondern lediglich aus Reue. Als wir fertig waren mit ihnen, waren sie nur noch leere Hüllen von Menschen. In ihnen war nichts anderes mehr übrig geblieben als Reue über das, was sie getan hatten, und Liebe zum Großen Bruder. Es war rührend anzusehen, wie sehr sie ihn liebten. Sie baten, rasch erschossen zu werden, um sterben zu können, solange ihr Denken noch sauber war.«

Seine Stimme war fast träumerisch geworden. Die Überspanntheit, die verrückte Begeisterung waren noch in seinem Gesicht. Er tut nicht nur so als ob, dachte Winston; er ist kein Heuchler; er glaubt jedes Wort, das er sagt. Was ihn am meisten bedrückte, war das Bewußtsein seiner eigenen geistigen Unterlegenheit. Er beobachtete die wuchtige, aber sich elegant bewegende Gestalt, wie sie hin und her schlenderte, in seinen Gesichtskreis und wieder aus ihm heraus trat. O'Brien war ein in jeder Beziehung größerer Mensch als er. Es gab keinen Gedanken, den er je gehabt hatte oder haben konnte, den O'Brien nicht schon längst gedacht, geprüft und verworfen hätte. Sein Denken umfaßte Winstons Denken. Aber wie konnte es in diesem Falle stimmen, daß O'Brien verrückt war? Er, Winston, mußte der Verrückte sein. O'Brien blieb stehen und blickte auf ihn hinunter. Seine Stimme war wieder streng geworden.

»Bilden Sie sich nicht ein, sich retten zu können, Winston, auch wenn Sie sich uns noch so vollkommen beugen. Keiner, der je vom rechten Weg abgewichen ist, wird geschont. Und sogar wenn wir es vorzögen, Sie Ihr Leben bis zu seinem natürlichen Ende leben zu lassen, so würden Sie doch nie mehr von uns loskommen. Was Ihnen hier geschieht, gilt für immer. Merken Sie sich das im voraus. Wir zermalmen Sie bis zu dem Punkt, von dem es kein Zurück mehr gibt. Dinge werden Ihnen widerfahren, von denen Sie sich nicht freimachen könnten, und wenn Sie tausend Jahre alt würden. Nie wieder werden Sie zu einem gewöhnlichen menschlichen Empfinden fähig sein. Alles in Ihnen ist tot. Nie wieder werden Sie der Liebe, der Freundschaft, der Lebensfreude, des Lachens, der Neugierde, des Mutes oder der Lauterkeit fähig sein. Sie werden ausgehöhlt sein. Wir werden Sie leerpressen und dann mit unserem Gedankengut füllen.«

Er verstummte und winkte dem Mann im weißen Mantel. Winston merkte, wie eine schwere Apparatur hinter seinem Kopf herangeschoben wurde. O'Brien hatte sich neben das Streckbett gesetzt, so daß sein Gesicht fast in gleicher Höhe mit dem Winstons war.

»Dreitausend«, sagte O'Brien, über Winstons Kopf hinweg zu dem Mann im weißen Mantel.

Zwei weiche, ein wenig feucht sich anfühlende Polster legten sich an Winstons Schläfen. Er zitterte. Jetzt kam wieder ein Schmerz, eine neue Art von Schmerz. O'Brien legte eine Hand beruhigend auf seine.

»Diesmal wird es nicht weh tun. Halten Sie Ihre Augen in meine gerichtet.«

In diesem Augenblick erfolgte eine furchtbare Explosion, oder was eine Explosion zu sein schien, obwohl es nicht sicher war, daß ein Lärm zu hören war. Zweifellos hatte ein blendender Blitz aufgezischt. Winston war nicht verletzt, nur niedergeschmettert. Obwohl er bereits auf dem Rücken gelegen hatte, als die Entladung erfolgte, hatte er ein merkwürdiges Gefühl, in diese Lage umgeworfen worden zu sein. Ein furchtbarer, schmerzloser Stoß hatte ihn flach niedergepreßt. Auch in seinem Kopf war etwas vor sich gegangen. Als seine Augen wieder richtig eingestellt waren, erinnerte er sich, wer und wo er war, und erkannte das Gesicht wieder, das in seines starrte. Aber irgendwie machte sich eine große Leere geltend, so als sei ein Stück von seinem Gehirn herausgenommen worden.

»Es bleibt nicht so«, sagte O'Brien. »Schauen Sie mir in die Augen. Mit welchem Land liegt Ozeanien im Krieg?«

Winston überlegte. Er wußte, was mit Ozeanien gemeint war, und daß er ein Bürger Ozeaniens war. Auch an Eurasien und Ostasien erinnerte er sich. Wer aber mit wem im Krieg lag, wußte er nicht. Tatsächlich war er sich gar nicht bewußt gewesen, daß überhaupt ein Krieg herrschte.

»Ich entsinne mich nicht.«

»Ozeanien liegt mit Ostasien im Krieg. Erinnern Sie sich jetzt daran?«

»Ja.«

»Ozeanien ist immer mit Ostasien im Krieg gelegen. Seit Beginn Ihres Lebens, seit der Gründung der Partei, seit Anfang der Geschichte hat der Krieg ohne Unterbrechung fortgedauert, immer derselbe Krieg. Erinnern Sie sich dessen?«

»Ja.«

»Vor elf Jahren erfanden Sie eine Legende von drei Männern, die wegen Hochverrat zum Tode verurteilt worden waren. Sie gaben vor, einen Zeitungsausschnitt gesehen zu haben, der ihre Schuldlosigkeit bewies. Ein solches Stück Papier hat nie existiert. Sie haben es erfunden und glaubten später selbst daran. Sie erinnern sich jetzt an den Augenblick, an dem Sie es zum erstenmal erfanden. Erinnern Sie sich daran?«

»Ja.«

»Eben erst hielt ich die Finger meiner Hand für Sie empor. Sie sahen fünf Finger. Erinnern Sie sich dessen?«

»Ja.«

O'Brien hielt die Finger seiner linken Hand, den Daumen versteckt, empor.

»Hier sind fünf Finger. Sehen Sie fünf Finger?«

»Ja.«

Und er sah sie wirklich, einen flüchtigen Augenblick lang, bevor sich das Bild vor seinem Geist wieder gewandelt hatte. Er sah fünf Finger, und ihnen haftete nichts Mißgestaltetes an. Dann war wieder alles normal, und die alte Furcht, der Haß und die Verwirrung kehrten wieder zurück. Aber es hatte einen Augenblick gegeben – er wußte nicht, wie lange er gewährt hatte, vielleicht dreißig Sekunden –, in dem eine leuchtende Gewißheit ihn beseelt, in dem jede neue Behauptung O'Briens eine leere Stelle ausgefüllt hatte und zur absoluten Wahrheit geworden war, und in dem zwei und zwei ebensogut drei hätte sein können als fünf, wenn es nötig war. Dieser Augenblick war verstrichen, ehe O'Brien die Hand hatte sinken lassen; aber wenn er ihn auch nicht wiederherstellen konnte, so konnte er sich doch daran erinnern, so wie man sich an ein lebhaftes Erlebnis in einer fernen Zeit seines Lebens erinnert, als man in Wahrheit ein anderer Mensch war.

»Sie sehen jetzt«, sagte O'Brien, »daß es in jedem Falle möglich ist.«

»Ja«, sagte Winston.

O'Brien stand mit einer befriedigten Miene auf. Links hinter ihm sah Winston den Mann im weißen Mantel eine Ampulle abbrechen und den Kolben einer Spritze zurückziehen. Mit einem Lächeln wandte sich O'Brien zu Winston. Fast in der alten Art rückte er seine Brille auf der Nase zurecht.

»Erinnern Sie sich, in Ihr Tagebuch geschrieben zu haben«, sagte er, »daß es nichts ausmachte, ob ich ein Freund oder ein Feind sei, da ich wenigstens ein Mensch war, der Sie verstand und mit dem man reden konnte? Sie hatten recht. Ich rede gerne mit

Ihnen. Ihr Geist sagt mir zu. Er ähnelt meinem eigenen, nur daß Sie wahnsinnig sind. Ehe wir die Sitzung beenden, können Sie, wenn Sie wollen, ein paar Fragen an mich stellen.«

»Jede Frage, die ich will?«

»Alles.« Er sah, daß Winstons Blick auf die Zahlenscheibe gerichtet war. »Sie ist abgestellt. Wie lautet Ihre erste Frage?«

»Was hat man mit Julia gemacht?« sagte Winston.

O'Brien lächelte wieder. »Sie hat Sie verraten, Winston. Sofort – rückhaltlos. Ich habe selten jemand so rasch zu uns übertreten sehen. Sie würden sie kaum wiedererkennen, wenn Sie sie sähen. Ihre ganze Widerspenstigkeit, ihre Tücke, ihre Narrheit, ihre niedrige Gesinnung – alles das wurde ihr ausgebrannt. Es war eine vollständige Bekehrung, das richtige Schulbeispiel.«

»Man hat sie gefoltert?«

O'Brien ließ das unbeantwortet. »Nächste Frage«, sagte er.

»Existiert der Große Bruder?«

»Natürlich existiert er. Die Partei existiert. Der Große Bruder ist die Verkörperung der Partei.«

»Existiert er so, wie ich existiere?«

»Sie existieren nicht«, sagte O'Brien.

Wieder überfiel ihn das Gefühl der Hilflosigkeit. Er kannte die Argumente, oder konnte sie sich vorstellen, die seine eigene Nichtexistenz bewiesen; aber sie waren Unsinn, sie waren nur ein Spiel mit Worten. Enthielt nicht die Feststellung »Sie existieren nicht« eine logische Sinnwidrigkeit? Aber was für einen Zweck hatte es, das auszusprechen? Sein Geist scheute zurück, als er an die unbeantwortbaren, verrückten Argumente dachte, mit denen O'Brien ihn abtun würde.

»Ich glaube, ich existiere«, sagte er müde. »Ich bin mir meines Ichs bewußt. Ich wurde geboren und werde sterben. Ich habe Arme und Beine. Ich nehme einen gewissen Platz im Raum ein. Kein anderer fester Gegenstand kann gleichzeitig den gleichen Platz einnehmen. Existiert der Große Bruder in diesem Sinne?«

»Das ist ohne Bedeutung. Er existiert.«

»Wird der Große Bruder jemals sterben?«

»Natürlich nicht. Wie könnte er sterben? Nächste Frage.«

»Gibt es die Brüderschaft?«

»Das, Winston, werden Sie nie erfahren. Falls wir beschließen, Ihnen die Freiheit zurückzugeben, wenn wir mit Ihnen fertig sind, und Sie leben weiter, bis Sie neunzig Jahre alt sind, werden Sie doch nie erfahren, ob die Antwort auf diese Frage ja oder nein lautet. Solange Sie leben, wird das in Ihrem Denken ein ungelöstes Rätsel sein.«

Winston lag still da. Seine Brust hob und senkte sich ein wenig rascher. Noch hatte er nicht die Frage gestellt, die ihm als erste in den Sinn gekommen war. Er mußte sie stellen, und doch war es so, als wollte sie ihm nicht über die Lippen kommen. Ein Anflug von Belustigung lag auf O'Briens Gesicht. Sogar seine Brillengläser schienen ironisch zu glänzen. Er weiß, dachte Winston plötzlich, er weiß, was ich fragen will! Bei diesem Gedanken brachen die Worte aus ihm heraus:

»Was ist in Zimmer 101?«

O'Briens Gesichtsausdruck änderte sich nicht. Er antwortete trocken:

»Sie wissen, was in Zimmer 101 ist, Winston. Jedermann weiß, was in Zimmer 101 ist.«

Er hob einen Finger zu dem Mann im weißen Mantel. Offenbar war das Verhör zu Ende. Eine Nadel drang in Winstons Arm. Fast augenblicklich sank er in tiefen Schlaf.

III

»Ihre Umschulung geht in drei Etappen vor sich«, sagte O'Brien. »Lernen, verstehen und bejahen. Es ist an der Zeit für Sie, in die zweite Etappe einzutreten.«

Wie immer lag Winston flach auf dem Rücken. Aber in letzter

Zeit hatten sich seine Fesseln gelockert. Sie hielten ihn zwar noch auf dem Streckbett nieder, aber er konnte seine Knie ein wenig bewegen, seinen Kopf von einer Seite auf die andere drehen und seinen Arm vom Ellbogen an beugen. Auch die Skala war kein solcher Schrecken mehr. Er konnte ihre Qualen vermeiden, wenn er gewitzigt genug war: Hauptsächlich wenn er Dummheit an den Tag legte, drehte O'Brien den Hebel. Manchmal kam die Skala eine ganze Sitzung hindurch nicht zur Anwendung. Er konnte sich nicht erinnern, wie viele Sitzungen stattgefunden hatten. Die ganze Prozedur schien sich über eine lange, unbestimmte Zeit – möglicherweise waren es Wochen – hinzuziehen, und die Zwischenzeiten zwischen den Sitzungen mochten manchmal Tage, manchmal nur eine oder zwei Stunden betragen haben.

»Während Sie so dalagen«, sagte O'Brien, »haben Sie sich oft gefragt – ja, sogar mich gefragt –, warum das Ministerium für Liebe soviel Zeit und Mühe an Sie wendet. Und wenn Sie frei waren, zerbrachen Sie sich den Kopf über die im Grunde gleiche Frage. Sie konnten den Mechanismus der Gesellschaft, in der Sie lebten, begreifen, nicht aber die ihr zugrunde liegenden Beweggründe. Erinnern Sie sich, daß Sie in Ihr Tagebuch geschrieben haben: ›Das *Wie* verstehe ich, aber nicht das *Warum*?‹ Wenn Sie über das ›Warum‹ nachdachten, zweifelten Sie an Ihrer eigenen Vernunft. Sie haben *das Buch*, Goldsteins Buch, oder wenigstens Teile davon gelesen. Hat es Ihnen irgend etwas gesagt, was Sie nicht schon wußten?«

»Sie haben es gelesen?« fragte Winston.

»Ich schrieb es. Das heißt, ich arbeitete bei seiner Abfassung mit. Kein Buch wird von einem einzelnen hervorgebracht, wie Sie wissen.«

»Ist es wahr, was darin steht?«

»Als Schilderung, ja. Das Programm, das es entwickelt, ist Unsinn. Geheime Aufspeicherung von Wissen – eine allmählich um sich greifende Aufklärung – schließlich eine proletarische Erhebung – der Sturz der Partei. Sie sahen selbst voraus, daß es inhaltlich auf das hinauskommen würde. Das ist alles Unsinn. Die Proletarier werden sich nie erheben, nicht in tausend oder einer Million Jahren. Sie können es nicht. Ich brauche Ihnen den Grund nicht zu sagen: Sie kennen ihn bereits. Wenn Sie jemals Träume von einem gewaltsamen Aufstand gehegt haben, dann müssen Sie sie aufgeben. Es gibt keine Möglichkeit, mit Hilfe derer die Partei gestürzt werden könnte. Die Herrschaft der Partei gilt für immer. Nehmen Sie das zum Ausgangspunkt Ihrer Überlegungen.«

Er trat näher an das Streckbett heran. »Für immer!« wiederholte er. »Und nun lassen Sie uns zu der Frage von ›Wie‹ und ›Warum‹ zurückkommen. Sie verstehen recht gut, *wie* die Partei sich an der Macht hält. Nun aber sagen Sie mir, *warum* halten wir an der Macht fest? Was ist unser Beweggrund? Warum sollten wir Macht wünschen? Los, reden Sie«, fügte er hinzu, als Winston stumm blieb.

Trotzdem sagte Winston ein paar weitere Augenblicke lang nichts. Ein Gefühl des Überdrusses hatte ihn überkommen. Der undeutliche, irre Begeisterungsschimmer war wieder auf O'Briens Gesicht erschienen. Er wußte im voraus, was O'Brien sagen würde. Nämlich, daß die Partei die Macht nicht um ihrer eigenen Zwecke willen anstrebte, sondern nur zum Wohlergehen der Menschheit. Daß sie die Macht suchte, weil die Menschen in der Masse schwache, feige Kreaturen waren, die es nicht ertrugen, frei zu sein oder der Wahrheit ins Angesicht zu sehen, sondern von anderen, die stärker waren als sie, beherrscht und systematisch betrogen werden mußten. Daß die Menschheit die Wahl hatte zwischen Freiheit oder Glück, und daß – für die große Masse der Menschen – Glück besser war. Daß die Partei die ewige Behüterin der Schwachen war, eine geweihte Sekte, die Böses tat, auf daß das Gute kommen möge, und die ihr eigenes Glück dem anderer opferte.

Das Schreckliche, dachte Winston, das Schreckliche war, daß O'Brien, wenn er das sagte, daran glaubte. Das konnte man seinem Gesicht ansehen. O'Brien wußte alles. Tausendmal besser als Winston wußte er, wie die Welt wirklich aussah, in welcher

Erniedrigung die Masse der Menschen lebte und durch welche Lügen und Barbareien die Partei sie dort hielt. Er hatte alles das erkannt, alles abgewogen, und es machte nichts aus: Alles war durch den Endzweck gerechtfertigt. Was kann man, dachte Winston, gegen den Wahnsinnigen machen, der klüger ist als man selbst, der die Argumente des anderen geduldig anhört und dann doch ganz einfach auf seinem Wahn beharrt?

»Ihr herrscht über uns zu unserem eigenen Besten«, sagte er schwach. »Ihr glaubt, daß die Menschen nicht imstande sind, sich selbst zu regieren, und deshalb –«

Er fuhr zusammen und schrie fast laut auf. Eine Schmerzenswelle hatte seinen Körper durchbrandet. O'Brien hatte den Hebel der Zahlenscheibe auf fünfunddreißig hochgedreht.

»Das war dumm, Winston, sehr dumm!« sagte er. »Sie sollten es besser wissen und so etwas nicht sagen.«

Er drehte den Hebel zurück und fuhr fort:

»Jetzt werde ich Ihnen die Antwort auf meine Frage geben. Sie lautet: Die Partei strebt die Macht lediglich in ihrem eigenen Interesse an. Uns ist nichts am Wohl anderer gelegen; uns interessiert einzig und allein die Macht als solche. Nicht Reichtum oder Luxus oder langes Leben oder Glück: nur Macht, reine Macht. Was reine Macht besagen will, werden Sie gleich verstehen. Wir sind darin von allen Oligarchien der Vergangenheit verschieden, daß wir wissen, was wir tun. Alle anderen, sogar die, welche uns ähnelten, waren feige und scheinheilig. Die deutschen Nazis und die russischen Kommunisten kamen in ihren Methoden sehr nahe an uns heran, aber sie besaßen nie den Mut, ihre eigenen Beweggründe zuzugeben. Sie taten so, ja glaubten vielleicht sogar, die Macht ohne ihr Wollen und auf beschränkte Zeit ergriffen zu haben, und gleich um die Ecke liegt ein Paradies, in dem die Menschen frei und gleich sein würden. Wir sind nicht so. Wir wissen, daß nie jemand die Macht ergreift in der Absicht, sie wieder abzutreten. Die Macht ist kein Mittel, sie ist ein Endzweck. Eine Diktatur wird nicht eingesetzt, um eine Revolution zu sichern: sondern man macht eine Revolution, um eine Diktatur einzusetzen. Der Zweck der Verfolgung ist die Verfolgung. Der Zweck der Folter ist die Folter. Der Zweck der Macht ist die Macht. Fangen Sie nun an, mich zu verstehen?«

Winston fiel, wie schon vorher, die Müdigkeit von O'Briens Gesicht auf. Es war kräftig, fleischig und brutal, es war voll Klugheit und einer Art kontrollierter Leidenschaft, der gegenüber er sich hilflos fühlte; aber es war müde. Es hatte Säcke unter den Augen, die Haut hing schlaff von den Backenknochen herab. O'Brien beugte sich über ihn und brachte das abgekämpfte Gesicht absichtlich näher heran.

»Sie denken«, sagte er, »daß mein Gesicht alt und müde ist. Sie denken, ich spräche von Macht und sei doch nicht imstande, meinen eigenen körperlichen Verfall aufzuhalten. Können Sie denn nicht begreifen, Winston, daß der einzelne Mensch nur eine Zelle ist? Die Schwäche der Zelle ist die Stärke des Organismus. Sterben Sie etwa, wenn Sie Ihre Fingernägel abschneiden?«

Er wandte sich von dem Streckbett weg und begann wieder, eine Hand in der Tasche, hin und her zu gehen.

»Wir sind die Priester der Macht«, sagte er. »Gott ist Macht. Aber noch bedeutet für Sie Macht nur ein Wort. Es ist für Sie an der Zeit, eine Vorstellung davon zu bekommen, was Macht besagen will. Als erstes müssen Sie sich vor Augen halten, daß Macht Kollektivgeist ist. Der einzelne besitzt nur insoweit Macht, als er aufhört, ein einzelner zu sein. Sie kennen das Parteischlagwort: ›Freiheit ist Sklaverei.‹ Ist Ihnen jemals der Gedanke gekommen, daß man es auch umkehren kann? Sklaverei ist Freiheit. Allein – frei – geht der Mensch immer zugrunde. Das muß so sein, denn jedem Menschen ist bestimmt, zu sterben, was der größte aller Mängel ist. Wenn ihm aber vollständige, letzte Unterwerfung gelingt, wenn er seinem Ich entrinnen, in der Partei aufgehen kann, so daß er die Partei *ist,* dann ist er allmächtig und unsterblich. Als zweites müssen Sie sich bewußt werden, daß Macht gleichbedeutend ist mit Macht über Menschen. Über den Leib – aber vor allem über den Geist. Macht über die Materie – die äußerliche Wirklichkeit, wie Sie sagen würden – ist nicht wichtig. Unsere Kontrolle über die Materie ist bereits eine vollkommene.«

Einen Augenblick ließ Winston die Skala außer acht. Er machte eine heftige Anstrengung, sich zu sitzender Stellung aufzurichten, und brachte es lediglich fertig, seinen Körper schmerzvoll zu verdrehen.

»Aber wie könnt ihr die Materie kontrollieren?« brach es aus ihm heraus. »Ihr kontrolliert noch nicht einmal das Klima oder die Schwerkraft. Und da sind Krankheit, Schmerz und Tod –«

O'Brien gebot ihm durch eine Handbewegung Schweigen. »Wir kontrollieren die Materie, weil wir den Geist kontrollieren. Die Wirklichkeit spielt sich im Kopf ab. Sie werden Schritt um Schritt lernen, Winston. Es gibt nichts, was wir nicht machen könnten. Unsichtbarkeit, Levitation – alles. Ich könnte mich von diesem Boden erheben wie eine Seifenblase, wenn ich wollte. Ich will es nicht, weil die Partei es nicht will. Sie müssen sich von diesen dem neunzehnten Jahrhundert angehörenden Vorstellungen hinsichtlich der Naturgesetze freimachen. Die Naturgesetze machen wir.«

»Aber ihr macht sie nicht! Ihr seid nicht einmal Meister dieses Planeten. Was ist mit Eurasien und Ostasien? Ihr habt sie noch nicht erobert.«

»Unwichtig. Wir werden sie erobern, wenn wir es für richtig halten. Und wenn wir es nicht täten, was machte das schon aus? Wir können ihnen den Lebensfaden abschneiden. Ozeanien ist die Welt.«

»Aber die Welt ist selbst nur ein Staubkorn. Und der Mensch ist winzig – hilflos! Wie lange hat er schon existiert? Millionen von Jahren war die Erde unbewohnt.«

»Unsinn. Die Erde ist so alt wie wir, nicht älter. Wie könnte sie älter sein? Alles ist nur im menschlichen Bewußtsein vorhanden.«

»Aber das Gestein ist voll von den Knochen ausgestorbener Tiere – Mammute und urzeitliche Elefantengattungen und riesige Reptilien, die hier lebten, lange bevor man etwas vom Menschen hörte.«

»Haben Sie je diese Knochen gesehen, Winston? Natürlich nicht. Die Biologen des neunzehnten Jahrhunderts haben sie erfunden. Vor dem Menschen gab es nichts. Nach dem Menschen, wenn er erlöschen könnte, gäbe es nichts. Außer dem Menschen gibt es nichts.«

»Aber das ganze Weltall ist unerreichbar für uns. Sehen Sie die Sterne an! Einige von ihnen sind eine Million Lichtjahre entfernt. Sie sind für ewig außerhalb unserer Reichweite.«

»Was bedeuten schon die Sterne?« sagte O'Brien gleichgültig. »Sie sind ein paar Kilometer entfernte kleine Feuerherde. Wir könnten sie erreichen, wenn wir wollten. Oder wir könnten sie auslöschen. Die Erde ist der Mittelpunkt des Weltalls. Die Sonne und die Sterne drehen sich um sie.«

Winston machte erneut eine krampfhafte Bewegung. Diesmal sagte er nichts. O'Brien fuhr fort, als beantworte er einen ausgesprochenen Einwand:

»Zu gewissen Zwecken hat das natürlich keine Gültigkeit. Wenn wir das Meer befahren oder wenn wir eine Sonnenfinsternis voraussagen, finden wir es oft bequem anzunehmen, die Erde drehe sich um die Sonne und die Sterne seien Millionen und aber Millionen von Kilometern entfernt. Aber was schadet das? Halten Sie uns nicht für fähig, ein doppeltes astronomisches System hervorzubringen? Die Sterne können nah oder fern sein, je nachdem wir es brauchen. Glauben Sie, unsere Mathematiker seien dem nicht gewachsen? Haben Sie Zwiedenken vergessen?«

Winston sank auf das Streckbett zurück. Was auch immer er sagte, die rasche Antwort knüppelte ihn nieder. Und doch wußte er, *wußte,* daß er recht hatte. Sicherlich mußte es einen Weg geben, um aufzuzeigen, daß der Glaube, es gebe nichts außerhalb unserer Vorstellung, falsch war? War er nicht vor langer Zeit als Irrtum entlarvt worden? Es gab sogar eine Bezeichnung dafür, die er vergessen hatte. Ein Lächeln zuckte um O'Briens Mundwinkel, als er auf ihn hinunterblickte.

»Ich sagte Ihnen schon, Winston«, sagte er, »daß die Metaphysik nicht Ihre Stärke ist. Das Wort, das Sie suchen, heißt Solipsismus. Aber Sie irren sich. Hier handelt es sich nicht um Solipsismus. Kollektiven Solipsismus, wenn Sie wollen. Das hier ist etwas anderes: in der Tat das Gegenteil davon. Alles das ist eine Abschweifung«, fügte er in einem anderen Ton hinzu. »Die wirkliche Macht, die Macht, um die wir Tag und Nacht kämpfen müssen, ist nicht die Macht über Dinge, sondern über Menschen.« Er schwieg und nahm einen Augenblick wieder sein Gehaben eines Schulmeisters an, der einen hoffnungslosen Schüler prüft: »Wie versichert sich ein Mensch seiner Macht über einen anderen, Winston?«

Winston überlegte. »Indem er ihn leiden läßt«, sagte er.

»Ganz recht. Indem er ihn leiden läßt. Gehorsam ist nicht genug. Wie könnte man die Gewißheit haben, es sei denn, er leidet, daß er Ihrem und nicht seinem eigenen Willen gehorcht? Die Macht besteht darin, Schmerz und Demütigung zufügen zu können. Macht heißt, einen menschlichen Geist in Stücke zu reißen und ihn nach eigenem Gutdünken wieder in neuer Form zusammenzusetzen. Fangen Sie nun an zu sehen, was für eine Art von Welt wir im Begriff sind zu schaffen? Sie ist das genaue Gegenteil der blöden, auf Freude hinzielenden Utopien, die den alten Reformatoren vorschwebten. Eine Welt der Angst, des Verrats und der Qualen, eine Welt des Tretens und Getretenwerdens, eine Welt, die nicht weniger unerbittlich, sondern immer unerbittlicher werden wird, je weiter sie sich entwickelt. Fortschritt in unserer Welt bedeutet Fortschreiten zu größerer Pein. Die alten Kulturen erhoben Anspruch darauf, auf Liebe oder Gerechtigkeit gegründet zu sein. Die unsrige ist auf Haß gegründet. In unserer Welt wird es keine anderen Gefühle geben als Haß, Wut, Frohlocken und Selbstbeschämung. Alles andere werden wir vernichten – und zwar alles. Wir merzen bereits die Denkweisen aus, die noch aus der Zeit vor der Revolution stammen. Wir haben die Bande zwischen Kind und Eltern, zwischen Mensch und Mensch und zwischen Mann und Frau durchschnitten. Niemand wagt es mehr, einer Gattin, einem Kind oder einem Freund zu trauen. Aber in Zukunft wird es keine Gattinnen und keine Freunde mehr geben. Die Kinder werden ihren Müttern gleich nach der Geburt weggenommen werden, so wie man einer Henne die Eier wegnimmt. Der Geschlechtstrieb wird ausgerottet. Die Zeugung wird eine alljährlich vorgenommene Formalität wie die Erneuerung einer Lebensmittelkarte werden. Wir werden das Wollustmoment abschaffen. Unsere Neurologen arbeiten gegenwärtig daran. Es wird keine Treue mehr geben, außer der Treue gegenüber der Partei. Es wird keine Liebe geben, außer der Liebe zum Großen Bruder. Es wird kein Lachen mehr geben, außer dem Lachen des Frohlockens über einen besiegten Feind. Es wird keine Kunst geben, keine Literatur, keine Wissenschaft. Wenn wir allmächtig sind, werden wir die Wissenschaft nicht mehr brauchen. Es wird keinen Unterschied geben zwischen Schönheit und Häßlichkeit. Es wird keine Neugier, keine Lebenslust geben. Alle Freuden des Wettstreits werden ausgetilgt sein. Aber immer – vergessen Sie das nicht, Winston – wird es den Rausch der Macht geben, die immer mehr wächst und immer raffinierter wird. Dauernd, in jedem Augenblick, wird es den aufregenden Kitzel des Sieges geben, das Gefühl, auf einem wehrlosen Feind herumzutrampeln. Wenn Sie sich ein Bild von der Zukunft ausmalen wollen, dann stellen Sie sich einen Stiefel vor, der in ein Menschenantlitz tritt – immer und immer wieder.«

Er verstummte, so als erwarte er, daß Winston etwas sagen würde. Winston versuchte sich in die Oberfläche seines Streckbettes zu verkriechen. Er brachte kein Wort hervor. O'Brien fuhr fort:

»Und vergessen Sie nicht, daß das für immer gilt. Das Gesicht zum Treten wird immer da sein. Den Ketzer, den Feind der Gesellschaft, wird es immer geben, so daß er immer wieder besiegt und gedemütigt werden kann. Alles, was Sie durchgemacht haben, seitdem Sie uns in die Hände gerieten – alles das wird weitergehen, und noch schlimmer. Die Bespitzelung, der Verrat, die Verhaftungen, die Folterungen, die Hinrichtungen, die Verschleppungen werden nie aufhören. Es wird sowohl eine Welt des Schreckens als des Triumphes sein. Je mächtiger die Partei ist, desto weniger duldsam wird sie sein: je schwächer die Opposition, desto unerbittlicher die Gewaltherrschaft. Goldstein und seine Irrlehren werden ewig in der Welt sein. Jeden Tag, jeden Augenblick werden sie zunichte gemacht, beschimpft, verlacht, bespuckt werden – und doch werden sie immer bleiben. Das Drama, das ich mit Ihnen sieben Jahre hindurch aufgeführt habe, wird wieder und wieder, Generation um Generation, in immer raffinierteren Formen gespielt werden. Immer werden wir den Abtrünnigen auf Gnade oder Ungnade uns hier ausgeliefert haben, wie er vor Schmerz schreit, schwach und verräterisch wird – um am Schluß rückhaltlos bereuend, vor sich selbst gerettet, aus eigenem Antrieb uns vor die Füße zu kriechen. Diese Welt streben wir an, Winston. Eine Welt, in der Sieg auf Sieg, Triumph auf Triumph folgt: ein nicht endender Kitzel des Machtnervs. Wie ich sehen kann, fangen Sie zu begreifen an, wie diese Welt aussehen wird. Aber am Schluß werden Sie mehr tun, als sie nur begreifen. Sie werden sie begrüßen, sie willkommen heißen, sich zu ihr bekennen.«

Winston hatte sich genügend erholt, um sprechen zu können. »Das könnt ihr nicht!« sagte er schwach.

»Was wollen Sie mit dieser Bemerkung sagen, Winston?«

»Ihr könnt keine solche Welt schaffen, wie Sie sie soeben geschildert haben.«

»Warum?«

»Es ist unmöglich, eine Kultur auf Furcht, Haß und Grausamkeit aufzubauen. Sie würde nie Bestand haben.«

»Warum nicht?«

»Sie hätte keine Lebensfähigkeit. Sie würde sich auflösen. Sie würde Selbstmord begehen.«

»Unsinn. Sie stehen unter dem Eindruck, Haß sei aufreibender als Liebe. Warum sollte dem so sein? Und wenn, was würde es ausmachen? Angenommen, wir hätten beschlossen, uns rascher zu verbrauchen. Angenommen, wir beschleunigen das Tempo des Menschenlebens, bis die Menschen mit dreißig Jahren altersschwach sind. Was würde selbst dadurch geändert? Können Sie nicht begreifen, daß der Tod des einzelnen nicht den Tod der Partei bedeutet? Die Partei ist unsterblich.«

Wie gewöhnlich, hatte die Stimme Winston zu völliger Hilflosigkeit niedergeschmettert. Außerdem fürchtete er, O'Brien würde, wenn er auf seinem Widerspruch beharrte, wieder den Hebel drehen. Und doch konnte er nicht schweigen. Schwach wie er war, ohne Beweisgründe, mit nichts zu seiner Unterstützung außer seinem unaussprechlichen Grauen vor dem, was O'Brien gesagt hatte, griff er erneut an.

»Ich weiß nicht – kann es nicht sagen. Irgendwie wird es euch fehlschlagen. Etwas macht euch einen Strich durch die Rechnung. Das Leben macht euch einen Strich durch die Rechnung.«

»Wir kontrollieren das Leben, Winston, in allen seinen Äußerungen. Sie bilden sich ein, es gebe so etwas wie die sogenannte menschliche Natur, die durch unser Tun beleidigt sein und sich gegen uns auflehnen werde. Aber wir machen die menschliche Natur. Die Menschen sind unendlich gefügig. Oder vielleicht sind Sie wieder auf Ihre alte Idee zurückgekommen, daß die Proletarier oder die Sklaven aufstehen und uns stürzen werden. Schlagen Sie sich das aus dem Kopf. Sie sind hilflos wie die Tiere. Die Menschheit ist die Partei. Die anderen stehen außerhalb und sind belanglos.«

»Meinetwegen. Am Schluß werden sie euch abtun. Früher oder später werden sie euch als das erkennen, was ihr seid, und dann werden sie euch in Stücke reißen.«

»Sehen Sie irgendein Anzeichen dafür, daß das geschieht? Oder einen Grund, warum es geschehen sollte?«

»Nein. Ich glaube einfach daran. Ich *weiß*, daß es euch fehlschlagen wird. Es gibt etwas in der Welt – ich weiß nicht, einen Geist, ein Prinzip –, das ihr nie überwinden werdet.«

»Glauben Sie an Gott, Winston?«

»Nein.«

»Was ist dann dieses Prinzip, das uns zuschanden machen wird?«

»Ich weiß es nicht. Der menschliche Geist.«

»Und halten Sie sich für einen Menschen?«

»Ja.«

»Wenn Sie ein Mensch sind, Winston, dann sind Sie der letzte Mensch. Ihre Gattung ist ausgestorben; wir sind die Erben. Begreifen Sie, daß Sie *allein* dastehen? Sie stehen außerhalb der Geschichte, Sie sind nicht-existent.« Seine Art änderte sich, und er sagte barscher: »Und Sie halten sich uns moralisch für überlegen, mit unseren Lügen und unserer Grausamkeit?«

»Ja, ich halte mich für überlegen.«

O'Brien sagte nichts. Zwei andere Stimmen sprachen. Nach einem Augenblick erkannte Winston eine davon als seine eigene. Es war eine Wachsplattenaufnahme des Gesprächs, das er mit O'Brien am Abend seiner Aufnahme in die Brüderschaft geführt hatte. Er hörte sich geloben zu lügen, zu stehlen, zu fälschen, zu morden, die Rauschgiftsucht und die Prostitution zu ermutigen, Geschlechtskrankheiten zu verbreiten, einem Kind Vitriol ins Gesicht zu schütten. O'Brien machte eine kleine ungeduldige Geste, so als wollte er sagen, die Vorführung lohne kaum die Mühe. Dann drehte er einen Knopf, und die Stimmen verstummten.

»Stehen Sie auf von diesem Lager«, sagte er.

Die Fesseln hatten sich gelöst. Winston ließ sich auf den Fußboden heruntergleiten und richtete sich unsicher auf.

»Sie sind der letzte Mensch«, sagte O'Brien. »Sie sind der Hüter des menschlichen Geistes. Sie sollen sich sehen, wie Sie sind. Ziehen Sie Ihre Kleider aus.«

Winston knüpfte das Stück Schnur auf, das seinen Trainingsanzug zusammenhielt. Der Reißverschluß war schon seit langem herausgerissen. Er konnte sich nicht erinnern, ob er seit seiner Festnahme jemals seine ganzen Kleider gleichzeitig abgelegt hatte. Unter dem Trainingsanzug war sein Körper in schmutzig gelbliche Fetzen gehüllt, die man gerade noch als Überreste von

Unterwäsche erkennen konnte. Als er sie auf den Boden abstreifte, sah er, daß am anderen Ende des Raumes ein dreiteiliger Spiegel stand. Er trat näher heran und blieb mit einem Ruck stehen. Unwillkürlich war ihm ein Schrei entfahren.

»Gehen Sie weiter«, sagte O'Brien. »Stellen Sie sich zwischen die beiden Seitenteile des Spiegels. Sie sollen sich auch von der Seite sehen.«

Er war stehengeblieben, weil er erschrak. Ein gebeugtes, graufarbenes, skelettartiges Etwas kam auf ihn zu. Sein tatsächliches Aussehen und nicht nur die Tatsache, daß er wußte, daß er das selbst war, war erschreckend. Er trat näher an den Spiegel heran. Das Gesicht des Wesens schien infolge seiner gebeugten Haltung vorgeschoben. Ein verzweifeltes Verbrechergesicht mit einer edlen Stirn, die in eine glatzköpfige Schädelhaut auslief, eine Hakennase und entstellt aussehende Backenknochen, darüber wilde, wachsame Augen. Die Wangen waren zerschunden, der Mund eingefallen. Es war freilich sein eigenes Gesicht, aber es schien ihm mehr verändert, als er sich innerlich verändert hatte. Er war stellenweise glatzköpfig geworden. Im ersten Augenblick hatte er gemeint, zugleich auch grau geworden zu sein, aber es war nur die Kopfhaut, die grau war. Mit Ausnahme seiner Hände und des Ovals seines Gesichts war sein ganzer Körper grau von altem, in die Haut eingefressenem Schmutz. Da und dort waren unter dem Schmutz die roten Narben von Wunden zu sehen, und die Krampfaderknoten an seinem Fußknöchel bildeten eine entzündete Masse, von der sich Hautfetzen abschälten. Aber das wirklich Erschreckende war die Abgezehrtheit seines Körpers. Die Rippen seines Brustkorbes zeichneten sich deutlich ab wie bei einem Skelett; das Fleisch der Beine war so geschunden, daß die Knie dicker waren als die Oberschenkel. Jetzt ging ihm ein Licht auf, was O'Brien damit gemeint hatte, als er sagte, er solle sich von der Seite ansehen. Die Rückgratverkrümmung war erstaunlich. Die mageren Schultern fielen nach vorne, als sollte an Stelle der Brust eine Höhlung entstehen; der dünne Hals schien vom Gewicht des Schädels gebeugt. Auf den ersten Blick hätte er gesagt, es handle sich um den Körper eines Sechzigjährigen, der an einer bösartigen Krankheit litt.

»Sie haben manchmal gedacht«, sagte O'Brien, »mein Gesicht – das Gesicht eines Mitglieds der Inneren Partei – sehe alt und verbraucht aus. Was denken Sie nun über Ihr eigenes Gesicht?«

Er ergriff Winston bei der Schulter und drehte ihn herum, so daß er Angesicht zu Angesicht vor ihm stand.

»Sehen Sie sich Ihren Zustand an!« sagte er. »Betrachten Sie die schmierige Schicht, die Ihren ganzen Körper bedeckt. Schauen Sie den Schmutz zwischen Ihren Zehen an. Sehen Sie die scheußliche wässernde Wunde an Ihrem Bein. Wissen Sie, daß Sie stinken wie ein Bock? Vermutlich merken Sie es nicht mehr. Schauen Sie sich Ihre Magerkeit an. Sehen Sie? Ich kann Ihren Bizeps mit Daumen und Zeigefinger umfassen. Ich könnte Ihren Hals abbrechen wie eine Mohrrübe. Wissen Sie, daß Sie fünfundzwanzig Kilo eingebüßt haben, seit Sie in unseren Händen sind? Sogar Ihr Haar geht büschelweise aus. Sehen Sie her!« Er ergriff Winstons Schopf und hielt ein Büschel Haare in der Hand. »Machen Sie den Mund auf. Neun... zehn... elf Zähne sind übriggeblieben. Wie viele hatten Sie, als Sie zu uns kamen? Und die paar, die Sie noch haben, fallen aus. Schauen Sie her.«

Er packte einen von Winstons restlichen Schneidezähnen zwischen seinem starken Daumen und Zeigefinger. Ein stechender Schmerz durchfuhr Winstons Kiefer. O'Brien hatte den lockeren Zahn mit der Wurzel herausgedreht. Er schnippte ihn durch die Zelle.

»Sie verfaulen schön langsam«, sagte er, »Sie lösen sich in Ihre Bestandteile auf. Was sind Sie? Ein Haufen Unrat. Nun drehen Sie sich um, und schauen Sie noch einmal in diesen Spiegel. Sehen Sie das Wesen, das Sie daraus anblickt? Es ist der letzte Mensch. Wenn Sie menschlich sind, so ist das die Menschheit. Jetzt ziehen Sie Ihre Kleider wieder an.«

Winston begann sich mit langsamen, steifen Bewegungen anzuziehen. Bis jetzt hatte er scheinbar nicht bemerkt, wie mager und schwach er war. Nur ein Gedanke beschäftigte ihn: daß er länger, als er gedacht hatte, hier gewesen sein mußte. Dann, als er die elenden Lumpen um sich hüllte, überfiel ihn ein Gefühl des Mitleids mit seinem zugrunde gerichteten Körper. Ehe er wußte, was er tat, war er auf einen neben dem Bett stehenden kleinen Schemel gesunken und in Tränen ausgebrochen. Er war sich seiner Häßlichkeit, seines unerquicklichen Anblicks bewußt, wie er als ein Bündel Knochen in schmutziger Unterwäsche in dem grellen weißen Licht dasaß und heulte: aber er konnte sich nicht beherrschen. O'Brien legte ihm, fast begütigend, die Hand auf die Schulter.

»Es dauert nicht ewig«, sagte er. »Sie können dem entrinnen, wenn Sie wollen. Alles hängt von Ihnen selbst ab.«

»Sie haben das getan!« schluchzte Winston. »Sie versetzten mich in diesen Zustand.«

»Nein, Winston, Sie selbst haben sich darein versetzt. Damit mußten Sie rechnen, als Sie sich gegen die Partei auflehnten. Alles das war in diesem ersten Schritt beschlossen. Es geschah nichts, was Sie nicht voraussehen konnten.«

Er schwieg und fuhr dann fort:

»Wir haben Sie geschlagen, Winston. Wir haben Sie kleingemacht. Sie haben gesehen, wie Ihr Körper aussieht. Ihr Geist befindet sich in demselben Zustand. Ich glaube nicht, daß noch viel Stolz in Ihnen stecken kann. Sie wurden mit Füßen getreten, geprügelt und beschimpft. Sie haben vor Schmerz gebrüllt, haben sich in Ihrem Blut und Ihrem eigenen Erbrochenen auf dem Boden gewälzt. Sie haben um Gnade gewimmert, jeden und alles verraten. Fällt Ihnen auch nur eine einzige Demütigung ein, die Sie nicht durchgemacht haben?«

Winston hatte zu weinen aufgehört, wenn ihm auch noch die Tränen aus den Augen rannen. Er blickte zu O'Brien empor.

»Julia habe ich nicht verraten«, sagte er.

O'Brien blickte nachdenklich auf ihn hinunter. »Nein«, sagte er, »nein, das stimmt vollkommen. Sie haben Julia nicht verraten.«

Die merkwürdige Verehrung für O'Brien, die nichts erschüttern zu können schien, durchflutete wieder Winstons Herz. Wie klug, dachte er, wie weise! O'Brien versagte nie darin, zu verstehen, was man zu ihm sagte. Jeder andere Mensch auf dieser Welt hätte sogleich geantwortet, daß er Julia verraten *habe.* Denn was gab es, was sie unter der Folter nicht aus ihm herausgepreßt hatten? Er hatte ihnen alles gestanden, was er von ihr wußte, ihre Gewohnheiten, ihren Charakter, ihr bisheriges Leben. Er hatte bis zur kleinsten Einzelheit ausgesagt, was sich bei ihren Begegnungen abgespielt hatte, alles, was er zu ihr und sie zu ihm gesagt hatte; ihre Schwarzmarkt-Mahlzeiten, ihre Bettgemeinschaften, ihr unklares Pläneschmieden gegen die Partei – alles. Und doch, in dem Sinne, was er mit dem Wort ausdrücken wollte, hatte er sie nicht verraten. Er hatte nicht aufgehört, sie zu lieben; sein Gefühl ihr gegenüber war das gleiche geblieben. O'Brien hatte erkannt, was er sagen wollte, ohne daß es einer Erklärung bedurft hätte.

»Sagen Sie mir«, fragte Winston, »wie bald wird man mich erschießen?«

»Es kann noch lange dauern«, sagte O'Brien. »Sie sind ein schwieriger Fall. Aber geben Sie die Hoffnung nicht auf. Jeder wird früher oder später geheilt. Am Schluß erschießen wir Sie.«

IV

Es ging ihm viel besser. Mit jedem Tag, sofern man von Tagen sprechen konnte, wurde er dicker und kräftiger.

Das weiße Licht und der summende Ton waren unverändert geblieben, aber seine neue Zelle war ein wenig bequemer als die früheren. Auf der Holzpritsche lagen ein Kissen und eine Matratze, und es gab einen Schemel zum Sitzen. Man hatte ihm ein Bad genehmigt, und er durfte sich ziemlich häufig in einer Zinnwanne waschen. Man gab ihm dazu sogar warmes Wasser. Man hatte ihm neue Unterwäsche und einen sauberen Trainingsanzug gebracht. Hatte sein Krampfadergeschwür mit einer schmerzlindernden Heilsalbe verbunden. Die restlichen Zähne hatte man ihm gezogen und ein neues Gebiß eingesetzt.

Wochen oder Monate mußten verstrichen sein. Es wäre jetzt möglich gewesen auszurechnen, wieviel Zeit vergangen war, wenn er Wert darauf gelegt hätte, denn er bekam sein Essen in scheinbar regelmäßigen Abständen. Seiner Schätzung nach erhielt er drei Mahlzeiten in vierundzwanzig Stunden; manchmal fragte er sich verschwommen, ob sie ihm nachts oder tags gebracht wurden. Das Essen war überraschend gut, zu jeder dritten Mahlzeit gab es Fleisch. Einmal bekam er sogar ein Päckchen Zigaretten. Er hatte keine Zündhölzer, aber der ewig stumme Wachmann, der ihm sein Essen brachte, würde ihm Feuer geben. Das erste Mal, als er zu rauchen versuchte, wurde ihm schlecht, aber er fuhr damit fort, und er reichte mit dem Päckchen eine lange Zeit, indem er nach jeder Mahlzeit eine halbe Zigarette rauchte.

Man hatte ihm eine weiße Schreibtafel mit einem an der Ecke angebundenen Bleistiftstumpf gegeben. Zuerst machte er keinen Gebrauch davon. Sogar im Wachzustand döste er dumpf vor sich hin. Oft lag er von einer Mahlzeit bis zur nächsten fast bewegungslos da, manchmal schlafend, dann wieder wach in undeutlichen Träumereien versunken, bei denen es schon zuviel Mühe bedeutete, die Augen zu öffnen. Er hatte sich seit langem daran gewöhnt, bei grell in sein Gesicht scheinendem Licht zu schlafen. Es schien ihm nichts auszumachen, außer daß die Träume mehr Zusammenhang bekamen. Er träumte diese ganze Zeit hindurch viel, und immer waren es glückhafte Träume. Er weilte in dem Goldenen Land oder saß zwischen riesigen, prächtigen, sonnenbeschienenen Ruinen mit seiner Mutter, mit Julia, mit O'Brien – ohne etwas zu tun, sondern einfach so in der Sonne und plauderte von friedlichen Dingen. Soweit er überhaupt Gedanken hatte, wenn er wach lag, drehten sie sich meistens um seine Träume. Die Kraft zu einer geistigen Anstrengung schien ihm abhandengekommen zu sein, jetzt, wo der Erregungsfaktor des Schmerzes nicht mehr mitwirkte. Er empfand keine Langeweile, verspürte kein Verlangen nach Unterhaltung oder Zerstreuung. Er wollte nur eben allein sein, nicht geschlagen oder verhört werden, genug zu essen haben und am ganzen Körper sauber sein – mehr wollte er nicht.

Allmählich verbrachte er weniger Zeit mit Schlafen, verspürte aber noch immer keine Lust, das Bett zu verlassen. Ihn verlangte nur danach, still dazuliegen und zu fühlen, wie die Kraft in seinen Körper zurückkehrte. Er befühlte sich da und dort und versuchte sich zu überzeugen, daß es keine Täuschung war, daß seine Haut sich straffte und seine Muskeln runder wurden. Endlich stand außer Zweifel fest, daß er an Gewicht zunahm; seine Oberschenkel waren jetzt deutlich dicker als seine Knie. Danach begann er, zuerst widerwillig, regelmäßig körperliche Übungen zu machen. Schon bald konnte er drei Kilometer laufen, wie er an seinen Schritten in der Zelle abmaß, und seine gebeugten Schultern wurden gerader. Er versuchte schwierigere Übungen und war erstaunt und gedemütigt bei der Entdeckung, was er alles nicht fertigbrachte. Er konnte unterm Gehen keine anderen Bewegungen machen, konnte seinen Schemel nicht auf Armeslänge hinaushalten, konnte nicht auf einem Bein stehen, ohne seitlich umzukippen. Er hockte sich auf seine Fersen nieder und entdeckte, daß es ihm mit qualvollen Schmerzen in Schenkeln und Waden nur eben gelang, sich zu stehender Stellung aufzurichten. Er legte sich flach auf den Bauch und versuchte, sich mit aufgestützten Händen hochzustemmen. Es war hoffnungslos, er konnte sich keinen Zentimeter vom Boden hochheben. Aber nach ein paar weiteren Tagen – ein paar weiteren Mahlzeiten – gelang ihm auch dieses Kunststück. Es kam eine Zeit, als er es sechsmal hintereinander fertigbrachte. Er begann richtig stolz zu werden auf seinen Körper und sich dem heimlichen Glauben hinzugeben, auch sein Gesicht werde wieder normal. Nur wenn er zufällig die Hand auf seinen kahlen Schädel legte, fiel ihm das zerschundene, zerstörte Gesicht ein, das ihn aus dem Spiegel angeblickt hatte.

Sein Geist wurde wacher. Er setzte sich auf die Pritsche, mit dem Rücken zur Wand und die Schreibtafel auf seine Knie gelegt, und machte sich behutsam daran, seinen Geist wieder zu üben.

Er hatte kapituliert, soviel stand fest. In Wahrheit war er, wie er nun erkannte, bereit gewesen zu kapitulieren, lange ehe er den Entschluß dazu gefaßt hatte. Von dem Augenblick an, als er sich in dem Ministerium für Liebe befand – ja sogar schon während der Minuten, als er und Julia hilflos dagestanden hatten, während ihnen die eiserne Stimme aus dem Televisor sagte, was sie tun sollten –, hatte er die Leichtfertigkeit, die Oberflächlichkeit seines Versuches, sich gegen die Macht der Partei aufzulehnen, voll erkannt. Er wußte jetzt, daß ihn die Gedankenpolizei sieben Jahre hindurch wie einen Käfer unter einem Vergrößerungsglas beobachtet hatte. Es gab keine körperliche Verrichtung, kein laut gesprochenes Wort, das sie nicht wahrgenommen hatten, keinen Gedankengang, den sie nicht im voraus gewußt hätten. Sogar das weiße Staubkörnchen auf dem Einband seines Tagebuches hatten sie sorgfältig wieder ersetzt. Sie hatten ihm Wachsplattenaufnahmen vorgespielt, ihm Fotografien gezeigt. Einige davon waren Fotografien von Julia und ihm. Ja, sogar... Er konnte nicht länger gegen die Partei ankämpfen. Außerdem war die Partei im Recht. Sie mußte es sein: denn wie konnte der unsterbliche kollektive Geist irren? Mit welchem äußeren Maßstab konnte man seine Werte nachprüfen? Das Urteil des gesunden Menschenverstandes stand statistisch fest. Es war lediglich die Frage, so denken zu lernen, wie sie dachten.

Der Bleistift fühlte sich plump und sperrig zwischen seinen Fingern an. Er begann die Gedanken niederzuschreiben, die ihm durch den Kopf gingen. Zuerst schrieb er in großen unbeholfenen Anfangsbuchstaben:

FREIHEIT IST SKLAVEREI

Dann, fast ohne Innehalten, schrieb er darunter:

ZWEI UND ZWEI IST FÜNF

Jetzt aber schaltete sich eine Art Hemmung ein. Sein Geist schien so, als scheue er vor etwas zurück, außerstande, sich zu sammeln. Er wußte, daß er wußte, was als nächstes kam; aber im Augenblick konnte er nicht darauf kommen. Als er dann darauf kam, was es sein mußte, war es nur auf Grund bewußter Überlegung; es fiel ihm nicht von selber ein. Er schrieb:

GOTT IST MACHT

Er nahm jetzt alles richtig hin. Die Vergangenheit war veränderlich. Die Vergangenheit war nie verändert worden. Ozeanien lag im Krieg mit Ostasien. Ozeanien war immer mit Ostasien im Krieg gelegen. Jones, Aaronson und Rutherford waren der Verbrechen schuldig, deren sie angeklagt waren. Er hatte die Fotografie gesehen, die ihre Schuld widerlegte. Sie hatte nie existiert, er hatte sie erfunden. Er erinnerte sich, daß er sich gegenteiliger Dinge erinnert hatte, aber das waren falsche Erinnerungen, Produkte der Selbsttäuschung. Wie einfach alles war! Man brauchte nur nachzugeben, und alles andere ergab sich von selbst. Es war wie das Schwimmen gegen eine Strömung, die einen zurückriß, wie sehr man sich auch anstrengte, bis man dann plötzlich beschloß, kehrtzumachen und mit der Strömung zu gehen, statt gegen sie.

Nichts hatte sich geändert, außer die eigene Haltung: Das vom Schicksal Vorbestimmte geschah in jedem Fall. Er wußte kaum, warum er sich jemals aufgelehnt hatte. Alles war einfach, außer –!

Alles konnte wahr sein. Die sogenannten Naturgesetze waren Unsinn. Das Gesetz der Schwerkraft war Unsinn. »Wenn ich wollte«, hatte O'Brien gesagt, »dann könnte ich mich von diesem Boden erheben wie eine Seifenblase.« Winston verfolgte diesen Gedanken weiter. »Wenn er *glaubt,* sich vom Fußboden erheben zu können, und ich gleichzeitig *glaube,* daß ich ihn das tun sehe, dann geschieht es wirklich.« Wie ein Teil eines überschwemmten

Wracks hochkommend die Oberfläche des Wassers durchbricht, so durchdrang ihn plötzlich der Gedanke: »Es geschieht nicht wirklich. Wir bilden es uns ein. Es ist eine Sinnestäuschung.« Sofort wies er diesen Gedanken von sich. Der Trugschluß war offensichtlich. Er setzte voraus, daß es irgendwo außerhalb einem selbst eine »wirkliche« Welt gab, in der »wirkliche« Dinge geschahen. Aber wie konnte es eine solche Welt geben? Was wissen wir von irgend etwas, außer durch unser eigenes Denken? Alle Geschehnisse spielen sich im Denken ab. Was immer sich im Denken aller abspielt, geschieht wirklich.

Es fiel ihm nicht schwer, den Trugschluß abzutun, und er war nicht in Gefahr, ihm anheimzufallen. Trotzdem war er sich bewußt, daß ihm dieser Einfall nie hätte kommen dürfen. Das Denken sollte eine leere Stelle einschalten, sooft sich ein gefährlicher Gedanke einstellte. Der Prozeß sollte automatisch, instinktiv vor sich gehen. *Verbrechenstop* nannte man es in der Neusprache.

Er machte sich daran, sich in Verbrechenstop zu üben. Er stellte bei sich Behauptungen auf wie »Die Partei sagt, die Erde ist flach«, »Die Partei sagt, Eis ist schwerer als Wasser« und schulte sich darin, die Argumente, die gegen diese Behauptungen sprachen, nicht zu sehen oder nicht zu verstehen. Das war nicht leicht. Es bedurfte großer Geschicklichkeit im Argumentieren und Improvisieren. So gingen zum Beispiel die durch solche Behauptungen wie »Zwei und zwei ist vier« aufgeworfenen arithmetischen Probleme über seine geistige Fassungskraft hinaus. Auch war eine Art geistiges Athletentum nötig, die Fähigkeit zu entwickeln, in dem einen Augenblick mit der geschliffenen Logik vorzugehen und im nächsten die gröbsten logischen Fehler zu übersehen. Dummheit tat ebenso not wie Klugheit und war ebenso schwer zu erreichen.

Die ganze Zeit fragte er sich mit einem Teil seines Denkens, wie bald sie ihn wohl erschießen würden. »Alles hängt von Ihnen selbst ab«, hatte O'Brien gesagt. Aber er wußte, daß er durch keine besondere Haltung diesen Augenblick beschleunigen konnte. Es konnte, von jetzt ab gerechnet, in zehn Minuten oder in zehn Jahren da sein. Sie hielten ihn vielleicht jahrelang in Einzelhaft, schickten ihn vielleicht in ein Zwangsarbeitslager, ließen ihn vielleicht eine Weile frei, wie sie das manchmal machten. Es war durchaus möglich, daß er, bevor er erschossen wurde, das ganze Trauerspiel seiner Festnahme und seines Verhörs noch einmal von vorne durchmachen mußte. Eines jedenfalls war gewiß, daß der Tod nie in einem erwarteten Augenblick kam. Das übliche Verfahren – das stillschweigende Verfahren, von dem man irgendwie wußte, obwohl nie darüber gesprochen wurde – bestand darin, daß sie einen hinterrücks erschossen: immer in den Hinterkopf, und zwar ohne Warnung, während man von Zelle zu Zelle den Gang entlangging.

Eines Tages – aber »eines Tages« war nicht die richtige Bemerkung; ganz ebenso wahrscheinlich konnte es mitten in der Nacht gewesen sein: – einmal also verfiel er in eine seltsame, selige Träumerei. Er ging den Gang hinunter in Erwartung der Kugel. Er wußte, daß sie im nächsten Moment kommen würde. Alles war entschieden, geklärt, versöhnt. Es gab keine Zweifel mehr, keine Streitfragen, keinen Schmerz, keine Angst. Sein Körper war gesund und stark. Er ging leichten Schrittes, mit einer Freude an der Bewegung und in dem Gefühl, im Sonnenlicht zu wandeln. Er war nicht mehr in den engen grellweißen Gängen des Ministeriums für Liebe, er befand sich in dem riesigen, einen Kilometer breiten Durchlaß, von dem es ihm so vorgekommen war, als durchwandle er ihn in einem durch Drogen herbeigeführten Wahn. Er war im Goldenen Land und folgte dem Fußpfad durch die alte, von Kaninchen bevölkerte Weide. Er konnte den kurzgeschorenen, federnden Rasen unter seinen Füßen und den milden Sonnenschein auf seinem Gesicht fühlen. Am Rande des Feldes standen leise sich wiegend die Ulmen, und irgendwo dahinter war der Fluß, in dem sich die Weißfische in den grünen Tümpeln unter den Hängeweiden tummelten.

Plötzlich fuhr er in jähem Erschrecken hoch. Der Schweiß brach ihm aus allen Poren. Er hatte sich laut ausrufen hören:

»Julia! Julia! Julia, Geliebte! Julia!«

Einen Augenblick hatte ihn überzeugend die Täuschung überkommen, sie sei da. Es hatte ihm geschienen, als sei sie nicht nur bei ihm, sondern in ihm. Es war, als sei sie unter das Gewebe seiner Haut gekrochen. In diesem Augenblick hatte er sie weit mehr geliebt als je zuvor, als sie noch zusammen und frei waren. Auch wußte er, daß sie irgendwo noch am Leben war und seiner Hilfe bedurfte.

Er legte sich auf dem Bett zurück und versuchte, sich zu fassen. Was hatte er angerichtet? Wie viele Jahre hatte er seiner Knechtschaft durch diesen Augenblick der Schwäche hinzugefügt?

Im nächsten Augenblick würde er draußen den Schritt schwerer Stiefel hören. Seine Peiniger konnten einen solchen Ausbruch nicht ungestraft hingehen lassen. Sie würden jetzt wissen, wenn sie es nicht schon vorher gewußt hatten, daß er das mit ihnen getroffene Abkommen brach. Er gehorchte der Partei, aber noch immer haßte er sie. In den vergangenen Tagen hatte er einen aufrührerischen Geist hinter zur Schau getragener Fügsamkeit versteckt. Jetzt hatte er sich einen Schritt weiter zurückgezogen: er hatte im Geist nachgegeben, jedoch gehofft, sein Herzinneres unversehrt zu bewahren. Er wußte, daß er im Unrecht war, aber lieber wollte er im Unrecht sein. Sie würden das erkennen – O'Brien würde es erkennen. All das war in diesem einzigen törichten Schrei eingestanden.

Er würde noch einmal ganz von neuem anfangen müssen. Es konnte Jahre dauern. Er fuhr sich mit der einen Hand übers Gesicht, in dem Versuch, sich mit dessen neuer Form vertraut zu machen. Er hatte tiefe Furchen in den Wangen, die Backenknochen standen hervor, die Nase war abgeplattet. Außerdem hatte er, seitdem er sich zum letztenmal im Spiegel gesehen hatte, ein vollständig neues Gebiß bekommen. Es war nicht leicht, ein undurchdringliches Gesicht zu machen, wenn man nicht wußte, wie das eigene Gesicht aussah. Jedenfalls, nur das Gesicht zu wahren, genügte nicht. Zum erstenmal erkannte er, daß jemand, der ein Geheimnis bewahren will, es auch vor sich selbst bewahren muß. Man muß ständig um sein Vorhandensein wissen, aber bis die Notwendigkeit besteht, darf man es nie in irgendeiner benennbaren Form ins eigene Bewußtsein dringen lassen. Von jetzt an mußte er nicht nur richtig denken, er mußte richtig fühlen, richtig träumen. Und die ganze Zeit mußte er seinen Haß in sich verschlossen halten wie eine Gewebewucherung, die ein zu ihm gehöriger Bestandteil war und doch mit seinem übrigen Ich nichts zu tun hatte – eine Art Zyste.

Eines Tages würden sie beschließen, ihn zu erschießen. Man konnte nicht sagen, wann das sein würde, aber ein paar Sekunden vorher mußte man es erraten können. Es geschah immer durch Genickschuß, während man einen Gang entlangging. Zehn Sekunden würden genügen. In dieser Zeit konnte die Welt in ihm eine Umdrehung erfahren. Und dann plötzlich, ohne ein Wort zu äußern, ohne im Schritt innezuhalten, ohne daß sich auch nur ein Zug in seinem Gesicht veränderte – plötzlich wurde die Tarnung fallengelassen und peng! würden sich die Batterien seines Hasses entladen. Haß würde ihn erfüllen wie eine riesige brausende Flamme. Und fast im gleichen Augenblick würde peng! die Kugel fallen, zu spät oder zu früh. Sie würden ihm eine Kugel durchs Hirn gejagt haben, ehe sie es wieder zu richtigem Denken zurückgeführt haben konnten. Der ketzerische Gedanke würde unbestraft, unbereut, für immer ungreifbar für sie bleiben. Sie hätten ein Loch in ihre eigene Vortrefflichkeit geschossen. Im Haß gegen sie sterben war gleichbedeutend mit Freiheit.

Er schloß die Augen. Das war schwieriger, als sich einer geistigen Disziplin zu unterwerfen. Es erforderte, sich selbst zu erniedrigen, zu verstümmeln. Er mußte sich in den schlimmsten Schmutz stürzen. Was war das Schrecklichste, Ekelhafteste von allem? Er dachte an den Großen Bruder. Das riesige Gesicht (da er es dauernd auf Plakaten sah, stellte er es sich immer einen Meter breit vor) mit seinem dicken schwarzen Schnurrbart und den Augen, die einem überallhin folgten, schien ihm ganz von selbst einzufallen. Was waren seine wahren Gefühle gegenüber dem Großen Bruder?

Ein schweres Stiefelgetrampel war draußen auf dem Gang zu

hören. Die Stahltüre schwang klirrend auf. O'Brien trat in die Zelle. Hinter ihm drein kamen der wachsgesichtige Offizier und die schwarzuniformierten Wachen.

»Stehen Sie auf«, sagte O'Brien. »Kommen Sie her.«

Winston stand vor ihm. O'Brien ergriff Winstons Schultern mit seinen kräftigen Händen und sah ihn scharf an.

»Sie ließen es sich einfallen, mich täuschen zu wollen«, sagte er. »Das war dumm. Stehen Sie strammer. Schauen Sie mich an.«

Er schwieg und fuhr in milderem Ton fort: »Sie bessern sich. Verstandesmäßig ist recht wenig an Ihnen auszusetzen. Nur gefühlsmäßig haben Sie keinen Fortschritt gemacht. Sagen Sie mir, Winston – und denken Sie daran, keine Lügen: Sie wissen, daß ich eine Lüge immer herausfinden kann –, sagen Sie, was sind Ihre wahren Gefühle gegenüber dem Großen Bruder?«

»Ich hasse ihn.«

»Sie hassen ihn. Schön. Dann ist für Sie die Zeit gekommen, den letzten Schritt zu tun. Sie müssen den Großen Bruder lieben. Es genügt nicht, ihm zu gehorchen: Sie müssen ihn lieben.«

Er ließ Winston los, indem er ihm einen kleinen Stoß in Richtung zu den Wachleuten versetzte.

»Zimmer 101«, sagte er.

V

In jedem Stadium seiner Haft hatte er gewußt – oder zu wissen geglaubt –, wo in dem fensterlosen Gebäude er sich befand. Möglicherweise machten sich leichte Unterschiede im Luftdruck bemerkbar. Die Zellen, wo ihn die Wachen geprügelt hatten, lagen unter ebener Erde. Das Zimmer, in dem er von O'Brien verhört worden war, war hoch oben in Dachnähe. Dieser Raum nun befand sich viele Meter unter der Erde, so tief drunten wie möglich.

Es war größer als die meisten Zimmer, in denen er gewesen war. Aber Winston nahm seine Umgebung kaum wahr. Er sah nur zwei kleine, gerade vor ihm stehende Tische, von denen jeder mit grünem Flanell bezogen war. Der eine stand nur einen oder zwei Meter von ihm entfernt, der andere weiter weg bei der Tür. Er war aufrecht sitzend so fest auf einen Stuhl angeschnallt, daß er nichts, nicht einmal den Kopf, bewegen konnte. Eine Art Schiene umklammerte von hinten seinen Kopf und zwang ihn, den Blick geradeaus vor sich hin gerichtet zu halten.

Einen Augenblick war er allein, dann öffnete sich die Tür, und O'Brien kam herein.

»Sie haben mich einmal gefragt«, sagte O'Brien, »was in Zimmer 101 sei. Ich sagte, Sie wüßten die Antwort bereits. Jedermann weiß sie. Was einen in Zimmer 101 erwartet, ist das Schlimmste auf der Welt.«

Wieder öffnete sich die Tür. Ein Wachmann kam herein und trug etwas aus Drahtgeflecht, eine Art Behälter oder Korb. Er stellte es auf den entferntesten Tisch. Wegen der Stellung, die O'Brien einnahm, konnte Winston nicht sehen, was es war.

»Das Schlimmste auf der Welt«, sagte O'Brien, »ist individuell verschieden. Es kann lebendig begraben werden sein oder Tod durch Verbrennen, durch Ertränken, durch Aufpfählen, oder fünfzig andere Todesarten. Es gibt Fälle, bei denen es eine ganz nichtssagende, nicht einmal todbringende Sache ist.«

Er war ein wenig beiseite getreten, so daß Winston den Gegenstand auf dem Tisch besser sehen konnte. Es war ein länglicher Drahtkäfig, oben mit einem Griff zum Tragen. An der Vorderseite war etwas befestigt, das wie eine Fechtmaske aussah, mit der Hohlseite nach außen. Obwohl es drei oder vier Meter von ihm entfernt stand, konnte er sehen, daß der Käfig der Länge nach in zwei Abteilungen geteilt war, und in jeder befand sich ein Lebewesen. Es waren Ratten.

»Für Sie«, sagte O'Brien, »sind zufällig das Schlimmste auf der Welt Ratten.«

Eine Art warnendes Zittern, eine Furcht vor – er wußte nicht genau was – hatte Winston bei seinem ersten Blick auf den Käfig befallen. Aber in diesem Augenblick kam ihm plötzlich eine Erleuchtung, zu was die vorne befestigte maskenartige Vorrichtung diente. Ihm schien der Boden unter den Füßen zu wanken.

»Das können Sie nicht tun!« rief er mit schriller brechender Stimme. »Nur das nicht, nur das nicht! Es ist unmöglich.«

»Erinnern Sie sich«, sagte O'Brien, »an das Panikmoment, das sich in Ihren Träumen einzustellen pflegte? Vor Ihnen tat sich eine dunkle Mauer auf, und in Ihren Ohren vernahmen Sie ein heulendes Geräusch. Etwas Schreckliches lauerte auf der anderen Seite der Mauer. Sie waren sich bewußt, daß Sie wußten, was es war, aber Sie wagten nicht, es ans Licht zu ziehen. Es waren die Ratten, die sich auf der anderen Seite der Mauer befanden.«

»O'Brien!« rief Winston mit einer Anstrengung, seine Stimme in die Gewalt zu bekommen. »Sie wissen, daß das nicht notwendig ist. Was wollen Sie, das ich tun soll?«

O'Brien gab keine direkte Antwort. Als er sprach, war es in der schulmeisterlichen Art, die er manchmal an den Tag legte. Er blickte nachdenklich in die Ferne, so als wende er sich an eine Zuhörerschaft im Rücken von Winston.

»Schmerz als solcher«, sagte er, »genügt nicht immer. Es gibt Gelegenheiten, wo ein Mensch dem Schmerz standhält, sogar bis zum Tode. Aber für jeden Menschen gibt es etwas Unerträgliches – etwas, das er nicht ins Auge fassen kann. Das hat nichts mit Mut oder Feigheit zu tun. Wenn man aus einer Höhe herunterstürzt, ist es nicht feig, sich an ein Seil zu klammern. Wenn man aus der Tiefe des Wassers emportaucht, ist es nicht feig, die Lungen mit Luft vollzupumpen. Es ist lediglich ein Instinkt, gegen den man sich nicht wehren kann. Das gleiche gilt von den Ratten. Sie sind eine Form des Zwanges, dem Sie nicht Widerstand leisten können, sogar wenn Sie wollten, Sie werden tun, was man von Ihnen verlangt.«

»Aber was ist es, was ist es? Wie kann ich es tun, wenn ich nicht weiß, was es ist?«

O'Brien ergriff den Käfig und brachte ihn herüber zu dem näheren Tisch. Er stellte ihn behutsam auf die Flanelldecke. Winston konnte das Blut in seinen Ohren sausen hören. Er hatte das Gefühl, in völliger Einsamkeit dazusitzen. Er befand sich in der Mitte einer großen leeren Ebene, einer von Sonnenlicht durchtränkten flachen Wüste, über die alle Geräusche aus ungeheuren Entfernungen zu ihm drangen. Dabei war der Käfig mit den Ratten keine zwei Meter von ihm entfernt. Es waren riesige Ratten. Sie waren in dem Alter, in dem die Schnauze einer Ratte rauh und grimmig und ihr Fell braun statt grau wird.

»Die Ratte«, sagte O'Brien, noch immer an seine unsichtbare Zuhörerschaft gewendet, »ist, obwohl ein Nagetier, doch ein Fleischfresser. Halten Sie sich das vor Augen. Sie werden von den Dingen gehört haben, die in den Armenvierteln dieser Stadt passieren. In manchen Straßen wagt eine Frau ihren Säugling nicht einmal fünf Minuten allein im Haus zu lassen. Die Ratten würden das Kind bestimmt angreifen. In ganz kurzer Zeit würden sie es bis auf die Knochen abnagen. Sie greifen auch Kranke oder Sterbende an. Sie legen eine erstaunliche Intelligenz darin an den Tag, zu wissen, wann ein Mensch hilflos ist.«

Vom Käfig her hörte man jetzt ein lautes Quieken. Es schien aus weiter Ferne an Winstons Ohr zu dringen. Die Ratten rauften miteinander; sie versuchten, einander durch das Trennungsgitter anzufallen. Er hörte auch ein tiefes Verzweiflungsstöhnen. Auch das schien nicht von ihm selbst zu kommen.

O'Brien ergriff den Käfig und drückte dabei auf etwas darin. Ein scharfes Klinken erfolgte. Winston machte eine furchtbare Anstrengung, sich von dem Stuhl zu befreien. Es war hoffnungslos, jeder Teil von ihm, sogar sein Kopf, waren unbeweglich festgehalten. O'Brien rückte den Käfig näher heran. Er war kaum einen Meter von Winstons Gesicht entfernt.

»Ich habe auf den ersten Hebel gedrückt«, erklärte O'Brien. »Sie verstehen die Konstruktion dieses Käfigs. Die Maske paßt über Ihren Kopf, so daß kein Durchschlupf bleibt. Wenn ich auf diesen anderen Hebel drücke, schiebt sich die Käfigtüre auf. Diese vor Hunger fast wahnsinnigen Scheusale werden wie Geschosse daraus hervorschießen. Haben Sie je eine Ratte durch die Luft springen sehen? Sie werden Ihnen ins Gesicht springen und sich sofort einen Weg hindurch bahnen. Manchmal greifen sie als erstes die Augen an. Manchmal wühlen sie sich durch die Wangen und zerfressen die Zunge.«

Der Käfig kam näher; schloß sich um ihn. Winston vernahm eine Folge schriller Schreie, die in der Luft über seinem Kopf zu erschallen schienen. Aber er kämpfte wütend gegen seine panische Angst an. Überlegen, überlegen, auch wenn nur ein Sekundenbruchteil Zeit blieb, überlegen war die einzige Hoffnung. Plötzlich stieg ihm der widerliche, muffige Geruch der Scheusale in die Nase. Ein furchtbarer Ekel würgte ihn, und er verlor fast das Bewußtsein. Alles war schwarz geworden vor seinen Augen. Einen Augenblick war er vernunftlos, ein kreischendes Tier. Dann jedoch riß er sich von dem Schwindelgefühl los, indem er sich an eine Idee klammerte. Es gab einen, nur einen einzigen Weg, sich selbst zu retten. Er mußte einen anderen Menschen, den Körper eines anderen Menschen, zwischen sich und die Ratten schieben.

Die Kreisöffnung der Maske war jetzt groß genug, um alles andere aus dem Gesichtskreis auszuschließen. Die Drahttüre war zwei Handspannen von seinem Gesicht entfernt. Die Ratten wußten, was nun kommen würde. Eine von ihnen sprang auf und ab, die andere, ein alter schuppiger Großvater aus den Kloaken, richtete sich mit ihren rosa Pfoten an den Gitterstäben auf und schnupperte wild in die Luft. Winston konnte die Schnurrhaare und die gelben Zähne sehen. Wieder überfiel ihn die schwarze Panik. Er war blind, hilflos, ohne Vernunft.

»Im kaiserlichen China war es eine übliche Strafe«, sagte O'Brien in seiner gewohnten lehrhaften Art.

Die Maske legte sich vor Winstons Gesicht. Der Draht berührte seine Wange. Und dann – nein, es war keine Erlösung, nur eine Hoffnung – ein winziger Hoffnungsschimmer. Zu spät, vielleicht zu spät. Aber er hatte plötzlich erkannt, daß es auf der ganzen Welt nur *einen* Menschen gab, auf den er seine Strafe abwälzen, nur *einen* Körper, den er zwischen sich und die Ratten schieben konnte. Und außer sich schrie er, wieder und immer wieder:

»Nehmen Sie Julia! Nehmen Sie Julia! Nicht mich! Julia! Mir ist's gleich, was Sie mit ihr machen. Zerreißen Sie ihr das Gesicht, ziehen Sie ihr das Fleisch von den Knochen. Nicht mich! Julia! Nicht mich!«

Er fiel zurück, in riesige Tiefen, fort von den Ratten. Er war noch immer auf dem Stuhl festgeschnallt, aber er war durch den Fußboden, durch die Mauern des Gebäudes, durch die Erde, durch die Meere, durch die Atmosphäre in den freien Raum, in die Abgründe zwischen den Sternen gestürzt – immer weiter, weiter und weiter weg von den Ratten. Er war Lichtjahre entfernt, aber O'Brien stand noch immer an seiner Seite. Noch war die kalte Berührung eines Drahtes an seiner Wange. Aber durch die ihn einhüllende Dunkelheit vernahm er ein nochmaliges metallisches Klinken und wußte, daß die Käfigtür ins Schloß gefallen war und sich nicht geöffnet hatte.

VI

Das Café »Zum Kastanienbaum« war fast leer. Ein schräg durch ein Fenster einfallender Sonnenstrahl fiel auf verstaubte Tischplatten. Es war die stille Stunde nach fünfzehn Uhr. Blechmusik rieselte aus den Televisoren.

Winston saß in seiner Stammtischecke und starrte in ein leeres Glas. Dann und wann hob er den Blick zu einem großen Gesicht, das ihn von der gegenüberliegenden Wand ansah. *Der Große Bruder sieht dich an,* lautete der Begleittext. Unaufgefordert kam ein Kellner und füllte sein Glas mit Victory-Gin, wobei er ein paar Tropfen aus einer anderen Flasche, deren Kork von einem

Federkiel durchbohrt war, hineinspritzte. Es war mit Gewürznelken versetztes Sacharin, die Spezialität des Hauses.

Winston lauschte auf den Televisor. Im Augenblick ertönte nur Musik, aber es bestand die Möglichkeit, daß jeden Augenblick eine Sondermeldung des Friedensministeriums erfolgte. Die Nachrichten von der Afrikafront waren äußerst beunruhigend. Immer wieder hatte er sich den ganzen Tag Sorgen darüber gemacht. Eine eurasische Armee (Ozeanien befand sich im Kriegszustand mit Eurasien: Ozeanien hatte sich immer im Kriegszustand mit Eurasien befunden) rückte in Eilmärschen gegen Süden vor. Der Tagesbericht vom Mittag hatte zwar kein bestimmtes Gebiet genannt, aber wahrscheinlich war die Kongomündung bereits Kriegsschauplatz. Brazzaville und Leopoldville waren in Gefahr. Man brauchte nicht erst die Landkarte anzusehen, um zu wissen, was das bedeutete. Es war nicht nur eine Frage des Verlustes von Mittelafrika: Zum erstenmal während des ganzen Krieges war das Gebiet von Ozeanien selbst bedroht.

Eine erregte Gemütsbewegung, nicht gerade Furcht, aber ein ihr nicht unähnliches Gefühl, wallte in ihm hoch, dann verebbte sie wieder. Er hörte auf, an den Krieg zu denken. Gegenwärtig konnte er seine Gedanken nie länger als ein paar Augenblicke hintereinander auf einen Gegenstand gerichtet halten. Er erhob sein Glas und leerte es auf einen Zug. Wie immer, mußte er sich danach schütteln und einen leichten Brechreiz überwinden. Das Zeug war greulich. Das Sacharin und die Gewürznelken, die einem durch ihre widerliche Art an sich schon widerstehen, konnten den faden öligen Geschmack nicht vertuschen; am schlimmsten von allem aber war, daß der Gin-Geruch, den er Tag und Nacht nicht los wurde, in seiner Vorstellung unentwirrbar vermischt war mit dem Geruch dieser –.

Er nannte sie nie beim Namen, sogar in Gedanken nicht, und so weit wie möglich stellte er sie sich nie im Geiste vor. Sie waren etwas, das ihm nur halbwegs zum Bewußtsein kam, das dicht vor seinem Gesicht herumschwebte, ein Geruch, den er in der Nase hatte. Als ihm der Gin hochkam, stieß er zwischen purpurroten Lippen auf. Er war beleibter geworden, seitdem sie ihn entlassen hatten, und hatte wieder seine alte Farbe bekommen – wahrhaftig, mehr als das. Seine Gesichtszüge hatten sich vergröbert, die Haut von Nase und Backenknochen war derb rot, sogar die Glatze war von einem zu dunklen Rosa. Ein Kellner brachte, wiederum unaufgefordert, das Schachbrett und die Tagesausgabe der *Times,* auf der Seite mit der Schachaufgabe aufgeschlagen. Dann, als er sah, daß Winstons Glas leer war, brachte er die Ginflasche und füllte es. Es bedurfte keiner Bestellung. Man kannte seine Gewohnheiten. Das Schachbrett wartete immer auf ihn, sein Ecktisch war immer reserviert. Sogar wenn das Lokal voll war, hatte er ihn für sich allein, da niemand Wert darauf legte, zu nahe von ihm sitzend gesehen zu werden. Er machte sich nie auch nur die Mühe, seine Gläser zu zählen. In unregelmäßigen Abständen wurde ihm ein schmutziger Fetzen Papier gebracht, von dem es hieß, es sei die Rechnung; aber er hatte den Eindruck, daß man ihm immer zu wenig aufrechnete. Es hätte keinen Unterschied ausgemacht, wenn das Gegenteil der Fall gewesen wäre. Er besaß jetzt immer eine Menge Geld. Er hatte sogar eine Stellung, eine Sinekure, die besser bezahlt wurde, als seine alte Stellung es gewesen war.

Die Musik aus dem Televisor brach ab, und statt dessen kam eine Stimme. Winston hob den Kopf, um zu lauschen. Es war jedoch kein Frontbericht. Sondern lediglich eine kurze Verlautbarung des Ministeriums für Überfluß. Im vorausgehenden Vierteljahr, zeigte es sich, war die zehnte Quote für Schnürsenkel innerhalb des Dreijahresplans um achtundneunzig Prozent übertroffen worden.

Er studierte die Schachaufgabe und stellte die Figuren auf. Es war ein verzwicktes Schlußspiel mit Hilfe von zwei Springern. »Weiß zieht und setzt Schwarz in zwei Zügen matt.« Winston blickte zu dem Bildnis des Großen Bruders empor. Weiß setzt immer matt, dachte er mit einer Art von dunklem Mystizismus. Immer, ohne Ausnahme, ist es so eingerichtet. Bei keiner Schachaufgabe seit Entstehung der Welt hat jemals Schwarz gewonnen. Symbolisierte das nicht den ewigen, unabänderlichen Sieg des Guten über das Böse? Das riesige Gesicht blickte voll ruhiger Macht auf ihn zurück. Weiß setzt immer matt.

Die Stimme aus dem Televisor hielt inne und fügte in einem anderen, viel ernsteren Ton hinzu: »Wir machen unsere Hörer auf eine wichtige Meldung aufmerksam, die um fünfzehn Uhr dreißig durchgegeben wird. Fünfzehn Uhr dreißig! Es handelt sich um eine äußerst wichtige Meldung. Sorgen Sie dafür, daß Sie sie nicht versäumen. Fünfzehn Uhr dreißig.« Wieder fiel die Blechmusik ein.

Winstons Herz klopfte heftig. Das war der Frontbericht. Ein Instinkt sagte ihm, daß schlechte Nachrichten kommen würden. Den ganzen Tag über hatte ihn unter kurz aufflackernden Erregungszuständen der Gedanke an eine vernichtende Niederlage in Afrika beschäftigt und war ihm dann wieder entfallen. Ihm war, als sehe er leibhaftig das eurasische Heer über die nie zuvor überschrittene Grenze einschwärmen und sich wie eine Ameisenkolonne in die Spitze Afrikas ergießen. Warum war es nicht möglich gewesen, sie in der Flanke zu umgehen? Der Umriß der westafrikanischen Küste stand ihm lebhaft vor Augen. Er ergriff den weißen Springer und schob ihn über das Spielbrett. *Hier* war das richtige Feld. Zur gleichen Zeit, während er die schwarzen Horden südwärts vorstürmen sah, schwebte ihm eine andere, auf geheimnisvolle Weise gesammelte Streitmacht vor Augen, die plötzlich in ihrem Rücken auftauchte und ihre Verbindungen zu Land und zu Wasser abschnitt. Er hatte das Gefühl, durch seinen Willensaufwand diese andere Streitmacht ins Leben zu rufen. Aber man mußte rasch handeln. Wenn sie ganz Afrika unter ihre Kontrolle bringen konnten, wenn sie Flugplätze und Unterseeboot-Stützpunkte am Kap hatten, dann war Ozeanien in zwei Hälften geteilt. Daraus konnte sich alles ergeben: Niederlage, Zusammenbruch, eine Neuaufteilung der Welt, die Vernichtung der Partei! Er holte tief Atem. Ein seltsames Gemisch von Gefühlen – aber genaugenommen war es kein Gemisch, eher waren es einander ablösende Gefühlsschichten, bei denen man nicht sagen konnte, welches Gefühl das unterste war – regte sich in ihm.

Der Anfall ging vorüber. Er stellte den weißen Springer auf seinen Platz zurück, aber für den Augenblick konnte er sich nicht einer ernsthaften Überlegung des Schachproblems widmen. Seine Gedanken schweiften erneut. Fast unbewußt malte er mit dem Finger in den Staub der Tischplatte:

$$2 \times 2 = 5$$

»In dein Inneres können sie nicht eindringen«, hatte Julia gesagt. Aber sie konnten in einen eindringen. »Was Ihnen hier widerfährt, gilt für *immer*«, hatte O'Brien gesagt. Das war ein wahres Wort. Es gab Dinge, eigene Taten, die man nie wieder los wurde. Etwas in der eigenen Brust war getötet worden: ausgebrannt und ausgeätzt.

Er hatte sie gesehen; hatte sogar mit ihr gesprochen. Es war keine Gefahr dabei. Er wußte gleichsam instinktiv, daß sie jetzt so gut wie kein Interesse an seinem Tun und Treiben nahm. Er hätte eine zweite Begegnung mit ihr verabreden können, wenn einer von ihnen beiden es gewollt hätte. Tatsächlich waren sie sich durch Zufall begegnet. Es war im Stadtpark gewesen, an einem abscheulichen, schneidenden Märztag, als die Erde aussah wie aus Eisen, das ganze Gras abgestorben schien und nirgendwo eine Blütenknospe zu sehen war außer ein paar Krokussen, die sich durch das Erdreich durchgekämpft hatten, um vom Wind zerzaust zu werden. Er eilte mit frostblauen Händen und wässernden Augen dahin, als er sie keine zehn Meter von sich entfernt erblickte. Sofort fiel ihm auf, daß sie sich in einer schwer bestimmbaren Weise verändert hatte. Sie gingen, fast ohne Erkennen zu verraten, aneinander vorbei, dann kehrte er um und ging ihr, nicht sehr eifrig, nach. Er wußte, daß keine Gefahr bestand, niemand kümmerte sich um sie. Sie sagte nichts. Sie ging schräg über den Rasen davon, so als versuche sie, ihn loszuwerden; dann schien sie sich damit abzufinden, ihn an ihrer Seite zu haben. Schließlich kamen sie zu einer Gruppe zerzauster, entblätterter Sträucher, die weder als Versteck noch als Schutz vor dem Wind dienen konnten. Sie blieben stehen. Es war scheußlich kalt. Der Wind pfiff durch die Zweige und zerpflückte die verstreut dastehenden, schmutzig aussehenden Krokusse. Er legte den Arm um ihre Hüfte.

Es gab keinen Televisor, aber es mußten versteckte Mikrofone da sein; außerdem konnte man sie sehen. Das machte nichts aus, nichts machte etwas aus. Sie hätten sich auf den Boden legen und *das* tun können, was sie gewollt hätten. Sein Fleisch erstarrte vor Grauen bei dem bloßen Gedanken. Sie reagierte überhaupt nicht auf seinen um sie gelegten Arm; sie versuchte nicht einmal, sich freizumachen. Jetzt wußte er, was sich in ihr verändert hatte. Ihr Gesicht war bleicher, und eine teilweise von einer Haarsträhne bedeckte lange Narbe lief über ihre Stirn und Schläfe. Aber nicht das war die Veränderung. Sie bestand darin, daß ihre Taille dicker und in einer überraschenden Weise steif geworden war. Er erinnerte sich, wie er einmal nach der Explosion einer Raketenbombe geholfen hatte, eine Leiche aus den Trümmern zu ziehen, und nicht über das unglaubliche Gewicht des Toten gestaunt hatte, sondern über seine Steifheit und die Schwierigkeit, mit der er sich handhaben ließ, so daß er eher aus Stein als aus Fleisch zu sein schien. Ihr Körper fühlte sich ebenso an. Es kam ihm der Gedanke, daß das Gewebe ihrer Haut ein ganz anderes sein mußte als früher.

Er versuchte nicht, sie zu küssen; auch sprachen sie nicht miteinander. Als sie über das Gras zurückgingen, sah sie ihn zum erstenmal unmittelbar an. Es war nur ein kurzer Blick, voll Verachtung und Abneigung. Er fragte sich, ob es eine Abneigung war, die sich nur aus der Vergangenheit herleitete, oder ob sie auch durch sein gedunsenes Gesicht und das Wasser, das ihm der Wind ständig aus den Augen trieb, verursacht war. Sie setzten sich auf zwei eiserne Stühle, Seite an Seite, aber nicht zu eng nebeneinander. Er sah, daß sie im Begriff war, zu sprechen. Sie schob ihren plumpen Schuh ein paar Zentimeter vor und zertrat bedachtsam einen Zweig. Ihr Fuß schien breiter geworden zu sein, bemerkte er.

»Ich habe dich verraten«, sagte sie trocken.

»Auch ich verriet dich«, sagte er.

Sie warf ihm einen erneuten kurzen Blick des Abscheus zu.

»Manchmal«, sagte sie, »drohen sie einem mit etwas – etwas, das man nicht aushalten, ja nicht einmal ausdenken kann. Und dann sagt man: ›Tut es nicht mir an, tut es jemand anderem, tut es dem Soundso an.‹ Und vielleicht macht man sich nachher vor, es sei nur ein Kniff gewesen und man habe nur eben so gesagt, damit sie aufhörten, und es sei einem nicht wirklich ernst damit gewesen. Aber das ist nicht wahr. Zur Zeit, wenn es sich abspielt, ist es einem ernst damit. Man glaubt, es gebe keinen anderen Ausweg, um sich selbst zu retten, und man ist durchaus bereit, sich auf diese Weise zu retten. Man *will*, daß es dem anderen widerfährt. Es kümmert einen keinen Pfifferling, was sie leiden. Es geht nur noch um einen selbst.«

»Es geht nur noch um einen selbst«, echote er.

»Und danach empfindet man für den anderen Menschen nicht mehr dasselbe.«

»Nein«, sagte er, »man empfindet nicht mehr dasselbe.«

Es schien, sie hätten sich nichts mehr zu sagen. Der Wind klatschte ihre dünnen Trainingsanzüge an ihre Leiber. Mit einmal setzte es einen in Verlegenheit, schweigend dazusitzen: außerdem war es zu kalt, um stillzusitzen. Sie murmelte etwas, sie müsse ihre Untergrundbahn erreichen, und stand zum Gehen auf. »Wir müssen uns wiedersehen«, sagte er.

»Ja«, sagte sie, »wir müssen uns wiedersehen.«

Unentschlossen ging er ein kleines Stück weit mit, einen halben Schritt hinter ihr. Sie sprachen nicht noch einmal. Sie versuchte nicht direkt, ihn abzuschütteln, sondern ging nur eben in solchem Tempo, daß er nicht mit ihr Schritt halten konnte. Er hatte bei sich beschlossen, sie bis zum Untergrundbahnhof zu begleiten, aber plötzlich schien dieses Sich-durch-die-Kälte-hinterherziehen-Lassen sinnlos und unerträglich.

Er fühlte einen brennenden Wunsch, nicht so sehr von Julia wegzukommen, als ins Café »Zum Kastanienbaum« zurückzukehren, das ihm nie so anziehend vorgekommen war wie in diesem Augenblick. Er hatte eine sehnsüchtige Vision von seinem Ecktisch mit der Zeitung, dem Schachbrett und dem ewig fließenden Gin. Vor allem würde es dort warm sein. Im nächsten Augenblick wurde er, rein zufällig, durch eine kleine Gruppe Menschen von ihr getrennt. Er machte einen schwachen Versuch, sie einzuholen, dann wurde er langsamer, machte kehrt und ging in entgegengesetzter Richtung davon. Als er fünfzig Meter gegangen war, blickte er sich um. Es waren nicht viele Menschen auf der Straße, aber schon konnte er sie nicht mehr unterscheiden. Jede von einem Dutzend eilender Gestalten hätte Julia sein können. Vielleicht war ihr dick und steif gewordener Rücken nicht mehr unter den anderen Menschen herauszufinden.

»Zur Zeit, wenn es sich abspielt«, hatte sie gesagt, »ist es einem ernst damit.« Es war ihm ernst damit gewesen. Er hatte es nicht nur gesagt, sondern auch gewünscht, daß sie und nicht er ausgeliefert würde an die –.

Etwas an der Musik, die aus dem Televisor rieselte, änderte sich. Ein prahlerischer und höhnischer, ein hetzerischer Unterton kam hinein. Und dann – vielleicht geschah es nicht wirklich, vielleicht war es nur eine sich in eine Melodie kleidende Erinnerung – sang eine Stimme:

»Under the spreading chestnut tree
I sold you and you sold me –«

Tränen stiegen ihm in die Augen. Ein vorbeikommender Kellner sah, daß sein Glas leer war, und kam mit der Ginflasche zurück.

Er hob sein Glas und schnupperte daran. Das Zeug wurde mit jedem Schluck, den er trank, nicht weniger scheußlich, sondern scheußlicher. Aber es war zu dem Element geworden, in dem er schwamm. Es war sein Leben, sein Tod und sein Wiederbelebungsmittel. Der Gin versetzte ihn allabendlich in einen dumpfen Schlaf, und der Gin erweckte ihn allmorgendlich wieder zum Leben. Wenn er, was selten vor elf Uhr geschah, mit verklebten Augen, mit schlechtem Geschmack im Mund und einem wie gebrochenen Rücken aufwachte, wäre es unmöglich gewesen, sich auch nur aus der Horizontalen aufzurichten, wären nicht die nachtsüber neben dem Bett stehende Flasche und Teetasse gewesen. Über die Mittagsstunde saß er mit verglastem Blick da, die Flasche griffbereit vor sich, und lauschte dem Televisor. Von fünfzehn Uhr bis Lokalschluß gehörte er zum Inventar des Cafés »Zum Kastanienbaum«. Niemand kümmerte sich mehr darum, was er tat, keine Sirene weckte, kein Televisor mahnte ihn. Gelegentlich, vielleicht zweimal in der Woche, ging er zu einem verstaubten, vergessen aussehenden Büro im Wahrheitsministerium und verrichtete ein wenig Arbeit, oder wenigstens was man so Arbeit nennt. Er war einem Unterausschuß eines Unterausschusses zugeteilt worden, der sich von einem der unzähligen Ausschüsse abgezweigt hatte, die mit der Bearbeitung der unbedeutenden Schwierigkeiten beschäftigt waren, die sich bei der Zusammenstellung der Elften Ausgabe des Neusprach-Wörterbuchs ergaben. Sie waren mit der Abfassung von etwas beauftragt, das sich Zwischenbericht nannte, was es aber war, worüber sie berichteten, hatte er nie ganz herausgefunden. Es hatte etwas mit der Frage zu tun, ob Kommas innerhalb oder außerhalb der Klammern gesetzt werden sollten. Noch vier andere gehörten dem Ausschuß an, sämtliche Menschen ähnlich wie er selber. Es gab Tage, an denen sie zusammentrafen, um dann gleich wieder auseinanderzugehen und einander offen einzugestehen, daß in Wirklichkeit nichts zu tun war. Es gab aber auch andere Tage, an denen sie sich fast begierig auf ihre Arbeit stürzten, ein riesiges Aufheben davon machten, ihre Entwürfe zu besprechen und lange Denkschriften zu entwerfen, die nie vollendet wurden – an denen der Streit darüber, worüber sie sich eigentlich stritten, außerordentlich verwickelt und unklar wurde, mit spitzfindigen Erörterungen von Definitionen, riesigen Abschweifungen, Zänkereien, ja sogar Drohungen, sich an eine höhere Stelle zu wenden. Und dann plötzlich war ihre Lebendigkeit erschöpft, sie saßen herum und sahen einander mit erloschenen Augen an wie Gespenster, die sich beim ersten Hahnenschrei in Nichts auflösen.

Der Televisor war einen Augenblick verstummt. Winston hob wieder den Kopf. Der Tagesbericht! Aber nein, sie schalteten nur andere Musik ein. Er stellte sich in Gedanken die Karte von Afrika vor. Die Bewegungen der Heere bildeten ein Diagramm: Ein schwarzer Pfeil stieß senkrecht nach Süden vor und ein weißer Pfeil waagerecht nach Osten, durch das Ende des ersteren hindurch. Wie zur Beruhigung blickte er zu dem unerschütterlichen Gesicht auf dem Bild empor. War es denkbar, daß der zweite Pfeil nicht einmal existierte?

Sein Interesse erlahmte wieder. Er trank einen neuen Schluck Gin, nahm den weißen Springer zur Hand und machte einen versuchsweisen Zug. Schach. Aber es war offenbar nicht der richtige Zug, denn –

Ungerufen kam ihm eine Erinnerung in den Sinn. Er sah ein kerzenbeleuchtetes Zimmer mit einem breiten, mit einer weißen Steppdecke bedeckten Bett, und sich selbst als einen Jungen von neun oder zehn Jahren, wie er auf dem Fußboden saß, einen Würfelbecher schüttelte und aufgeregt lachte. Seine Mutter saß ihm gegenüber und lachte ebenfalls.

Es mußte etwa einen Monat vor ihrem Verschwinden gewesen sein. Es war ein Anblick der Harmonie, in dem der nagende Hunger in seinem Magen vergessen und seine frühere Liebe zu ihr wieder vorübergehend aufgeblüht war. Er erinnerte sich gut an den Tag, einen stürmischen Regentag, an dem das Wasser die Fensterscheibe herunterströmte und das Licht im Zimmer zum Lesen zu trübe war. Die Langeweile der beiden Kinder in dem dunklen engen Raum wurde unerträglich. Winston greinte und quengelte, verlangte vergeblich etwas zu essen, fuhrwerkte im Zimmer herum, wobei er alles von der Stelle rückte und der Wandvertäfelung Fußtritte versetzte, bis die Nachbarn an die Wand klopften, während das jüngere Kind zwischendurch jammerte. Am Schluß hatte seine Mutter gesagt: »Sei jetzt brav, und ich kauf' dir ein Spielzeug. Ein schönes Spielzeug – es wird dir gefallen.« Und dann war sie in den Regen hinausgegangen zu einem kleinen Kramladen in der Nachbarschaft, der noch immer zeitweise geöffnet hatte, und kam mit einer Pappschachtel zurück, die eine vollständige Zusammensetzung eines Wettrennspiels enthielt. Er konnte sich noch an den Geruch des muffigen Pappdeckels erinnern. Das Ganze war jammervoll. Die Pappe hatte Sprünge, und die winzigen Holzwürfel waren so ungleichmäßig geschnitzt, daß sie kaum auf ihren Flächen liegenbleiben wollten. Winston betrachtete das Spiel mürrisch und teilnahmslos. Aber dann zündete seine Mutter einen Kerzenstummel an, und sie setzten sich zum Spiel auf den Boden. Bald glühte er vor Erregung und schrie vor Lachen, wenn die Spielmarken hoffnungsvoll vorrückten und dann wieder fast bis zum Einsatz zurückgestellt werden mußten. Sie spielten acht Spiele, wobei jeder vier gewann. Sein Schwesterchen, das zu klein war, um etwas von dem Spiel zu verstehen, hatte, an ein Polster gelehnt, dagesessen und gelacht, weil die anderen lachten. Einen ganzen Nachmittag hindurch waren sie alle miteinander glücklich gewesen, wie in seiner früheren Jugend.

Er verbannte das Bild aus seinen Gedanken. Es war eine falsche Erinnerung. Gelegentlich suchten ihn falsche Erinnerungen heim. Sie schadeten nichts, solange man sie als das erkannte, was sie waren. Manche Dinge hatten sich zugetragen, andere hatten sich nicht zugetragen. Er wandte sich wieder dem Schachbrett zu und ergriff erneut den weißen Springer. Fast im gleichen Augenblick fiel er mit Geklapper hinunter auf das Spielbrett. Er war zusammengefahren, als habe man ihm eine Nadel hineingerammt.

Ein schriller Trompetenstoß hatte die Luft durchdrungen. Es war der Tagesbericht! Sieg! Es bedeutete immer einen Sieg, wenn ein Trompetenstoß den Nachrichten vorherging. Sogar die Kellner waren zusammengeschreckt und spitzten die Ohren.

Der Trompetenstoß hatte einen riesigen Aufwand von Lärm entfesselt. Schon schnatterte eine aufgeregte Stimme aus dem Televisor, aber bereits als sie loslegte, ging sie beinahe in einem Hurragebrüll von draußen unter. Die Neuigkeit hatte sich wie durch Zauberei in den Straßen verbreitet. Er konnte gerade genug von dem, was der Televisor verkündete, hören, um zu merken, daß alles so, wie von ihm vorausgesehen, gekommen war; eine große, übers Meer gekommene Kriegsflotte war insgeheim zusammengezogen und ein plötzlicher Schlag gegen die feindliche Nachhut geführt worden, der weiße Pfeil spaltete das Ende des schwarzen. Bruchstücke triumphierender Phrasen behaupteten sich gegen den Lärm: »Große strategische Manöver – vollendete Zusammenarbeit – wilde Flucht des Feindes auf der ganzen Linie – eine halbe Million Gefangene – vollkommene Auflösung – Kontrolle über ganz Afrika – das Kriegsende in absehbare Nähe gerückt – größter Sieg in der menschlichen Geschichte – Sieg, Sieg, Sieg!«

Winstons Füße machten unter dem Tisch krampfhafte Bewegungen. Er hatte sich nicht von seinem Platz gerührt, aber in Gedanken rannte er, rannte rasch, war mit der Menge draußen und schrie sich mit Hochrufen heiser. Wieder blickte er zu dem Bildnis des Großen Bruders empor. Der Koloß, der seine Arme schützend über die ganze Welt breitete! Der Felsen, gegen den die asiatischen Horden vergeblich anrannten! Er überlegte, wie noch vor zehn Minuten – ja, nur vor zehn Minuten – ein Schwanken in seinem Herzen gewesen war, als er sich fragte, ob die Meldung von der Front Sieg oder Niederlage lauten würde. Ach, mehr als ein eurasisches Heer war untergegangen! Viel hatte sich in ihm geändert seit jenem ersten Tag im Ministerium für Liebe, aber die endgültige, notwendige, heilende Wandlung war bis zu diesem Augenblick nicht erfolgt.

Die Stimme aus dem Televisor sprudelte noch immer ihren Bericht von Gefangenen, Beute und Gemetzel, aber das Geschrei draußen hatte sich ein wenig gelegt. Die Kellner gingen wieder an ihre Arbeit. Einer von ihnen kam mit der Ginflasche heran. Winston, der in seligen Träumen verloren dasaß, achtete nicht darauf, als sein Glas gefüllt wurde. Er rannte nicht mehr und schrie nicht mehr Hurra. Er war wieder im Ministerium für Liebe, alles war vergessen, seine Seele schneeweiß. Er saß auf der öffentlichen Anklagebank, gestand alles, belastete jedermann. Er schritt den mit weißen Fliesen belegten Gang hinunter mit dem Gefühl, im Sonnenschein zu wandeln, und ein bewaffneter Wachposten ging hinter ihm drein. Das langerhoffte Geschoß drang ihm in sein Gehirn.

Er blickte hinauf zu dem riesigen Gesicht. Vierzig Jahre hatte er gebraucht, um zu erfassen, was für ein Lächeln sich unter dem dunklen Schnurrbart verbarg. O grausames, unnötiges Mißverstehen! O eigensinniges, selbst auferlegtes Verbanntsein von der liebenden Brust! Zwei nach Gin duftende Tränen rannen an den Seiten seiner Nase herab. Aber nun war es gut, war alles gut, der Kampf beendet. Er hatte den Sieg über sich selbst errungen. Er liebte den Großen Bruder.

KLEINE GRAMMATIK

Die Neusprache war die in Ozeanien eingeführte Amtssprache und zur Deckung der ideologischen Bedürfnisse des *Engsoz* erfunden worden. Sie hatte nicht nur den Zweck, ein Ausdrucksmittel für die Weltanschauung und geistige Haltung zu sein, die den Anhängern des *Engsoz* allein angemessen war, sondern darüber hinaus jede Art anderen Denkens auszuschalten. Wenn die Neusprache erst ein für allemal angenommen und die Altsprache vergessen worden war (etwa im Jahre 2050), sollte sich ein unorthodoxer – d. h. ein von den Grundsätzen des *Engsoz* abweichender – Gedanke buchstäblich nicht mehr denken lassen, wenigstens insoweit Denken eine Funktion der Sprache ist. Der Wortschatz der Neusprache war so konstruiert, daß jeder Mitteilung, die ein Parteimitglied berechtigterweise machen wollte, eine genaue und oft sehr differenzierte Form verliehen werden konnte, während alle anderen Inhalte ausgeschlossen wurden, ebenso wie die Möglichkeit, etwa auf indirekte Weise das Gewünschte auszudrücken. Das wurde teils durch die Erfindung neuer, hauptsächlich aber durch die Ausmerzung unerwünschter Worte erreicht und indem man die übriggebliebenen Worte so weitgehend wie möglich jeder unorthodoxen Nebenbedeutung entkleidete. Ein Beispiel hierfür: das Wort *frei* gab es zwar in der Neusprache noch, aber es konnte nur in Sätzen wie *»Dieser Hund ist frei von Flöhen«*, oder *»Dieses Feld ist frei von Unkraut«* angewandt werden. In seinem alten Sinn von »politisch frei« oder »geistig frei« konnte es nicht gebraucht werden, da es diese politische oder geistige Freiheit nicht einmal mehr als Begriff gab und infolgedessen auch keine Bezeichnung dafür vorhanden war.

Die Neusprache war auf der vorhandenen Sprache aufgebaut, obwohl viele Neusprachsätze, auch ohne neu erfundene Worte zu enthalten, für einen Menschen des Jahres 1949 kaum verständlich gewesen wären. Der Wortschatz war in drei deutlich abgegrenzte Klassen eingeteilt, die im folgenden gesondert behandelt werden. Für die rein grammatikalischen Besonderheiten gilt jedoch das unter *Wortschatz A* Gesagte für alle drei Kategorien.

Der *Wortschatz A* bestand aus den für das tägliche Leben benötigten Worten – für Dinge wie Essen, Trinken, Arbeiten, Anziehen, Treppensteigen, Eisenbahnfahren, Kochen u. dgl. Er war fast völlig aus bereits vorhandenen Worten zusammengesetzt, wie *schlagen, laufen, Hund, Baum, Zucker, Haus, Feld* – aber mit dem heutigen Wortschatz verglichen, war ihre Zahl äußerst klein und ihre Bedeutung viel strenger umrissen. Sie waren von jedem Doppelsinn und jeder Bedeutungsschattierung gereinigt. Es wäre ganz unmöglich gewesen, sich des Wortschatzes A etwa zu literarischen Zwecken oder zu einer politischen oder philosophischen Diskussion zu bedienen. Er war nur dazu bestimmt, einfache, zweckbestimmende Gedanken auszudrücken, bei denen es sich gewöhnlich um konkrete Dinge oder physische Vorgänge handelte.

Ein Merkmal der Neusprach-Grammatik war die fast vollständige Austauschbarkeit unter den verschiedenen syntaktischen Bestandteilen. Jedes Wort konnte sowohl als Zeit-, Haupt-, Eigenschafts- oder Umstandswort verwendet werden. Zeit- und Hauptwörter hatten dieselbe Form, wenn sie die gleiche Wurzel hatten, ja selbst wo kein etymologischer Zusammenhang vorhanden war. Es gab zum Beispiel kein Wort für schneiden, da seine Bedeutung schon hinreichend durch das Hauptwort Messer gedeckt war. Eigenschaftsworte wurden gebildet, indem man dem Hauptwort die Nachsilbe -voll, Umstandsworte, indem man -weise anhängte.

Jedes Wort konnte durch Voranstellung von *un-* in sein Gegenteil umgewandelt oder durch die Voranstellung von *plus-*

oder von *doppelplus-* gesteigert werden. So bedeutete beispielsweise *unkalt* »warm«, während *pluskalt* oder *doppelpluskalt* »sehr kalt« oder »überaus kalt« bedeuteten. Auch war es möglich, die Bedeutung fast jeden Wortes durch die Voranstellung von *vor-*, *nach-*, *ober-*, *unter-* usw. abzuwandeln. Diese Methode ermöglichte es, den Wortschatz ganz gewaltig zu vermindern.

Das zweite hervorstechende Merkmal der Neusprach-Grammatik war ihre Regelmäßigkeit. Abgesehen von einigen nachfolgend erwähnten Ausnahmen folgten alle Beugungen derselben Regel. Bei allen Zeitwörtern waren das Imperfektum und das Partizip der Vergangenheit identisch und endeten auf *-te*. Das Imperfektum von *stehlen* war *stehlte*, von denken *denkte* usw., während alle Formen wie *dachte*, *schwamm*, *brachte*, *sprach*, *nahm* abgeschafft waren.

Die einzigen Wortarten, die weiterhin unregelmäßig gebeugt werden durften, waren die Fürwörter und die Hilfszeitwörter. Ein Wort, das schwer auszusprechen oder leicht mißzuverstehen war, galt *eo ipso* als etwas Schlechtes: Deshalb wurden gelegentlich um des Wohlklangs willen Buchstaben in ein Wort eingeschoben oder veraltete Formen beibehalten. Aber diese Notwendigkeit machte sich vor allem in Zusammenhang mit *Wortschatz B* bemerkbar.

Der *Wortschatz B* bestand aus Worten, die absichtlich zu politischen Zwecken gebildet worden waren, d. h. die nicht nur in jedem Fall auf einen politischen Sinn abzielten, sondern dazu bestimmt waren, den Benutzer in die gewünschte Geistesverfassung zu versetzen. Ohne ein eingehendes Vertrautsein mit den Prinzipien des *Engsoz* war es schwierig, diese Worte richtig zu gebrauchen. In manchen Fällen konnte man sie in die Altsprache oder sogar in Worte aus dem Wortschatz A übersetzen, aber dazu war gewöhnlich eine lange Umschreibung notwendig, und unweigerlich gingen dabei gewisse Schattierungen verloren. Die B-Worte waren eine Art Stenographie, mit der man oft eine ganze Gedankenreihe in ein paar Silben zusammenfassen konnte.

Ihre Formulierungen waren zugleich genauer und zwingender als die gewöhnliche Sprache.

Die B-Worte waren immer zusammengesetzt. Sie bestanden aus zwei oder mehr Worten oder Wortteilen, die zu einer leicht aussprechbaren Form zusammengezogen waren. Die erzielte Verschmelzung war zunächst immer ein Hauptwort, von dem dann in der üblichen Weise weitere Worte abgeleitet wurden. Beispiel: das Wort *Gutdenk* bedeutete gemeinhin »orthodoxe Haltung, Strenggläubigkeit«, als Zeitwort »in orthodoxer Weise denken« (Vergangenheit *gutdenkte*); als Eigenschaftswort *gutdenkvoll;* als Umstandswort *gutdenkweise;* als Hauptwort *Gutdenker.*

Der Stamm der B-Worte konnte Bestandteilen jeder Wortart angehören, die in jeder Reihenfolge angeordnet und beliebig verstümmelt werden konnten, um ein leicht aussprechbares neues Wort zu bilden. In dem Worte *Undenk* (Verstoß gegen die Parteidisziplin) z. B. stand *denken* an zweiter Stelle, während es in *Denkpoli* (Gedankenpolizei) auf die erste Stelle kam, wobei das Wort *Polizei* seine dritte Silbe einbüßte.

Manche B-Worte hatten eine höchst differenzierte Bedeutung, die jemandem, der nicht mit der Sprache im ganzen vertraut war, kaum verständlich wurde. Als Beispiel diene ein typischer Satz aus dem *Times*-Leitartikel: *Altdenker unintusfühl Engsoz.* Die kürzeste Wiedergabe, die davon in der Altsprache möglich gewesen wäre, hätte lauten müssen: »Diejenigen, deren Weltanschauung sich vor der Revolution geformt hat, können die Prinzipien des neuen englischen Sozialismus nicht wirklich von innen heraus verstehen.« Aber das ist keine ausreichende Übersetzung. Man müßte eigentlich, um die volle Bedeutung des oben angeführten Neusprachsatzes zu verstehen, erst eine genaue Vorstellung von dem haben, was mit *Engsoz* gemeint war. Dazu kommt, daß nur ein völlig im *Engsoz* aufgegangener Mensch die ganze Kraft des Wortes *intusfühl* nachzuempfinden vermag, das eine blinde, begeisterte Hingabe bezeichnet, die man sich nur schwer vorstellen kann, desgleichen das Wort *Altdenk,* das untrennbar mit der Vorstellung von Schlechtigkeit und Entartung verknüpft war.

Wie wir bereits bei dem Wort *frei* gesehen haben, wurden Worte, die früher einen ketzerischen Sinn hatten, manchmal aus Bequemlichkeitsgründen beibehalten – aber nur, nachdem man sie von ihren unerwünschten Bedeutungen gereinigt hatte. Zahlreiche Worte wie *Ehre, Gerechtigkeit, Moral, Internationalismus, Demokratie, Wissenschaft* und *Religion* gab es ganz einfach nicht mehr. Sie waren durch ein paar Überbegriffe ersetzt und damit hinfällig geworden. Alle mit den Begriffen der Freiheit und Gleichheit zusammenhängenden Worte z. B. waren in dem einzigen Wort *Undenk* enthalten, während alle um die Begriffe Objektivität und Rationalismus kreisenden Worte sämtlich in dem Wort *Altdenk* inbegriffen waren. Eine größere Genauigkeit wäre gefährlich gewesen.

Kein Wort des Wortschatzes B war ideologisch neutral. Eine ganze Anzahl hatten den Charakter reiner sprachlicher Tarnung und waren einfach Euphemismen. So bedeuteten z. B. Worte wie *Lustlager* (= Zwangsarbeitslager) oder *Minipax* (= Friedensministerium = Kriegsministerium) fast das genaue Gegenteil von dem, was sie zu besagen schienen. Andererseits zeigten einige Worte ganz offen eine verächtliche Kenntnis der wahren Natur der ozeanischen Verhältnisse. Ein Beispiel dafür war *Prolefutter*, womit man die armseligen Lustbarkeiten und die verlogenen Nachrichten meinte, mit denen die Massen von der Partei abgespeist wurden. Andere Worte wiederum hatten eine Doppelbedeutung, sie bedeuteten etwas Gutes, wenn sie auf die Partei, und etwas Schlechtes, wenn sie auf deren Feinde angewandt wurden. Und außerdem gab es noch eine große Anzahl von Worten, die auf den ersten Blick wie einfache Abkürzungen aussahen und ihre ideologische Färbung nicht von ihrer Bedeutung, sondern von ihrer Zusammensetzung bekamen.

Soweit wie möglich wurde alles, was irgendwie politische Bedeutung hatte oder haben konnte, dem Wortschatz B angepaßt. Der Name jeder Organisation oder Gemeinschaft, jedes Dogmas, jedes Landes, jeder Verordnung, jedes öffentlichen Gebäudes wurde unabänderlich auf den gewohnten Nenner gebracht: in die Form eines einzigen, leicht aussprechbaren Wortes mit möglichst geringer Silbenzahl, von dem man die ursprüngliche Ableitung noch ablesen konnte. Im Wahrheitsministerium z. B. wurde die Registratur-Abteilung, in der Winston Smith beschäftigt war, *Regab* genannt, die Literatur-Abteilung *Litab*, die Televisor-Programm-Abteilung *Telab* usw. Das geschah nicht nur aus Gründen der Zeitersparnis. Schon in den ersten Jahrzehnten des zwanzigsten Jahrhunderts waren solche zusammengezogenen Worte charakteristisches Merkmal der politischen Sache gewesen; wobei es sich gezeigt hatte, daß die Tendenz, solche Abkürzungen zu benutzen, in totalitären Ländern und bei totalitären Organisationen am ausgeprägtesten war *(Nazi, Gestapo, Komintern, Agitprop).* Zunächst war das Verfahren offenbar ganz unbewußt und zufällig in Gebrauch gekommen, in der Neusprache aber wurde es vorsätzlich angewandt. Man hatte erkannt, daß durch solche Abkürzungen die Bedeutung einer Bezeichnung eingeschränkt und unmerklich verändert wurde, indem sie die meisten der ihr sonst anhaftenden Gedankenverbindungen verlor. Die Worte *Kommunistische Internationale* z. B. erwecken das Bild einer weltumspannenden Menschheitsverbrüderung, von roten Fahnen, Barrikaden, Karl Marx und der Pariser Kommune. Das Wort *Komintern* dagegen läßt lediglich an eine eng zusammengeschlossene Organisation und eine deutlich umrissene Gruppe von Anhängern einer politischen Doktrin denken; es umreißt etwas, das fast so leicht zu erkennen und auf seinen Zweck zu beschränken ist wie ein Stuhl oder ein Tisch. *Komintern* ist ein Wort, das man fast gedankenlos gebrauchen kann, während man über die Bezeichnung *Kommunistische Internationale* schon einen Augenblick nachdenken muß. Ebenso sind die Assoziationen, die durch ein Wort wie *Miniwahr* hervorgerufen werden, geringer an Zahl und leichter kontrollierbar als bei der Bezeichnung *Wahrheitsministerium.* Das erklärt nicht nur die Gewohnheit, bei jeder nur möglichen Gelegenheit Abkürzungen zu gebrauchen, sondern auch die fast übertriebene Sorgfalt, die darauf verwendet wurde, für jedes dieser Worte eine bequem aussprechbare Form zu finden.

Es überwog in der Neusprache deshalb die Rücksicht auf leicht eingehenden Wohlklang jede andere Erwägung, außer der Genauigkeit der Bedeutung; grammatische Regeln mußten immer zurücktreten, wenn es erforderlich schien. Und das mit Recht, denn man benötigte – vor allem für politische Zwecke – unmißverständliche Kurzworte, die leicht ausgesprochen werden konnten und im Denken des Sprechers ein Minimum an ideenverwandten Erinnerungen wachriefen. Die einzelnen Worte des Wortschatzes B gewannen noch an Ausdruckskraft dadurch, daß sie einander fast alle sehr ähnlich waren. Sie waren fast immer zwei-, höchstens dreisilbig *(Gutdenk, Minipax, Lustlager, Engsoz, Intusfühl, Denkpoli)*, wobei die Betonung ebensohäufig auf der ersten wie auf der letzten Silbe lag. Durch ihre Verwendung entwickelte sich ein bestimmter rednerischer Stil, der zugleich zackig, hohltönend und monoton war.

Der *Wortschatz C* bildete eine Ergänzung der beiden vorhergehenden und bestand lediglich aus wissenschaftlichen und technischen Fachausdrücken. Diese ähnelten den früher gebräuchlichen und leiteten sich aus den gleichen Wurzeln ab, doch ließ man die übliche Sorgfalt walten, sie streng zu umreißen und von unerwünschten Nebenbedeutungen zu säubern. Sie folgten den gleichen grammatikalischen Regeln wie die Worte in den beiden anderen Wortschätzen. Sehr wenig C-Worte tauchten in der politischen Sprache oder der Umgangssprache auf. Jeder wissenschaftliche Arbeiter oder Techniker konnte alle von ihm benötigten Worte in einer für sein Fach aufgestellten Liste finden, während er selten über eine mehr als oberflächliche Kenntnis der in den anderen Listen verzeichneten Worten verfügte. Nur einige wenige Worte standen auf allen Listen, doch gab es kein Vokabular, das die Funktion der Wissenschaft unabhängig von ihren jeweiligen Zweigen als eine geistige Einstellung oder Denkungsart ausgedrückt hätte, ja es gab nicht einmal ein Wort für »Wissenschaft«, da jeder Sinn, den es hätte haben können, bereits hinreichend durch das Wort *Engsoz* umschrieben war.

Es war also in der Neusprache so gut wie unmöglich, verbotenen Ansichten, über ein sehr niedriges Niveau hinaus, Ausdruck zu verleihen. Man konnte natürlich ganz grobe Ketzereien wie einen Fluch aussprechen. Man hätte z. B. sagen können: *Der Große Bruder ist ungut.* Aber diese Feststellung, die für ein orthodoxes Ohr lediglich wie ein handgreiflicher Unsinn geklungen hätte, durch Vernunftargumente zu stützen, wäre ganz unmöglich gewesen, da die nötigen Worte dafür fehlten. Im Jahre 1984, zu einer Zeit also, da die Altsprache noch das normale Verständigungsmittel war, bestand theoretisch immer noch die Gefahr, daß man sich bei der Benutzung von Neusprachworten an ihren ursprünglichen Sinn erinnern konnte. In der Praxis war es für jeden im *Zwiedenken* geschulten Menschen natürlich nicht schwer, das zu vermeiden, aber schon nach zwei weiteren Generationen würde auch die bloße Möglichkeit einer solchen Entgleisung überwunden sein. Ein mit der Neusprache als einzigem Verständigungsmittel aufwachsender Mensch würde nicht mehr wissen, daß *gleich* einmal die Nebenbedeutung von »politisch gleichberechtigt« gehabt oder daß *frei* einmal »geistig frei« bedeutet hatte, genausowenig wie ein Mensch, der noch nie etwas vom Schachspiel gehört hat, die darauf bezüglichen Nebenbedeutungen von *Königin* und *Turm* kennen kann. Viele Verbrechen und Vergehen würde dieser Mensch nicht mehr begehen können, weil er keinen Namen mehr dafür hatte und sie sich deshalb gar nicht mehr vorstellen könnte.

Es war vorauszusehen, daß im Laufe der Zeit die Besonderheiten der Neusprache immer mehr hervortreten würden – es würde immer weniger Worte geben und deren Bedeutung immer starrer werden. Auch würde die Möglichkeit, sie zu unlauteren Zwekken zu gebrauchen, ständig geringer werden.

Sobald die Altsprache ein für allemal verdrängt war, war auch das letzte Bindeglied mit der Vergangenheit dahin. Die Geschichte war bereits umgeschrieben worden, doch gab es da und dort unzureichend zensierte Bruchstücke aus der Literatur der Vergangenheit, und solange jemand die Altsprache verstand, war es möglich, sie zu lesen. In der Zukunft würden solche Fragmente, auch wenn sie zufälligerweise erhalten blieben, unverständlich und unübersetzbar sein. Es war unmöglich, irgend etwas aus der Alt- in die Neusprache zu übertragen, es sei denn, es handelte sich um ein technisches Verfahren oder um einen einfachen alltäglichen Vorgang, oder es war bereits linientreu (*gutdenkvoll* würde der Neusprachausdruck lauten) in seiner Tendenz. Praktisch bedeutete dies, daß kein vor 1960 geschriebenes Buch, so wie es war, übersetzt werden konnte. Vorrevolutionäre Literatur konnte nur einer ideologischen Übertragung unterzogen werden, das heißt einer Veränderung sowohl dem Sinne als der Sprache nach. Man nehme zum Beispiel die wohlbekannte Stelle aus der amerikanischen Unabhängigkeitserklärung:

Wir erachten diese Wahrheiten als selbstverständlich, daß alle Menschen gleich erschaffen worden sind, daß der Schöpfer ihnen gewisse unabänderliche Rechte verliehen hat als solche sind: Leben, Freiheit und das Streben nach Glück. Daß, um diese Rechte ihnen zu sichern, Regierungen unter den Menschen eingesetzt worden sind, deren gerechte Gewalt sich von der Zustimmung der Regierten herleitet. Daß, wenn immer eine Form der Regierung zerstörend in diese Endzwecke eingreift, das Volk das Recht besitzt, diese zu ändern oder abzuschaffen und eine neue Regierung einzusetzen...

Es wäre ganz unmöglich gewesen, dies in die Neusprache zu übertragen und dabei den Sinn des Originals zu erhalten. Am nächsten etwa käme diesem Vorgang das Aufgehen dieses ganzen Abschnittes in dem einen Wort: *Verbrechdenk*. Eine vollständige Übersetzung hätte nur eine ideologische sein können, wobei Jeffersons Worte in eine Lobeshymne auf die absolutistische Regierungsform umgewandelt worden wären.

Ein großer Teil der Literatur der Vergangenheit war tatsächlich schon in dieser Weise verändert worden. Prestigerücksichten ließen es wünschbar erscheinen, das Andenken an bestimmte historische Figuren beizubehalten, doch so, daß man deren Errungenschaften mit der Linie des *Engsoz* in Einklang brachte. Verschiedene Schriftsteller wie Shakespeare, Milton, Swift, Byron, Dickens und andere wurden deshalb einer Übertragung unterzogen. Sobald dies vollbracht worden war, wurden sowohl die Originalwerke wie auch alles andere, das aus der Literatur der Vergangenheit übriggeblieben war, vernichtet. Diese Art von Übertragungen war eine langwierige und mühsame Angelegenheit, und deren Beendigung konnte nicht vor dem ersten oder zweiten Jahrzehnt des einundzwanzigsten Jahrhunderts erwartet werden. Es gab noch eine große Menge reiner Fachliteratur – unentbehrliche technische Handbücher und dergleichen, die in der gleichen Weise bearbeitet werden mußten. Hauptsächlich um Zeit zu den vorbereitenden Übersetzungsarbeiten zu gewinnen, wurde die endgültige Einführung der Neusprache auf einen so späten Zeitpunkt wie 2050 festgesetzt.

George Orwell im Diogenes Verlag

Werkausgabe in 11 Bänden:

Erledigt in Paris und London
Sozialreportage aus dem Jahre 1933. Aus dem Englischen von Alexander Schmitz
detebe 20533

Tage in Burma
Roman. Deutsch von Susanna Rademacher
detebe 20308

Eine Pfarrerstochter
Roman. Deutsch von Hanna Neves
detebe 21088

Die Wonnen der Aspidistra
Roman. Deutsch von Nikolaus Stingl
detebe 21086

Der Weg nach Wigan Pier
Sozialreportage von 1936. Deutsch und mit einem Nachwort von Manfred Papst
detebe 21000

Mein Katalonien
Bericht über den Spanischen Bürgerkrieg. Deutsch von Wolfgang Rieger. detebe 20214

Auftauchen, um Luft zu holen
Roman. Deutsch von Helmut M. Braem
detebe 20804

Farm der Tiere
Ein Märchen. Neu übersetzt von Michael Walter. Mit Zeichnungen von Friedrich Karl Waechter und einem neuentdeckten Nachwort des Autors ›Die Pressefreiheit‹.
Diogenes Evergreens. Auch als detebe 20118

1984
Roman. Deutsch von Kurt Wagenseil
detebe 21087 (nur in Kassette lieferbar)

Im Innern des Wals
Erzählungen und Essays. Deutsch von Felix Gasbarra und Peter Naujack. detebe 20213
Warum ich schreibe – Einen Mann hängen – Einen Elefanten erschießen – Hopfenpflükken – In einem Bergwerk – Marrakesch – Im Innern des Wals – Mark Twain – Der Hofnarr – Rudyard Kipling – Wells, Hitler und der Weltstaat

Rache ist sauer
Erzählungen und Essays. Deutsch von Felix Gasbarra und Claudia Schmölders
detebe 20250
Autobiographisches – Rückblick auf den Spanischen Krieg – Einige Bemerkungen über Salvador Dali – Raffles und Miss Blandish – Rache ist sauer – Zur Verhinderung von Literatur – Gedanken über die gemeine Kröte – Bekenntnisse eines Rezensenten – Politik contra Literatur: Eine Untersuchung von *Gullivers Reisen* – Lear, Tolstoi und der Narr – Gedanken über Gandhi – Die Schriftsteller und der Leviathan

Außerdem lieferbar:

Das George Orwell Lesebuch
Essays, Reportagen, Betrachtungen. Herausgegeben und mit einem Nachwort von Fritz Senn. Deutsch von Tina Richter
detebe 20788
Orwell über Orwell – Die Engländer – Reportagen – Freiheit und Sozialismus – Allerlei Vorurteile – Aus dem Alltag – Schriftsteller und Bücher – Bemerkungen am Weg

Denken mit Orwell
Sätze für Zeitgenossen, zusammengestellt von Fritz Senn. Deutsch von Felix Gasbarra und Tina Richter. Mit 8 Zeichnungen von Tomi Ungerer

Die großen Unbequemen in Wort und Bild bei Diogenes

● Arthur Schopenhauer
Zürcher Ausgabe
Studienausgabe der Werke in zehn Bänden nach der historisch-kritischen Edition von Arthur Hübscher. detebe 20421–20430

● Fritz Mauthner
Wörterbuch der Philosophie
in zwei Bänden. detebe 20780

● Albert Einstein & Sigmund Freud
Warum Krieg?
Ein Briefwechsel. Mit einem Essay von Isaac Asimov. detebe 20028

● Das Karl Kraus Lesebuch
Ein Querschnitt durch die Fackel
Herausgegeben und mit einem Essay von Hans Wollschläger. detebe 20781

● Ludwig Marcuse
Philosophie des Un-Glücks
detebe 20219

Das Märchen von der Sicherheit
Herausgegeben und eingeleitet von Harold von Hofe. detebe 20303

Essays, Porträts, Polemiken
Gesammelt, ausgewählt und vorgestellt von Harold von Hofe. Leinen

Briefe von und an Ludwig Marcuse
Herausgegeben und eingeleitet von Harold von Hofe. Leinen

● Gustave Flaubert
Briefe
Ausgewählt, kommentiert und aus dem Französischen übersetzt von Helmut Scheffel. detebe 20386

Bouvard und Pécuchet
Roman. Deutsch von Erich Marx
detebe 20725

● Ernest Renan
Das Leben Jesu
detebe 20419

● Henry David Thoreau
Walden oder Leben in den Wäldern
Aus dem Amerikanischen von Emma Emmerich und Tatjana Fischer. Vorwort von W. E. Richartz. detebe 20019

Über die Pflicht zum Ungehorsam gegen den Staat
Ausgewählte Essays. Herausgegeben, übersetzt und mit einem Nachwort von W. E. Richartz. detebe 20063

● Oscar Wilde
Der Sozialismus und die Seele des Menschen
Ein Essay. Aus dem Englischen von Gustav Landauer und Hedwig Lachmann
detebe 20003

● D. H. Lawrence
Liebe, Sex und Emanzipation
Essays. Aus dem Englischen von Elisabeth Schnack. detebe 20955

● Aristophanes

Lysistrate
Aus dem Griechischen von Ludwig Seeger. Illustriert von Aubrey Beardsley. Mit Anmerkungen und einem Nachwort von Thomas Bodmer. detebe 20975

● Francisco Goya

Caprichos
Mit einem Vorwort von Urs Widmer
kunst-detebe 26003

Desastres de la Guerra
Mit einem Vorwort von Konrad Farner
kunst-detebe 26014